ワイルドランド

上

Wildland

The Making of America's Fury

Evan Osnos

アメリカを分断する「怒り」の源流

エヴァン・オズノス
笠井亮平◆訳

白水社

ワイルドランド——アメリカを分断する「怒り」の源流◆上

WILDLAND: The Making of America's Fury
by Evan Osnos

オリヴァーとローズへ

わたしたちは世界を一つひとつに分けて見ている——
太陽、月、動物、木といったように。
しかし輝けるこれらの要素からなる全体として見れば、
それは魂なのである。
ラルフ・ワルド・エマーソン「大霊」(一八四一年)

その後に起きたのは、
苦悩の意識を抱いたときに必然的に生じるものだった。
恐怖や憎しみを抱きながらも、
逃れることはできないとわかっているか感じているものから、
こうあってほしいと望むもの、
あるいは少なくともそのように想像するものへと逃避するのだ。
セオドア・ドライサー『アメリカの悲劇』(一九二五年)

ワイルドランド──アメリカを分断する「怒り」の源流◆上

目次

ワイルドランド――アメリカを分断する「怒り」の源流◆下

目次

凡例

訳者による注は〔　〕内に割注で記した。

引用文中および発言中の補足は［　］内に示した。中略は「……」で示した。

引用文の翻訳で出典の記載のないものは訳者による。

本文中の書名のうち「情報源についての解説」に記載のないものについては、邦訳のあるものは邦題に加え、訳者名、出版社名、刊行年を〔　〕内に割注で記した。邦訳のないものは逐語訳と原題を併記した。（以上、初出のみ）

プロローグ

カリフォルニア州ポッターバレー
二〇一八年七月二十七日

サンフランシスコから北に三時間の山腹で、一人の牧場主が牧草地を進んでいった。金色に輝く草をかき分け、かさかさとした音を立てながら。彼の名はグレン・カイル。自然に恵まれた土地ゆえに、先住民から「バロ・カイ」――「緑豊かな谷」という意味――と呼ばれたアメリカ西部の片隅に住んでいた。ところがこの日、大地は容赦がなかった。気温は摂氏三九度を超え、それまでの数日間も同程度の高温が続いていた。カリフォルニア史上最高レベルの暑さを記録したのは、すべてこの二〇年のことだった。この緑豊かな谷の草原にはからからに乾いたにおいが漂い、藁《わら》が音を立てていた。

グレン・カイルは自宅から約三〇メートル離れたところで足元を見ると、灰色がかった黒い地面に小さい穴があるのに気づき、歩みを止めた。それはスズメバチが地下に作った巣の入口だった。彼は鉄製のハンマーを取り出し、錆びついた釘を打ちつけてその穴をふさごうとした。しかし、金属と金属がぶつかり合うことで火花が飛び散り、火花は草原を襲い、草原に火がついた。彼は最初、足で泥を火の上にかけようとしたが、とてつもない夏の暑さによって地面は石のように固くなっていた。古いトランポリンを使って火を消そうと試みたが、生地の部分は火にのみ込まれてしまった。ホースから水を出そうとしたところ、ゴムが溶けてしまった。そしてグレン・カイルが家に走って消防車を呼ぶ頃には、状況は彼ではとても対処できないレベルになっていた。三〇分のうちに炎は約八ヘクタールにまで広がり、かなたの乾ききった森と点在する家屋に突進していった。そこは消防隊員が「荒野《ワイルドランド》」と呼ぶ土地だったが、「場所」と言うより「状態」と言ったほうがふさわしい、焚きつけとして完璧に近い環境だった。

牧場主の火花はカリフォルニア史上最大の原野火災を引き起こしたが、すぐに別の火災で記録が更新され、その記録もまた別の火災で更新されていった。この事態は「メンドシーノ複合火災」と命名され、一カ月にわたり猛威を振るった——風と炎というジェットエンジンによって、広大なエリアをのみ込んでいった。その面積は、温暖化が進む世界という年代記の中でランドマーク的存在のニューヨーク市の倍以上にも及んだ。ようやく火災が収まると、牧場主グレン・カイルは免責であるとの判断がカリフォルニア州政府から示された。火花を出したのは彼だったが、大惨事をもたらした本当の原因はさらに深いところにあったからだ。この火災は何十年にもわたり積み重なった要因が極限に達した結果だったのだ。

「小さな火花も広野を焼き尽くす」——この一件でわたしが思い出したのは、中国の革命指導者・毛沢東の著書にある、政治についての古い一文だった。毛沢東はアメリカのことはほとんど知らなかったが、政治についての荒々しい真実については承知していた。わたしはドナルド・トランプ政権下のワシントンで暮らしながら、今にも火が広がろうとしている風景のイメージが何度も脳裏をよぎった。それは暗喩のように感じられたときもあれば、現実のように感じられたこともあった。だが、次第に別のものとして理解するようになっていった――これは国土と国民が他者の怒りを映し出しているかのような、アメリカの一時代を描いた寓話ではないか、と。

アメリカ人は、落ち着きのなさという点では世界でもトップクラスだ。一九五〇年代、アメリカでは人口の五分の一が、配偶者や職、あるいは郊外の裏庭付き住宅を求めて毎年引っ越しをしていた。わたしの家族もこのコースに乗っていた。父は一九四四年に難民としてアメリカに来た――ナチスドイツのポーランド侵攻から逃れてきたユダヤ人の両親のもと、インドで生まれたのだった。母が生まれたのはモロッコで、両親はシカゴ出身のアメリカ人外交官だった。ヴェトナム戦争の頃、二人はサイゴン〔現ホーチミンシティ〕で出会った。母は非営利団体の事務所で働いており、父は新聞記者をしていた。両親は結婚するため帰国するのだが、そのときの状況はアメリカならではの折衷主義にあふれていた――インド生まれのユダヤ人とモロッコ生まれのWASP《ワスプ》〔アングロサクソンでプロテスタントの白人〕が、ミシガン州の裁判所で結婚の誓いをしたのだから。

わたしがアメリカから引っ越したのは、二〇〇一年九月十一日の同時多発テロ事件から一年あまり経ったときのことだった。その頃アメリカはイラク戦争の準備をしており、わたしはバグダッド、カイロ、その他の中東各地から現地の状況を伝えた。それから数年後、北京に住むことになり、サラベス・バーマンと出会った。彼女はマサチューセッツ州出身で、演劇とダンスの若手プロデューサーとして海外で活動していた。わたしたちは結婚し、その後帰国に向けた準備に取りかかった。サラベスはこう言っていた。あまり海外に長くいすぎると、本帰国するのがおっくうになるんじゃないかな、と。

それは二〇一三年のことで、わたしたちはワシントンに引っ越すべく計画を立てた。海外で過ごした年月の中で、バラク・オバマの大統領選勝利に世界がどう反応したのか――場所によって高揚か警戒かという違いはあったが――を目の当たりにしてきた。ところが、彼の勝利がアメリカ人にとって何を意味するのかとなると、詳しいことはわかっていなかった。二〇〇八年の大統領選は、あるイベントで興味津々の中国人に囲まれながら、テレビで開票速報を見守った。アメリカ初の黒人大統領誕生という見通しは、不可能を可能にできるという感覚の広がりをもたらしていた。かつての排華移民法〔一八八二年成立、一九四三年廃止〕のもとでの中国人移民排除を覚えている者にとっては、その思いはとりわけ強かった。オバマ勝利が伝えられると、わたしの近くに座っていたワン・チョンという中国人の新聞記者は、控えめではあったが称賛の声を上げた。「中国人の記憶には民族差別の記憶がとても深く刻まれていますから」と彼は語っていた。

帰国という経験は、新たな視点で物事を見るという可能性をいつももたらしてくれるものだ。一九四〇年代、作家のジョン・ガンサーはヨーロッパでの戦争取材を終えてアメリカに戻ってきた。一九四七年に刊行された『アメリカの内幕』で、彼は自分が「火星人」かのように感じたことがたびたびあったと記している。ガンサーの場合、母国のいくつかの側面が神経を逆撫でした。たとえば、南部の黒人隔離政策について「わたしがこれまで見たヨーロッパのゲットー、それこそワルシャワのゲットーと比べても隔離は厳重だ」と記している。しかし、彼を魅了した接触もあった。全米を旅するなかで、彼は人びとに「あなたは何をいちばん信じていますか？」と訊いて回った。すると、次のような答えが返ってきた。仕事、子ども、トマス・ジェファソン、神、黄金律、ピタゴラスの定理、高関税、低関税、農産品に高値がつくこと、幸せ、整備された道路、サンタクロース。しかし、もっとも多かった回答は次のようなものだったと彼は記している――「人間だね。みんなが公平な扱いを受ければの話だけど」。

二〇一三年七月七日、サラベスとわたしはダレス国際空港に到着した。入国審査のとき、「アメリカ合衆国へようこそ」と書かれたパンフレットを手に取った。税関・国境取締局が制作したもので、表紙にはワシントン・モニュメントと満開の桜の写真が掲載されていた。パンフレットは、次のような言葉で始まっていた。「わたしたちはあなたが訪問、留学、就労、滞在目的でアメリカ合衆国に渡航すると決めたことを喜ばしく思います」

わたしたちはワシントン郊外の閑静な通りにあるサラベスの実家に数週間滞在した。包丁研ぎや占い、あるいはかつら工場用に髪の毛を買い取りますよと業者が叫びながら歩いて回る、北京の胡同《フートン》〔中国の街の路地〕とはまったく違っていた。

クレイグスリスト〔不要品の売買などのコミュニティサイト〕で、ワシントンのテラスハウスが賃貸に出されているのを見つけた。飲むことができる水道水、きれいな空気、食洗機といった、中国では享受できなかったささやかなぜいたくを楽しめるようになった。ワシントンでいちばん豊かな地区では、誰もがジョギングか早足でウォーキングをしているように感じられた。もっとも貧しい通りである第七区と第八区では、失業率がアメリカのほかの都市部と比べても最高レベルだった。そこはキャピトルヒルからアナコスティア川を挟んで対岸に位置しているが、心理的な距離はとてつもなく遠かった。二〇一三年の時点で、ワシントンの白人家庭の収入は平均で黒人家庭の八一倍だった。最貧困層にとって、生活への重圧はひどくなる一方だった。二〇一六年までに、ワシントンDCで生まれた人の平均寿命は七十八歳で、北京の平均寿命が八十二歳なのと比べると四歳短くなっていた。

わたしは自分が海外にいた年月の中で起きた変化に、きわめて細かい部分も含めて追いついていくことにした。紳士服のブルックス・ブラザーズの前を歩いていると、窓越しにラペルに国旗のピンバッジが最初から付いているスーツが売られているのに気づいた。スーツがアメリカ製であることをアピールするためです、と店の広報担当が教えてくれた。国旗のピンバッジを着けていないとして共和党がオバマを糾弾していた二〇〇七年に、同社はこの対応を始めたとのことだった。

ほかの変化はあまりに広範囲にわたっていたため、全体像をつかむのが容易ではなかった。二〇一三年、アメリカは移民と多様性の長期にわたる進化の中でそれまでの境界点を突破した。アメリカ史上初めて、非白人の新生児の数が白人の新生児を上回ったのである。当初、その差はほとんど気づかないレベルだった。同年に生まれた新生児三八〇万人のうち、非白人と白人の差は一〇〇〇人にも満たなかった。しかし、その差は拡大していった。難民の息子である自分としては、高揚感をもたらす大きな節目で、時代の転換点のしるしととらえたが、ほかの多くのアメリカ人はそうは受け取っていないであろうことはわかっていた。

いくつかの変化については、人びとが徹底的に適応している様子にひどく衝撃を受けた。ある日の午前中、わたしが駅の乗車待合エリアでアムトラックの電車を待っていると、スクリーンで公共機関の放送が始まった。もし誰かが銃を発砲したら、「避難する」か「身体を伏せる」ようにしましょう、とナレーションで説明があった。スクリーンでは、青のブレザーを着た白髪の俳優が柱の後ろにうずくまっていた。最後の手段は行動をとることです、とナレーションが続けた。「大声を出してください。そして自分の所持品も含め周囲にある物を探し、即席の武器として投げつけるか使えるようにしましょう」

銃の乱射事件は九週間に一回のペースで起きており、一〇年前の三倍近くになっていた。コネティカット州ニュータウンに住む二十歳の男がサンディフック小学校で児童二〇人と教師六人を殺害するというこの上なく痛ましい事件が起きてから、まだ六カ月しか経っていなかった。ところがアメリカ内政の中では、この事件はすでに風化していた。政治家は「遺憾の意」を示しはしたが、議会で新たな銃規制措置を可決させようとする試みは失敗に終わっていた。待合エリアを見回してみたが、誰もが別のことに集中していた。自分がガンサーの言う火星人になったような気がしてきた。

アメリカは二〇〇一年九月十一日の同時多発テロ事件で受けたトラウマに対し、かなり独特なかたちで反応を示していた。アル・カーイダが世界貿易センタービルを破壊したことについて、歴史家のトニー・ジャットはこう記していた。「ロウアー・マンハッタンの自宅の窓から、わたしは二十一世紀が開幕するのを目の当たりにした」。一二年後、この事件は際立ってシンボリックな力を持つようになっていた。事件からの年月の中で、アメリカ人が極右テロリストに襲撃される頻度はイスラム過激派による襲撃の倍以上だった。それでも、アメリカではムスリムがどれくらいの割合を占めると思うかについて二〇一六年に研究者がアンケート調査を行ったところ、「六人に一人」というのが回答を平均した結果だった。実際の数字は「一〇〇人に一人」だったのだが。

二〇〇一年以来、アメリカはアフガニスタン、イラク、その他の国で戦争を行い、自国史上で最長の期間になっていた。実際に戦闘に参加した者がアメリカの総人口に占める割合は〇・五パーセント以下だった。大半のアメリカ人にとって、戦争が人生に及ぼす影響はほとんどなかった。多くのアメリカ人が戦争をもっとも身近に感じたのは、テレビのローカルニュースの最後で「感動の瞬間」として紹介された、動画の特集だった。そこでは、軍に所属する親が教室にそっと入り、子どもを驚かせる様子が収められていた。この手の動画はあまりに多く投稿され、「ComingHomeTV」というユーチューブのチャンネルを埋め尽くすほどだった。インターネットでこうした動画を検索しようとしたところ、グーグルがさまざまな検索候補を自動的に表示してくれた。

兵士と家族の再会
兵士と妻の再会
兵士と愛犬の再会
兵士が帰郷時に泣かないようにする

恐怖というものが政治にいかに深く入り込んでいるかに、わたしは気づき始めていた。海外に出る前、わたしはウェストヴァージニア州クラークスバーグという、アパラチア山脈にある小都市に住み、地方紙『エクスポネント・テレグラム』に勤めていた。同時多発テロ事件の翌日、同紙の編集部は、アメリカ人が自らに言い聞かせる物語への信念を表明するささやかな宣言を掲載した。「小都市の日刊紙が政府の対応についてどうあるべきかと提案するわけではないが」――編集部はそう記しつつも、以下の点は明確にしておく必要があるとした。「われわれは自由な社会であり、多様性や意見の交換、異なる見解の許容を誇りに思っている」、同時多発テロ事件によって「われわれの理想が打ち砕かれるようなことがあってはならず、むしろ理想を強化していかなくてはならない」と。この月、ウェストヴァージニア州プリンストン市でモスクが何者かによって荒らされる事件が起きた。犯人はリンチの様子を描き、「ジャマール」という名を書き残した。事件を受けて住民はモスクを擁護し、この対応は地元の誇りとなった。

だが、二〇〇八年までにウェストヴァージニア州民の五人に一人が「オバマはムスリムである」と信じているとの結果が世論調査で示されるようになっていた。FBIによると、ヘイトクライムも二〇〇一年以降減少していたのが上昇に転じていた。二〇一三年には同じモスクがふたたび何者かによって荒らされたが、このときは現地の反応はあまりなかった。教会からはこの襲撃に対する非難の声が上がったが、保安官はヘイトクライムの基準を満たしていないとの見解を示した。何世代にもわたりウェストヴァージニアに住んできたムスリムは、疎外感の高まりについて発言した。二〇一五年に医師のハゼム・アシュラフはインタビューで、こう語っていた。「自分の忠誠心が疑われ、人としての価値や存在意義が疑われているのです。自分がしたわけではないことのために、アメリカ人としてはふさわしくない、国民としてはふさわしくないと言われてしまうのです」。彼はウディ・ガスリーの曲の一節を引いて訴えた——「この国はあなたの国、この国はわたしの国」。（それから四年後、ウェストヴァージニア州議会議事堂で行われた共和党の集会で、炎上する世界貿易センタービルのポスター、それにミネソタ州選出のイルハン・オマル下院議員の写真を何者かが掲示した。オマルはムスリム女性として初めて下院議員になった政治家の一人だ。キャプションにはこう記されていた。「みなさんがお忘れということは、わたしの存在によって証明されています」）

アメリカ社会のこうした裂け目は、より大きな断裂の一部をなしていた。アメリカの経済規模は世界最大で、収入の中央値は自国史上かつてないほど高い水準にあった。だが、何百万もの国民の生活水準は、停滞するか低下していた。二七の州は予算不足で道路に開いた穴の補修ができず、その結果、一部の舗装道路は未舗装の状態に戻ってしまっていた。その一方で、ビル・ゲイツ、ウォーレン・バフェット、ジェフ・ベゾスの三人が持つ資産は、全アメリカ人の下半分が保有する資産の合計額よりも大きかった。ベゾスは一時間当たり一四万九三五三ドルを稼いでいたが、これは平均的なアメリカ人労働者の三年分の年収を上回る額だった。

平均寿命が低下しているという衝撃の事実が科学者から発表されたとき、それは全米的問題のように感じられた。だが、実際はそうではなかった。ウェストヴァージニア州のマクドウェル郡では、男性の平均寿命は六十四歳にまで落ち込んでいたが、これはイラクと変わらない水準だ。隣のヴァージニア州の場合、フェアファックス郡の男性は、平均で十八歳長く生きることができるのである。国民の生命に生じた裂け目の大きさゆえに、消えつつある共通の基盤ではアメリカという国の制度を支えることはもはや不可能のように見えた。これは、かつて最高裁判事を務めたルイス・ブランダイス〔在任一九一六–三九年〕が警鐘を鳴らしていた事態だった。彼は友人にこう語っていた。「われわれは民主主義を手にできるかもしれないし、一握りの者に富が集中するかもしれない。だが、両方を実現するわけにはいかない」

アメリカは自分たちの物語を失いつつあるだけではなかった。かつてマーティン・ルーサー・キング・ジュニアが「運命という一着の服」と呼んだ価値を信じる気質、言い換えれば共通の利益を思い描く能力をも失いつつあった。「一人に直接的な影響を与えるものは、全員に間接的な影響を与える」と彼は記している。フランクリン・ローズヴェルトが「恐怖そのもの」を恐れてしまいかねない誘惑に警告を発してから八〇年後、アメリカ人は恐怖を否定することはなくなった。むしろ、恐怖の存在を訴え、対策を講じてきた。犯罪は歴史的な低水準になった。だが、銃の携行許可証を持つアメリカ人の数は二〇年で三倍近くになり、一三〇〇万人にまで増加した。これは、アメリカの警察官の人数の一二倍以上だった。オバマは小さな町の有権者について「銃か宗教にしがみついている」と発言したことを陳謝したが、それから時を経て、こうした発言はもはや侮辱とは受け止められなくなっていた。銃器の展示ショーでは、「誇りと怒りを持ってしがみつく」というスローガンをプリントしたTシャツが販売されていた。

わたしはデュポン・サークルにオフィスを構えた。そこからは、ワシントンのローマ・カトリック教会の中心地であるセント・マシュー大聖堂のドームがそびえ立っているのが見えた。この教会は、一九六三年のジョン・F・ケネディの葬儀で撮影された有名な写真を通じて見覚えがあった——父の棺に向かって敬礼する三歳の息子にジャクリーン・ケネディがかがみ込んで耳元でささやいていた、あの光景だ。その数年前、この教会ではかなり違うタイプの人物の葬儀が行われた。煽動的な上院議員にして恐怖と疑念の達人、ジョセフ・マッカーシーだ。オフィスの窓から、陽光で照らし出されたり雪に覆われたりと、季節が移り変わるなかで教会の様子を眺めることができた。わたしは二つの葬儀について、国民に高揚も分断ももたらすことができるワシントンの能力の幅をあらためて感じさせてくれるものとして思い起こしていた。

二〇〇三年にわたしが海外に出たとき、CNNとFOXニュースはゴールデンタイムの視聴率において同じレベルで競合していた。それから一一年後、FOXは競合局に差をつけ、三倍の視聴率を毎晩たたき出すようになっていた。そして、政治の世界、とりわけ移民や治安、人種、連邦政府の役割といった分野で新たなボキャブラリーが広がるのをアシストした。帰国して仕事を再開して間もない十月一日、政府が一七年ぶりに閉鎖になる事態が起きた。厳密に言えば、この政府閉鎖は議会の共和党議員がオバマによる公的医療保険の適用範囲拡大を無効にしようとしたことで引き起こされたものだった。だが、本当のねらいはオバマ肝煎りの立法をおとしめ、自分たちに忠実な者の支持を喚起し、次の選挙に向けた資金を調達することにあった。これは類を見ないかたちで国政を舞台に行われた、イデオロギー的抵抗だった。同様の抵抗が最後に起きたのは一九六〇年代で、このときは民主党の人種隔離賛成派が連邦裁判所や連邦議会が下した決定の合法性を否定した。

わたしはホワイトハウスの代表番号に電話をかけてみた。すると、こんな自動応答メッセージが流れた。「こちらは大統領府です。申し訳ありませんが、連邦政府の予算上に支障が生じているため、お客さまのお電話をおつなぎすることはできません」。全米で八〇万人の連邦政府職員が自宅待機を命じられた。四〇〇の国立公園が閉園となった。低所得層向け保育園には資金が入らなくなり、国民はメディケア〔高齢者向け公的医療保険〕や社会保障の給付金、あるいは小規模ビジネス向け貸付金の新規申請ができなくなった。わたしはほかにやることがなかったので、キャピトルヒルまでぶらぶら歩いていったが、連邦議会議事堂は閉まっていた。博物館も閉館しており、観光客は秋の暖かな陽光の下で、記者が芝生に立って現場レポートをしている様子を写真に撮りながら、所在なく歩き回っていた。わたしはティモ・エンブロムと妻のマリタというフィンランドから来た老夫婦に出会った。彼らは自己処罰というアメリカの特異な現象を理解しようとしていた。「ホテルに行って、テレビをつけるでしょう。そうしたら、演説、演説、また演説なんですよ」とマリタが言った。ティモは、この騒動に当惑していると言った。「『政府閉鎖』っていったいどういうことなんだい？ もう一度選挙をやることになるの？」と彼は尋ねた。

この国の制度ではそれはありません、とわたしは答えた。事態が好転するように、必要なことをやるしかないんです。

一六日後に共和党が折れ、政府機関は業務を再開した。この閉鎖により経済活動が失われた結果、アメリカの納税者にもたらした損害は二四〇億ドルにのぼると推定されている。これは探査機を火星に飛ばして戻ってくるミッションを賄うことができる額だ――しかも八往復分。明らかに恩恵を被った唯一の人間は、この事態の黒幕だった上院議員、テキサス州選出のテッド・クルーズだ。ティーパーティー運動を支持する共和党員のあいだで、彼の支持率は四七パーセントから七四パーセントに急上昇した。この人気ぶりは『未来に向かうテッド・クルーズ合衆国上院議員（*U.S. Senator "Ted" Cruz to the Future*）』という子ども向けの塗り絵本が刊行されるきっかけとなり、五カ月にわたりアマゾンの塗り絵部門でトップの座を占めた。

連邦議会は再開後も、実質的に機能麻痺《まひ》の状態が続いた。ワシントンにいる共和党議員の多くは、政府を運営するという業務は根本的には自由と相容れないと考えていたからだった。低負担と小さな政府への強い支持として始まった活動は、金銭的利益や政治的チャンスの獲得につなげるべしとの圧力を受けて、連邦政府の権限に対する徹底的な軽視というかたちで強硬さを増していった。下院議長のジョン・ベイナーは、議員の能力の判断基準は「法律を何本作ったか」ではなく、「法律を何本廃止に追い込んだか」であるべきだと発言したほどだった。

政府閉鎖は、アメリカ政治の表層に姿を現しつつあった深い断裂を示すものという点で衝撃的だった。日を経るごとに、ワシントンは代表しているはずの国民との共通項を失っていった。連邦議会の議員は、八二パーセントが男性、八三パーセントが白人、五〇パーセントが大富豪で占められていた。しかし、アメリカはそうではなかった。ワシントンの外を旅すると、政治家の言葉は「利己的」とか「腐敗している」と反射的に一蹴される始末なのを思い知らされた。一九六四年、アメリカ人の七七パーセントは政府を基本的に信頼していると回答していた。それが二〇一四年までに、この割合は一八パーセントにまで落ち込んできた。アメリカ政治という大地は荒野の火災がいつ起きてもおかしくない状態だった。そこに何者かが火花を落とそうとしていた。

ドナルド・J・トランプが大統領選出馬を発表したまさにその瞬間から、彼はアメリカ人の不安の原因であると同時に不安を体現する存在でもあった。彼の勝利は可能な限り政治を全米レベルで展開し、この上なく炎上しやすい問題を経験上ここぞという重要局面にねじ込み、各地に散らばる支持者を団結させることによってもたらされた。トランプ支持者は彼が政治の規範や文化を侮辱するのを喜んだ。しかし、それよりも多くのアメリカ国民は戦慄を覚えた。国を船に喩えれば、根本的なコミットメントという錨《いかり》がいくつか抜けてしまったかのようで、歴史に判断を委ねるしかないところまで傾いてしまっている現状を嘆いた。この張り詰めた状態は、二〇二〇年に火がつくことになる。この年、新型コロナウイルスのパンデミックが人種、階層、イデオロギーによる各区分を越えて途方もなく多様な影響をもたらし、ジョージ・フロイドが警官に膝で首を押さえつけられて殺害された事件によってアメリカにおける権力のありようと真っ向から対立する勢力が生まれた。年末までに、政治は暴力に屈するようになり、国民は民主主義を担う政治家全体に対する信頼があまりにも大きく損なわれてしまったため、元に戻ることは二度とないのではと思い始めていた。

トランプ政権期には、沈黙に終止符が打たれた。アメリカ国民はもはや、ウォールストリートや貿易、エリート組織といった狭い分野の批判では飽き足らなくなっていた。彼らは攻撃の対象を階層、人種、ジェンダー、教育といった全体的な権力構造に広げ、アメリカにおける社会的契約を数年前には不可能だったかたちでつくり変えようとしていた。欲望と寛容、開発と自然、アイデンティティと同化――アメリカの歴史をこうした両者のあいだで常にバランスを取り戻そうとする試みととらえれば、この国はあまりにも大きく片方に振れすぎた結果、重心を失ってしまったと言える。

本書は「るつぼ」をめぐる物語であり、アメリカの価値そのものに対して行われた二つの襲撃によって挟まれる期間を対象としている。始まりは二〇〇一年九月十一日にニューヨークとワシントンで起きたテロ攻撃であり、終わりは二〇二一年一月六日に起きた連邦議会襲撃事件だ。これは、アメリカ国民が共通の利益のためのビジョン——国はそれを構成する各部分の総和よりも大きな存在になれる——を失った時期ということになる。南北戦争から一五〇年を経て、アメリカはふたたび分裂国家と化していた。個人の自由と他者の保護のバランス。不正義をどこまで許容するか。「誰の命が大事なのか？」という、どの国の政治でも基本的な命題。これらをめぐる根本的な対立によって、アメリカの安定性は崩壊しつつあった。

この物語の中で、わたしはアメリカ人であることをめぐる、きわめて多様な経験をつなぎ合わせてみたい。それによって、行き先がわからないままに暴走したこの二〇年で、わたしたちが見過ごしがちだったさまざまな人生の航路がどう交差したのかを明らかにしたいのだ。何よりも力を注いだのは、目には見えないことが多い、現代をより統合したかたちで理解させてくれるような「つながり」だった。そこで、わたしは自分がよく知る三つの場所に戻ってみた——それぞれ国内の別々の地域にある、かつて住んだことがある場所だ。政治記者はなじみのない土地に落下傘のように舞い降りて、何十人もの初対面の人間に取材することを日常茶飯事のようにやる。自分もそれを何度もやってきた。しかし、いま求められるのは、より深いタイプの「問い」なのだ。わたしは地域や世代を超えた関係性、それに他人にはすぐに教えてくれはしないような本音の中に、目の前の出来事が示すもの以上の説明を見つけたいと思っていた。

まず、ウェストヴァージニア州クラークスバーグに戻ってみた。そこでは、アメリカで最富裕層に属する者がアメリカで最貧困層に属する者の住む家の下で天然資源を採掘しようとしたとき、何が得られ何が失われたかを把握しようとした。自分の家族のルーツがあるシカゴにも戻ってみた。そこでは、アメリカの人種隔離政策が保健や財産、個人の救済への期待にもたらした複合的影響を理解しようとした。そして自分が育ち学校生活を送ったコネティカット州グリニッジにも戻ってみた。そこでは、経済的自由という教義がいかにアメリカ資本主義のリーダーが抱いていた信念を変え、適切な対価を払いさえすればどんなことでも可能になるという状況をもたらしたかを知ろうとした。

本書の記述は、二〇一四年から二〇二一年にかけての七年間の中で交わした何千時間にもわたる会話に基づいている。『ニューヨーカー』誌の取材の関係で出会った人もいれば、子どもの頃から知っていた人もいた。主な話題は人生やわたしたちが暮らした町、それに自分が下した決断と自分の手が及ばないところで下された決断だった。わたしたちは新聞の一面に出るような政治の話よりも、きわめて多様な人生の数々をつなぎ合わせる根本的な問いについて話すほうに、はるかに多くの時間を費やした。人生で起きた輝かしい勝利と大惨事をどう説明するのか？　誰に責任があり、その責任のコストはどれほどのものか？　誰が本当のことを言い、誰が嘘をついたのか？　政府に何を望み、そして実際に何を得たのか？　自らの身体や家、近所について、どの程度安全に感じていたか？　結局のところ、政治的共同体《ポリティカル・コモンズ》の市民として、互いにどのような恩恵を受けているのか？

どの国も、意思と運命、自由と帰属をめぐり自分たちに言い聞かせてきた物語を後世に残してきた。しかしアメリカの場合、この問題は特別に大きな責務を伴っている。というのは、わたしたちをかたち作ってきた神話は、運命は覆すことができるという可能性、出自にかかわらずどんな子どもでも努力と才能で頂点に上り詰めることができるという希望に基づいているからだ。F・スコット・フィッツジェラルドは一九二九年に「フランスは国土であり、イギリスは国民であった」と記した。そしてこう続けている。「しかしアメリカは進取の精神なのだ」

わたしは本書で、自分がかつて中国に発した問いのいくつかを自分自身の国に対しても問うていく。成功、自由、安全、チャンスが持つ意味、そして尊厳と残酷さ、寛容と恐怖のあいだで揺れ動くさまをめぐる問いだ。日々の政治では混迷が続いていたが、自分たちが生きるこの瞬間をもたらした源泉のほうにわたしは強い興味を覚えた。「過去に目を向けずに世界を見ることは、甚大な被害をもたらしたハリケーンの後にその都市に行って、ここの住民は以前からずっと廃墟の中で暮らしていたと断言するようなものだ」——スティーヴン・ストール〔アメリカの環境史家。ノートルダム大学歴史学部教授〕はアパラチアの歴史を描いた『斜面の窪み——アパラチアの試練（*Ramp Hollow: The Ordeal of Appalachia*）』で、そう書いている。本書の取材に取りかかったとき、もっとも重要な物語は、アメリカ人のあいだで生じている断絶の源泉を理解することだと考えていた。それが取材を終えたときには、別のことのほうがより大きな問題だと確信するようになっていた。アメリカ人は日々、十分に意識せずとも影響を及ぼし合っているが、その際のアプローチ——自覚的なものもあれば意図せざるものもある——の幅の広さが問題ではないか、と。

各地での取材時には、ジョン・ガンサーの『アメリカの内幕』を携えていくことが多かった。第二次世界大戦末期のアメリカで彼が目の当たりにしたものを思い出したかったのだ。本の最後のページで、彼は「合理的歩み寄りなり、理性なり、また開放的討論をしたあと立派な合意に達する」というアメリカの資質について記している。煎じ詰めれば、わたしの企画は、自分たちはこの資質をいかにして失ってしまい、いかにしてそれを取り戻していけるのかを理解しようとする試みと言える。

わたしはこの一〇年を、現地の人びとがアメリカの約束や価値に懐疑的な傾向を持つ国々で過ごしてきた。そのなかで、自分はアメリカという国の代弁者となることが往々にしてあった。エジプトやイラク、中国の市民に対し、アメリカに至らない部分は多々あるが、それでも法の支配や真実の力、よりよい人生を追求する権利といった基本的な道徳的コミットメントの実現をめざしているということを信じてほしい、と。しかしそのアメリカに戻ってみると、わたしはそれまでの年月でずっと嘘をつき続けていたのではないかと思い始めた――世界中に対して、そして自分自身に対しても。

そうした神話の機能不全は、ワシントンでは否定のしようもないほど鮮明になっていた。だが、さらに根の深い原因と結果ははるかかなたの、複雑なドラマが展開される実際の人生の中に広がっている。そこでは、首都での出来事はときどきしか影響を及ぼさない――地平線をなめ尽くす火のように。

1 ゴールデン・トライアングル

ジョセフ・スコウロン三世は湿っぽいフロリダの沿岸部で幼少期を過ごしていた頃、「チップ」というお坊ちゃんふうのニックネームをつけられた。両親は彼が「父親にそっくり《チップ・オフ・ザ・オールド・ブロック》」だとよく言っていたが、家族の誰もがそれは本当ではないことを知っていた。父親はロング・ジョン・シルバース〔アメリカのファストフードチェーン〕のフランチャイズ店を経営していた。チップは父のことが大好きだったが、自分もファストフードの仕事をするつもりはなかった。

チップの祖父母は二十世紀初めにポーランドから来て、マサチューセッツ州フォール・リバーの綿花工場の近くに移住した。位置としては、肘のように大西洋に突き出た部分の下になる。チップの父ジョー・スコウロンは幸せとはとても言えない家庭環境で育った。彼の両親はアルコール中毒と鬱《うつ》病を患っていた。ジョーは自分の子どもを持ってからでさえも、感情を表に出すことはなかった。チップが父に家族の話を聞かせてほしいとせがんだときも、ジョーは「それはおれが死ぬときに聞きな」

と言うだけだった。

ジョー・スコウロンは一九五〇年代半ばに高校を卒業したが、これはラッキーなタイミングだった。というのも、マサチューセッツ州が州立大学を拡充しているときに当たり、彼は寂れた工場町から脱出してサウスイースト・マサチューセッツ工業大学に進学することができたからだ。卒業後はボーイングに就職し、フロリダの大西洋側に位置する細長い湿地帯に派遣された。アメリカ航空宇宙局（ＮＡＳＡ）がケープ・カナベラル〔正式名称は「アメリカ東部宇宙ロケットセンター」。ケネディ宇宙センターとケープ・カナベラル宇宙軍基地がある〕として整備を進めていた場所だ。ここで彼は、同じようによそから来たばかりのジャネット・ナッターと出会った。出身はエルク川石炭・木材会社の企業城下町として知られるウェストヴァージニア州スワンデールで、スコットランド系アイルランド人の家に生まれた。ジャネットは若くして結婚と離婚を経験しており、フロリダに来て再出発しようと考えていた。「スペースタウン」と呼ばれる海岸の活気に満ちた一角で教師の仕事を見つけた。ジャネットとジョーは一九六六年に結婚した。新居は、ロケットが青空へ打ち上げられていく様子を子どもたちがバスの停留所から眺められる地域にあった。

ジョーは冷戦下のロケット開発計画のスーパーバイザーとして勤務したが、一九七〇年代半ばには会社のヒエラルキーに不満を募らせ、昇進のペースも鈍くなっていた。彼は宇宙開発の仕事を辞め、外食ビジネスを手がけることにした。加えて、彼と妻が対極に位置する人間であることがはっきりしつつあった。ジョーは口数が少なく愛想がなかったのに対し、ジャネットは温かく感情豊かなタイプだった。彼女は旅好きで、哲学を学び、四十代後半で心理学の博士号を取るため大学院に入学した。子どもたちの前で激しい夫婦喧嘩をすることがときどきあったが、外の人間から見ると、不和の兆候を上手に回避しているように映っていた。そうした夫婦喧嘩の真っ最中にドアのベルが鳴ると、チップの両親は笑顔を作り上げて客人を招き入れたものだった。チップはこれを教訓として受け止めた。

「こういうふうにやっているんだな。外にいい顔を見せても、それが真実のすべてじゃないというわけか」

ジャネットはチップを溺愛した。彼女は息子を飛び抜けて賢いと褒め、「ルカによる福音書」第一二章第四八節から取ったジョン・F・ケネディの信条、「多くを与えられた者は、多くを求められる」を引き合いに出したものだった。チップにとって学校の勉強は大したことがなく、興味の方向はあちこちに向かった。十二歳でマリファナを吸い始めた。十五になるとコカインを鼻から吸うようになり、十六のときにはテニスの練習の前にクラック〔高純度のコカイン〕を吸っていた。「オールAの成績を取ってさえいれば、何をやったっていいんだよ」と父は息子に教えた。チップは学年二位の成績で学校を卒業した。

チップは将来の目標を決めた――医者になろうと思ったのだ。一九八〇年代のフロリダ郊外の社会的ヒエラルキーからすれば、医師は地元の名士だった。学と富があり、敬意の対象だった。「まさに『あの存在』になりたかったんです。大事にされる人間になりたい、存在価値のある人間になりたい、と」と彼は言う。そこで、ナッシュヴィルのヴァンダービルト大学に進学し、友愛会〔男子学生で構成される社交クラブ〕に入り、数学と化学を学んだ。医師と科学者を合わせた仕事をしたいというのが彼の考えで、イェール大学の誉れ高いMD-PhD〔メディカルスクール修了と医学博士号〕のダブルディグリー・コースに出願した。このコースでは、毎年六人の学生に全額の奨学金を給付していた。

一九九〇年の後半、彼は自分が合格したことを知った。フロリダの実家に電話をかけ、留守番電話にメッセージを残した。父が折り返しかけてくれたが、動揺している様子だった。「母さんが交通事故で亡くなってしまったんだ」と父は言った。その日の夕方、食事に向かう途中、ジャネットの車にピックアップトラックが横からぶつかってきたのだ。彼女は搬送先の病院で息を引き取った。遺族はジャネットの遺灰をウェストヴァージニアに持っていき、一族の農場に埋葬した。

葬儀を終えた後、チップ・スコウロンは気持ちの晴れない状態のまま大学に戻った。次の学期のあいだ、彼は医学部への進学準備に取り組み、悲しい気持ちになるのをできるだけ避けようとした。イェールはとにかく魅力的な場所だった。入学から数年後のある日の夜、彼はコネティカット州のバーにいた。そこで、シェリル・バードソールという名の若いライターに出会った。彼女は南カリフォルニア大学のエリート体操選手で、卒業して広告業界で仕事を探すため東部に出てきたのだった。二人は一九九六年に結婚し、二年後にチップは医学と細胞生物学の学位を取得した。次いで、ハーヴァード大学病院の整形外科で研修医になった。そのかたわら、災害救援団体のアメリケアズに志願し、国際医療ミッションに参加した。コソヴォでの任務では、六歳の少年の腫瘍を取り除き、足の切断を回避できたこともあった。医療支援への参加によって、彼はずっと欲してきた奉仕と名誉を両方とも実感することができた。スコウロンは少年の写真を自分のブリーフケースに入れて持ち歩いていた。

しかし、研修医の期間終了まであと二年という二〇〇一年までに、スコウロンは医療の仕事への熱意がなくなっていることを自覚するようになっていた。長時間勤務、書類仕事、保険のコストに不満を募らせていた。加えて、彼とシェリルは口論をするようになっていた。二人には女の子の赤ちゃんがいたが、スコウロンは仕事のため子どもの顔を見る時間がほとんどなかった。夢を思い描いてきた彼にとって、医療の世界は硬直的で型にはまったものに感じられるようになっていた。未来に思いを馳せれば、外科部長に、ゆくゆくは院長にまで上り詰めることができると想像した。公衆衛生局長官をめざすことだってできるかもしれない。しかし、そうした可能性のどれもが、彼にとってはもはや魅力的ではなくなっていた。

退職を検討しているとハーヴァード大学の同僚に打ち明けると、誰もが驚きを隠さなかった。それまでの訓練と自分の未来を台無しにしてしまうことを意味していたからだ。それでも、彼はコンサルティング会社や医療機器メーカーで就職活動を始めた。すると、金融業界勤務の友人が、ウォールストリートで働いてみてはとアドバイスをくれた。今世紀初頭、資産管理会社は医師の採用を拡大していた。ドル箱の健康保険業界への投資にあたって評価をしてくれる人材を欲していたのだ。スコウロンはヘッジファンドでとくに貴重な存在になれそうだった。当時、ほとんどのアメリカ人にとってヘッジファンドというタイプの企業はなじみが薄かったが、実際にはアメリカの金融文化を大きく変えつつあった。

数こそ少なかったが、ヘッジファンドは一九四〇年代から存在してきた。投資家のA・W・ジョーンズがマーケットの変動を「ヘッジする」こと――上昇する株だけでなく下落する株にも投資する――で利潤を最大化するというアイデアを思いついたのがきっかけだった。破滅的な損失が生じるのを避けるため株式と債券に限られた範囲でしか投資できないことが法律で定められている投資信託《ミューチュアルファンド》とは異なり、ヘッジファンドは多額の資金を投資することができた。証券取引委員会はヘッジファンドを劇薬のように扱った。活動は認めるが、疑うことを知らない者からは遠ざけておくことにしたのだ。デリバティブ、通貨、さらにはビルの上空の権利まで、ほとんどすべてのものがヘッジファンドの投資対象になった。投資できるのは「適格投資家」の認証を受けた者、つまり資産の一部を失ってもそれに耐えうるだけの額がある個人や機関投資家、別の言い方をすれば金持ちだけだった。このため、一般大衆はヘッジファンドについてほとんど何も知らなかったが、二十一世紀に入る頃になって、ファンドマネージャーがアメリカに住む大半の人間よりも大きな額を稼いでいることが次第に明白になっていった。二〇〇四年の『インスティテューショナル・インベスター』誌によると、上位二五人のファンドマネージャーが前年に手にした報酬は、平均で二億七〇〇万ドルにものぼった。同誌の編集部は、「これほど限られた数の人間がこれほどの額をこれほどの短い期間で手にしたことはなかった」と指摘している。

スコウロンはウォールストリートについてはまったくの門外漢だった。バランスシートにも損益計算書にも目を通したことはなかった。しかし、この業界で働くというアイデアに彼は心を躍らせ、理解を深めようと書店に足を運んだ。ダニエル・A・ストラックマン著『ヘッジファンドを始めよう(*Getting Started in Hedge Funds*)』というハウツーものの本を買ってみた。著者は資産管理会社の副社長で、次のような文章で読者を鼓舞していた。「もっとも必要とされる重要な資質は、自尊心、起業家精神、そして胆力です。過去の実績も大切ですが、経験があることがかえって敬遠されてしまうケースもあります」

この本でスコウロンは上昇相場、デリバティブ、標準偏差といった金融業界の基礎用語を学んだ。ヘッジファンドがこれほど多額の利益を上げることができる、うまみたっぷりの仕組みについての説明もあった。投資家から預かった額の二パーセント、それに利益の二〇パーセントを受け取る、というものだ（さらに高い比率のヘッジファンドもある）。ストラックマンはこう説く。「ファンドマネージャーがしっかり仕事をして成果を出すことができれば、ファンドから得られる収益は無限と言っていいでしょう」。本は、ヘッジファンド界の時代精神《ツァイトガイスト》を如実に示すリバタリアン的ファンファーレで締めくくられていた。政治家や規制当局は「金融やマーケットについてほとんど知識を持ち合わせていないのです」とストラックマンは言う。そして彼は、両者に直接呼びかけていた。「結果がどうなろうとも、こちらに関わらないでください」

スコウロンが加わろうとしていた新世代の金融業者たちは、もはや物理的な意味でウォールストリートに縛られなくなっていた。インターネットがあることで、トレーダーはどこでも仕事をすることができ、彼らの多くが市の所得税を回避し、家族に近い環境で仕事ができるようにと、ロウアー・マンハッタンからニュージャージー州、ハンプトンズ〔ニューヨーク州ロングアイランド東部の高級住宅地〕、ニューイングランド南部に移っていった。ほどなくして、二五人のトップファンドマネージャーのうち一〇人が一つの町に居を構えるか勤務するようになっていた——コネティカット州グリニッジだ。

その一人、スティーヴン・A・コーエンは、自身の名のイニシャルを冠した「SACキャピタル・アドバイザーズ」という会社を経営する億万長者だった。スコウロンは友人の紹介で、SACで面接を受けることになった。会社に到着すると、神経外科の道を諦めてSACに入社した別の友人がおり、スコウロンの能力を保証してくれることがわかった。SACの役員は給与について相談した際、ハーヴァードでは研修医としていくらもらっているのかとスコウロンに質問した。年に五万ドルです、と彼は答えた。役員からは、こう説明があった。その四倍払いましょう。もしいい成績を挙げれば、ボーナスとしてさらに数倍分出しますよ、と。

面接を終えたスコウロンは妻に電話をかけた。そのとき彼女はマサチューセッツ州ウェストニュートンの自宅で二歳の子どもの世話をしていたところで、妊娠七カ月でもあった。「ついさっき、先方がオファーを出してくれたよ。とんでもない額でさ。これはやるしかないね」と彼は伝えた。夫妻はマンハッタンのアッパーイーストサイドへの引っ越しを考えていたが、代わりにグリニッジに落ち着いた。新聞はこの町を「ヘッジファンド界の首都」と呼ぶようになっていた。

アメリカの金融史の中で、グリニッジは合衆国の成立よりも古くから何度も重要な役割を担ってきた。コネティカット州南部の細長く出っ張った場所にあるこの町は、青灰色のロングアイランド湾と森林が広がるニューヨーク州との州境に面していた。一六四〇年の夏、イギリス人植民者がマサチューセッツ湾岸植民地から船で南下し、現地のネイティヴ・アメリカンが「モナケワイゴ」――「輝く砂」という意味――と呼ぶ肥沃な細長い沿岸部に上陸した。広々とした草原、クランベリーがなる草地、そしてクマやオオカミ、ビーバーが棲息する岩の多い森がそこにはあった。

政治という点でも文化という点でも、グリニッジはニューイングランドとニューヨークが融合した存在だった。清教徒《ピューリタン》は歴史家のミッシー・ウルフが「信徒集団の経済的成功と神の気持ちを損ねてしまうと思われる成功のレベルとの適切なバランス」と呼ぶ問題に苦悩していたが、この地に住み着いたのはそうした彼らだった。清教徒は、ラルフ・ワルド・エマーソン〔十九世紀アメリカの思想家、作家〕が後年記した「善悪を律する感覚」、言い換えれば道徳を政治の中心に置くという厳粛な決意を抱いていた。しかし、清教徒が去ってから長い歳月を経た後も、ブラーミン〔ここではニューイングランドのエリート家系の者〕と海賊、奉仕と利潤、抑制と欲望のあいだを行き来する争いの中で、この経済的成功をめぐる緊張状態は続いた。

一時期、優位に立っていたのはブラーミンだった。グリニッジは土地と海からの恵みによって最初の経済的繁栄を築き上げた。農家は作物をニューヨーク市に運び、漁民はカキを採った。石切場からは花崗岩が採れ、これはブルックリン橋の支柱としても用いられた。しかし一八四八年になると、鉄道がグリニッジまで延伸された。それまでニューヨークまで馬で丸一日かかっていたのが、列車なら一時間で着けるようになった。開発業者のパンフレットでは、「健康、幸福、快適、そしてもちろん富」を求める「気ぜわしい大都市の疲れ切った人びと」がこの町を売り込むターゲットと位置づけられていた。旧世界の城や宮殿の向こうを張った「金ぴか時代」式の大邸宅が建てられ、なかにはヴェルサイユ宮殿のプチ・トリアノン宮殿やイングランドのウォリック城を模したものまであった。

ニューカマーの多くはウォールストリート勤めだった。成長途上にあったアメリカ金融産業の中心地であるウォールストリートは、十九世紀初頭に預金を集めて有望な起業家や投資先に融資を行ったのが始まりだった。一九〇八年には、水飲み場で共用のブリキのコップを通じて感染症が蔓延していることを科学者が突き止めたことを受けて、ウィリアム・T・グラハムというグリニッジの投資家が

「ディクシー・カップ」という使い捨ての紙製容器の開発に投資した。これによって彼は富を得たし、人命を救うことにも貢献した。もう一人のニューカマー、ザルモン・G・シモンズ二世はマットレスの大量生産を実現し、「安眠業界のヘンリー・フォード」と呼ぶべき存在だった。

ビジネスへの先進的なアプローチで知られるようになった者もいた。一九二七年、グリニッジ在住で初期のゼネラル・エレクトリック（GE）で会長を務めたオーウェン・D・ヤングは、ハーヴァード・ビジネススクールでの講演で、「努力の量を一オンスでも、賃金を一ペニーでも圧縮するための方法と手段を作り上げようとする」ビジネスマンを叱咤した。そうではなく、「人間という視点を持ち、一つのグループが資本を、もう一つのグループが生活や労働を、相互利益に向けた共通の事業に投じていくことを考える」よう促した。ドラッカー研究所の所長を長年務め、企業行動に関する歴史家でもあるリック・ワルツマンは、「これは本当に単なるレトリックではないんですよ。わたしたちは『わたし』の文化である以上に『わたしたち』の文化なのですから」と語っていた。ヤングの指導のもと、GEは全米で初めて従業員に年金、利益配当、生命保険、ローン、住宅補助を提供する企業の一つになった。ヤングは六十五歳になった一九三九年、引退して故郷の農村で人口一二五人のニューヨーク州バン・ホーンズビルに戻ることにした。友人で協力者でもあった元ニューヨーク州知事で当時の大統領、フランクリン・D・ローズヴェルトは彼に「国のほぼすべての歩みにおいてなくてはならないファクター」と賛辞を贈った。

グリニッジには、リンカン・ステフェンズ、アニヤ・シートン、マンロー・リーフといった数々の進歩的なジャーナリストや小説家も住んでいた。しかし、ニューヨークの高い所得税を嫌った、GE

やテキサコ、アメリカン・タバコ・カンパニーをはじめとする企業の役員のあいだではそれ以上に人気の場所だった。ほかの住民はこうした企業を対象とする投資銀行に勤務する者が多く、彼らは現在の基準では見分けがつかないレベルだが保守に分類される集団だった。総じて現地の共和党支持者はフランクリン・D・ローズヴェルトのもとで政府の規模が拡大するのを受け入れるようになり、主な関心はその行きすぎと支払い不能状態に陥ることの回避にあった。

「金ぴか時代」後の年月では、自分の富を見せびらかすことは時代遅れになった。モルガン・スタンレーの役員は、誰がいちばん格安の腕時計をはめているかを競った。「トップクラスの金持ちは庭師みたいな格好をしていたなあ」と、近郊の町ダリアンで育ったわたしの友人は当時のことを語ってくれた。グリニッジの紋章には、「fortitudine et frugalitate」というアメリカの堅苦しい倫理観が掲げられていた――「勇気と節制」という意味だ。

わたしの曾祖父アルバート・シェラーと曾祖母リンダ・シェラーは、一九三七年にシカゴからグリニッジに引っ越してきた。アルバートはナショナル・ビスケット・カンパニーで広告部門の仕事をしており、共和党支持だった。リンダは二人の子どもの育児を担当した。二人は賃貸暮らしだったが、一九六八年に広々とした庭のある、白いコロニアル様式の家を購入した。場所はグリニッジ北西部にある高原にちなんで命名されたラウンドヒル・ロード沿いにあった。独立戦争では、大陸軍〔独立を求めた一三の植民地から編制された軍隊〕はラウンドヒルを監視所にしていた。果樹園や草原からかなたのロングアイランド湾までを一望できたのが理由だった。この家は世代を超えて受け継がれていき、わたしが九歳のとき、両親は姉とわたしをブルックリンからグリニッジに移し、数え切れないほどの長所がある世界へと誘ってくれた。グリニッジは安全で、チャンスにあふれた町だった。公共のビーチ、整備された公園、蔵書が充実した図書館がそろっていた。一九九四年にわたしはグリニッジ高校を卒業したが、この学校は優勝経験のある水球チームと電子顕微鏡がある珍しい公立校だった（顕微鏡は賞を獲得したことがある科学教師から寄贈されたものだった）。

現地在住者は自分たちの町についての風刺――堅苦しい貴族だとか弱々しい上流階級、排除の歴史――について、たとえそこに真実が含まれているとしても、さして気にかける様子でもなかった。何十年にもわたり、多くのアフリカ系アメリカ人とユダヤ人は住宅の購入を許されてこなかった。グリニッジ出身の作家でジャーナリストのティモシー・デュマの言葉を借りれば、偏見が「町で沼のようにどろどろとした意識の深いところまで侵食し、ときどきそれが気泡のように姿を現していた」のだ。ジャッキー・ロビンソンがブルックリン・ドジャースのスター選手だった一九五三年、彼と妻のレイチェルはグリニッジで家を買おうとしたが、家主は物件の内見すらさせなかった。一九六一年にグリニッジのある不動産業者が同僚向けに作成し、のちに裁判で明らかになったメモにはこう記されていた。顧客の名前が「ユダヤ人のように見えたら、どんな場所でも会わないこと！」。一九七五年には抗議デモ隊が町にやってきたが、そのとき掲げられていたスローガンは「カクテルを楽しむ頑固者よ」と「夏をよこせ」だった。これは、グリニッジは非居住者が地元のビーチに立ち入るのを禁じていたためだった。この制限は二〇〇一年に州最高裁が違法との判決を下すまで続いた。

グリニッジ在住者の特権の一つは、自分の町をからかえることだった。マサチューセッツ州ブロックトンという疲弊した都市で育った、作家でコメディアンでもあるジェーン・コンドンは、一九八六年に銀行勤務の夫とグリニッジに引っ越した。コンドンは町の上流ＷＡＳＰ文化の中心地、キリスト教会で開かれたチャリティイベントに出演し、ジョークを飛ばしてみた。「ショーの後で、まさに貴族然とした男性がこっちに来て、こう言ったんです。『あなた、本当に面白いですな。もう少しで爆笑するところでしたよ』って」。「グリニッジの人は、爆笑するなんてことはせず、ほほ笑むというこ となわけ」。彼女は町の政治について文章を書きもした。たとえばこんな具合だ。「クリントンのバンパーステッカーを車に貼っておいたの。そうしたら、住民からマティーニを投げつけられちゃって」（「こういうジョークは町の外でやったほうがウケがよかったね」とコンドンは言う）

年月が過ぎていくにつれて、障壁はなくなったなどと言い張る者はいなくなった。だが、グリニッジは人種的な多様化が進んでいた。一九九〇年代には、アジア系、ヒスパニック、アフリカ系アメリカ人が人口の二〇パーセント近くを占めるようになっていた。古くからの地所の先には、商店主、職人、教育関係者からなるミドルクラスがいた。ボブ・リヒテンフェルドとキャロル・リヒテンフェルドはともに教師で、一九七六年にニューヨーク州ヨンカーズのワンルームマンションからこの町に引っ越してきた。グリニッジでは月額家賃二五〇ドルの家を借り、その後ベッドルームが四室ある家を建てた。「中程度の収入レベルでも、グリニッジで土地を購入して家を建てることができたんですよ」とボブは振り返る。「わたしたちにとっては簡単ではありませんでしたが、なんとか手が届きました。教師二人なら、ミドルクラスとしてこれ以上に望むものがありますか？」

多くの場合、隣人が教師か企業の役員か一見して見分けるのは難しかった。アメリカ史上もっともパワフルな資本家の一人で、一九七二年にGEの会長兼CEOになったレジナルド・ジョーンズは、グリニッジでれんが造りのコロニアル様式の家に住んでいた。娘のグレース・ビネヤードは、こんな話を教えてくれた。「父は母に、『もっと欲しいものはあるかい？』と訊きました。すると母は、『どうしてもっと欲しがる必要があるの？』と返していました」。ジョーンズは、労働者を雇用したりものの作りをしたりすることではなく金融工学によって富を手にした隣人を見下していたという。「父は『あの連中は本当に何かを作り出しているのかい？』と言っていたものです」とビネヤードは回想する。「周りが何も新しいものを生み出していない経済から得たカネで潤っていることが、父の中で引っかかっていたようです」

レオ・ヒンダリーはジョーンズのもとで下級管理職として働いていた。「スタンフォードを出た後の年収は一万五六〇〇ドルで、レッグ〔ジョーンズのこと〕は二〇万ドルでした」とヒンダリーは言う。「GEはアメリカを代表する企業でしたが、そのCEOの報酬は自分の一二倍か一三倍でしかなかったのです」。経済政策研究所によると、この比率は珍しいものではなかった。一九六五年、平均的な上場大企業のCEOの報酬は現場で働く従業員の約二〇倍だった。ところが、二〇一九年にはそれが二七八倍にまで開いていた。

二〇〇一年六月、チップ・スコウロンはボストンから車で南へ向かった。「自分の帝国を打ち立てるために」――彼は冗談気味に当時のことをそう説明した。シェリルは家の売却や荷造り、引っ越しのため二人の子どもとともにボストンにとどまった。

初出勤の時点では、仕事についてスコウロンが知っていた情報のほとんどは『ヘッジファンドを始めよう』から来ていた。彼はできるだけ口を挟まないほうが賢明であることに気づいた。加えて、たしかに報酬は魅力的だったが、常に張り詰めた状況下にあることをすぐに悟った。「成績が悪ければ、すぐにアウトです」と彼は言う。「それでおしまいなんです。『頑張ったな。いい試みじゃないか』などといったことはまったくないですから。成績がすべてです。大事なのはそれだけなんです」

スコウロン夫妻は初めて家を購入した。森の間を通る曲がりくねった道路沿いにある一九五〇年代の農場スタイルの家で、リフォームが必要だった。グリニッジは大転換の真っ只中にあった。新しい地所の多くは、ニューイングランドのあちこちで見られた、農民のお尻の高さまで石を積み上げただけの壁で囲まれるようなことはなくなっていた。代わりに建設業者が導入したのは、形が整えられた石をモルタルで固めた、高く風格のある壁という、堂々としたバリアだった。

高い壁というスタイルは、安全にはほとんど関係がなかった。というのも、グリニッジの犯罪発生率は全米でも最低レベルだったからだ。町の都市計画委員会に勤務するフランク・ファァリカーから見ると、こうした壁は権力と隔絶を象徴するものだった。「高さ六〇センチとか九〇センチではなく、一八〇センチの壁が造られるようになりましたね。『くそったれ』の壁ですよ」と彼は言う。近隣の自治体はこのトレンドを外来生物のように扱った。そこで、石工が「グリニッジの壁」と呼ぶようになった新しいタイプの壁が普及するのを防ごうと、建築規制の改正が行われた。

こうした壁は、アメリカ史上、最大級の富の蓄積がもたらした結果だった。アメリカの多くの場所で、一九七〇年代に起きた企業環境の激変によってレイオフや生産拠点の海外への移動、連邦政府の権限の縮小といった事態が生じていたが、ウォールストリートでは創造性の高まりを促すことになった。一九八〇年代から九〇年代にかけて、金融業者とエコノミストは投機と金融工学に関わる広大な新分野を切り開いた。証券への投資、企業合併、破産法やその他のテクニックを駆使した経費の圧縮といった、アグレッシブな手法だ。アメリカの証券市場が扱う金額は一二倍になり、利益の大半は富裕層のアメリカ人が手にした。二〇一七年までに、ウォールストリートの人間はアメリカの企業利益の二三パーセントを取得していた。そして彼らの多くはコネティカット州在住だった。

ウォールストリートの金融業者は、工業部門の役員よりもはるかに高額の報酬を手にした。グリニッジでは、最高給取りのヘッジファンドマネージャーのエドワード・ランパートの場合、Kマートとシアーズ〔ともに米小売大手〕の合併を成功させたことで、二〇〇四年には推定で一〇億二〇〇〇万ドルを手にした。ランパートは庭師の格好をするようなタイプではなかった。港にはヨットを停泊させていた。この船は全長約八八メートルで、輝かしい個人主義を描いたアイン・ランドの小説にちなんで「ファウンテンヘッド」〔水源の意〕と命名されていた〔作中の主人公で高層ビルのデザイナーとして登場するハワード・ロークは、こう豪語している。「わたしの人生を一分間でも使う権利は誰であっても認めない……誰がそう言おうとも、何人が言おうとも、どれだけ必要だとしても」〕。

ランパートに続いたのは、ポール・チューダー・ジョーンズ二世だった。もともとは綿花の取引業者だった彼は、一九八七年の株価暴落を予測し、ウォールストリートで最高額の報酬を手にした人物となった。ジョーンズはディクシー・カップに投資したウィリアム・T・グラハムが建てた豪邸を購入した。彼はこの家を、車二五台が収容できるガレージを備え、モンティチェロ〔ヴァージニア州にある第三代大統領トマス・ジェファソンの邸宅〕を思い起こさせる邸宅《マナーハウス》に造り替えた。コネティカット州南部に個人保有の資産があまりにも集中する状況から、税務当局は上位六人の高額納税者による四半期ごとの納税状況を確認するようになった。この六人の収入次第で州全体の公共サービスに使える予算に影響が出るから、というのが理由だった。

　グリニッジでは、モルガン・スタンレーの役員が腕時計の安さを競うようなことはなくなっていた〔現会長兼CEOのジェイムズ・ゴーマンは時価一万七〇〇〇ドルの希少なロレックスを持っていることで、時計マニアのブログでは有名な存在になっている〕。GEでレジナルド・ジョーンズの後継者となったジャック・ウェルチが引退したとき、手にした退職金は四億ドルという記録的な額にのぼった。ジョーンズの友人の一人で投資家のヴィンセント・マイは、ビジネスリーダーの多くが長期的なビジョンより短期的な利益を重視していることに幻滅していた。「できるだけたくさん、できるだけ早くつかみ取る、というふうにカルチャーが変わってしまったのです」と、クレンメア・グループの創業者にして会長のマイは言う。「抑制なんてものは消えてなくなってしまいましたね」。ウォールストリートのある銀行の副会長は、グリニッジのコンサルタントにこう言ったという。「この一カ月で何をしたと思う？　総額八〇億ドルのボーナスを支給したんだよ。でも、それで満足した社員は一人もいなくてね」

　こうしたカネによって、実際の町並みも変わっていった。町のメインストリート、グリニッジ・アヴェニューではウールワース〔オーストラリア系のスーパーマーケット〕がサックス・フィフス・アヴェニューに取って代わられた。フェイバリット・シュー・ストアは、リリー・ピュリツァー〔女性向け高級ファッションブランド〕になった。ほかの店舗も、ラルフローレンやエルメスに変わった。金融業者は、かつて「金ぴか時代」の鉄道貴族が好んだような巨大な豪邸を建てた。スコウロンのボス、スティーヴン・コーエンは一四八〇万ドルを現金で支払って家を購入したが、さらにスケートリンクと屋内バスケットボールコート、ゴルフのグリーンとフェアウェイ、マッサージ室を加えたところ、敷地面積は約三三〇〇平方メートルにまで膨れ上がった――タージマハルをしのぐ広さだ。仕上げとして、コーエンは町の建築規制を越える高さの壁を豪邸の周りに造る許可を特別に得た。高さは約二・七メートルだった。

コーエンのもとで仕事を始めてから一年もしないうちに、スコウロンは別の有名ヘッジファンドからヘッドハンティングのアプローチを受けた。イジー・イングランダー率いるミレニアム・マネジメントだ。しかし、彼はほどなくして自らヘッジファンドの立ち上げに取り組むようになった。

彼がヘッジファンドの世界に足を踏み入れたのは、類を見ないほど特別なタイミングだった。その頃まで、ウォールストリートはインターネット企業の最初の波、加えてそうした企業を上場させることで利益を得た投資銀行を軸に展開してきた。ハイテク銘柄を中心に扱うナスダック総合指数は、一九九五年から二〇〇〇年にかけて五倍に上昇した。しかし、二〇〇〇年春にドットコム・バブルがはじけ、二〇〇一年九月十一日以降は連邦準備制度理事会（ＦＲＢ）が利下げを行った結果、投資家が債券から期待できる配当は目減りした。年金基金や寄付基金、政府系ファンドといった機関投資家は、高利回りの投資先を新たに見つける必要に迫られていた。その多くは、未公開株やヘッジファンドといった「代替投資」に重点を置くようになった。

二〇〇三年には、七二〇億ドル以上がヘッジファンドに流入した――これは前年の四倍に相当する規模だった。やる気のある金融業者は、自前でビジネスを始めるのに投資銀行のような大それたリソースは必要としていなかった。パソコン一台とデスクだけのファンドが雨後のたけのこのように生まれていたのである。グリニッジ在住の投資家、フィリップ・ダフが「ガレージに三人とブルームバーグの端末」と呼んだモデルだ。

ダフはこのブームに全面的に乗ろうとしており、スコウロンはそこに参画した。グリニッジのダウンタウンにあるつやつやした黒ガラスが特徴のビルで、ダフは「フロントポイント・パートナーズ」という、小規模だが有望なヘッジファンドを統括する会社を起業しようとしていた。この時点では、スコウロンのアイデアは文字どおり「ガレージに三人とブルームバーグの端末」に近い状態だった。彼と元同僚二人は、ヘルスケアを専門にするファンドをつくりパートナーとなることで合意していた。二〇〇三年三月、三人は自分たちのファンドを当時急成長していたフロントポイントに登録した。同社が管理する資産額は二九億ドルにのぼり、創業者たちは二〇〇七年までに二五〇億ドルにまで拡大したいと考えていた。

世界規模で見るとヘッジファンドの取り扱い額は一兆二〇〇〇億ドルにのぼり、そのうち一〇パーセントがグリニッジにあった。「あるとき突然、目をぱちくりさせて『ちょっと待てよ、誰もがヘッジファンドをやっているじゃないか』と思う状況になっていましたね」と当時を振り返るのは、地元の日刊紙『グリニッジ・タイム』のコラムニスト、デイヴィッド・ラファティだ。五年もしないうちに、現地の商業物件のうち三分の二がヘッジファンドによって占められるようになった。グリニッジではオフィスビルの空きがほとんどなくなり、その結果、賃料は約〇・一平方メートル当たり八〇ドルにまで上がったが、これはマンハッタンのミッドタウンの倍の値段だった。物件を見つけることができなかったヘッジファンドは、グリニッジの名前だけを社名につけた。「オールド・グリニッジ・キャピタル・パートナーズ」の場合、実際の所在地はマンハッタンのパーク・アヴェニューだった。

富の急拡大は、コミュニティに波及効果をもたらしていった。ウィリアム・エヴァーツバーグ牧師は、グリニッジの第一長老派教会で教師となるため一九九七年にミシガン州グランドラピッズから越してきた。「最大の違いは単一文化《モノカルチャー》でした。人種のことではありません。職業的な意味で言っているのです」と彼は語る。「地元の文化が一つの産業によってこれほど埋め尽くされている場所で仕事をしたことはこれまでなかったですね。わたしの集会に来る各家庭の大黒柱は、ほぼ文字どおり全員がウォールストリートの仕事をしていましたよ。いつもみんなの話題に上るのはお金のことでした」

こうした富は、金融関連で転機となる法改正が行われたことで、さらに拡大した。一九七〇年代以来、ウォールストリートは政治家に対し、リスクを積極的にとることについて規制緩和を求めるロビー活動を展開していた。その結果、クリントン大統領は、一九九九年に商業銀行と投資銀行の分離を定めた「グラス・スティーガル法」の条項を廃止し、二〇〇〇年にはデリバティブ商品の窓口販売に関する規制を撤廃することにも同意した。この撤廃措置はテキサス州選出で共和党所属のフィル・グラム上院議員が推進したものだったが、彼への大口献金者のなかにはグリニッジ在住者が経営する銀行が含まれていた（ジョン・リードはシティグループ共同会長だったし、ウィリアム・B・ハリソン・ジュニアはJPモルガン・チェースCEOを務めていた）。

しかし、ウォールストリートの規制緩和を推進する動きは、その後の破滅につながっていく。同時多発テロ事件後に利率が引き下げられると、住宅価格が急騰し、銀行は住宅ローンや債権、デリバティブの世界に注力することに商機を見いだした。二〇〇七年後半になると住宅価格がピークに達し、世界は金融危機に突入する。それからの三年間で、退職後の備えとしてとっておいた貯金や住宅、その他の資産の価値下落というかたちで大不況が全米の世帯にもたらした経済的損失は、一九兆ドル以上にもなった。二〇一〇年の大不況末期の時点では、少なくとも四六〇〇万人が貧困状態にあるとされたが、これは一九五九年に国勢調査局が推計を始めてからもっとも大きい規模だった。政府がのちにこの大失敗について行った評価分析は、デリバティブ規制の撤廃が「金融危機に突入することになった重要なターニングポイントだった」と指摘し、その理由として「デリバティブが急速にコントロール不能となり、状況が把握できなくなった」ことを挙げた。

グリニッジでは、金融危機によってトレーダーと役員は仕事がなくなってしまった。「これは自分たちにとってのハリケーン・カトリーナだな」——地元の通信業界の顔役で、その後コネティカット州知事になるネッド・ラモントはそう言った。しかし、混乱は一時的でしかなかった。また混乱の一方で、この状況を活用できるポジションにあった者もいた。フロントポイントでスコウロンの同僚の一人だったスティーヴ・アイズマンは住宅市場が暴落する方に賭けるという正しい判断を下し、数百万ドルを手にした。アイズマンの成功はマイケル・ルイスの『世紀の空売り——世界経済の破綻に賭けた男たち』〔東江一紀訳、文春文庫、二〇一三年〕でも取り上げられた。だが、こうしたのは彼だけではなかった。スコウロンが振り返る。「いろんな策を講じてあの大惨事を利用したファンドがほかにもいくつかありましたよ」

グリニッジは力強い回復を見せ、町の中には新たなレベルに突入したエリアもあった。二〇一四年、アラバマ州のモンテバロ大学所属の地理学者、スティーヴン・ヒグレーは、国勢調査のデータに基づく全米を対象とした研究を行った。そこでわかったのは、東をノース・ストリート、北をメリット・パークウェイ、西をラウンドヒル・ロードに囲まれた、小さなくさび形のエリア——広さはわずか約一三平方キロメートルで、住民の数は四六〇〇人ほど——がアメリカでもっとも富が集中する場所ということだった。彼はそこを「ゴールデン・トライアングル」と名づけた。

時が経つにつれて、グリニッジ在住者のなかには不安を抱くようになった者も出てきた。お金が町の生活の目に見えるさまざまなものを変えているというのであれば、文化、価値観、地面の下に流れる道徳的な水脈といった、目に見えないものに対してはどのような影響をもたらしているのか、と。前出のユーモア作家、ジェーン・コンドンは、地元週刊誌『グリニッジ・ポスト』での連載「わたしたちの生活」で、この問いに対してソフトに回答を示している。彼女の友人で近くに住むイラストレーターのボビー・エガースは、何点か作品を描いたという。そのうちの一つで、女性が友人にこう話すシーンがある。「家が大きくなればなるほど、奥さんの体重が減るって知ってた?」。別の作品では、病院の廊下で母親が重大な任務を息子に授けていた。「あのね、おじいちゃんの容態がすごく悪いの。今から入って暗証番号を聞いてきてくれないかな」

グリニッジの富が急拡大するにつれて、アメリカの不平等は危ういほどの新たな高みに達しようとしていた。この現象は数十年前から形成されてきた。恩恵の大半は白人男性が得るという特徴的な差別はあったものの、一九四七年から一九七九年にかけてアメリカの平均的な労働者の給与は一〇〇パーセントの伸びを見せた（ソ連のニキータ・フルシチョフは一九五九年の訪米時、「資本主義の奴隷はいい生活をしている」ことを認めた）。しかし一九七五年には、ジョンソン政権で代表的なエコノミストの一人だったアーサー・M・オークンが、上に行くエスカレーターは停止しつつあると警告を発した。彼は、アメリカの家庭の上から五分の一だけで下から五分の三と同じ額の収入を得ているという「不快な」データを引き合いに出した。この傾向が続けば、「敗者が子どもにあげられる食事よりも多くの餌を勝者がペットにやれるという状況が生じてしまう」と彼は記した。その後一九七九年から二〇〇九年までの三〇年で、平均的労働者の給与は八パーセント上昇しただけだった。

今から見ると、オークンを不快な気持ちにさせたこの格差はきわめて興味深いものだった。二〇一〇年代までに、上位一パーセントの収入のシェアは一九二八年以降で最大になっていた。収入の不平等に関するCIAの推計では、アメリカの格差はケニアやイランと同じレベルだった。こうした劇的な不平等がもたらした影響は、健康に関するもっとも基本的な推計で如実に表れていた。富裕層のアメリカ国民は平均寿命が驚くほど長いだけでなく、やせており、目や歯も丈夫だった。唾液中のコルチゾールの数値も低く、身体が異物の侵入を防ぐ力が高いことが示されていた。学者はこの時代を「大分岐」と呼び、アメリカ社会の根本的な分断を描写した。

トランプ当選後、ジャーナリストや学者は「取り残された」という汎用的なフレーズで形容される国民に関心の多くを割くようになった。しかし、不平等をよりわかりやすく説明するのは、上位富裕層がさらに豊かになったという事実だった。一〇年前、富裕層に属するアメリカ国民の大半は、弁護士、会計士、医師といった、かつてスコウロンがフロリダ時代に憧れたタイプの高給取りだった。しかし今世紀の場合、規格外の富はすでに存在する富からもたらされた。それを可能にしたのは、投資と優遇税制という複合要素だった。元財務長官のローレンス・サマーズは、次のように結論づけている。アメリカにおける収入の分配が一九七九年当時とだいたい同じ状況のままだったら、下位八〇パーセントの世帯に一兆ドルをもたらし、収入は二五パーセント増えていただろう、と。

ウォーレン・バフェットは保有資産がハイペースで増加していったため、二〇〇六年に慈善事業に寄付する計画を発表した後も、資産の増加幅は寄付額よりも大きかった。金融危機前夜の二〇〇七年までに、推計で世界の富の五兆ドルから七兆ドルが課税回避《タックスシェルター》によって守られ、財務当局の手が及ばない状態になっていた。これは、アメリカで老朽化した道路や橋、港湾の改修に必要と見積もられる費用をはるかに上回る額だった。アメリカ国民はよく「上位一パーセント」の話をするが、上位〇・〇一パーセント、約一万六〇〇〇世帯のより限られた層にとっては恩恵はさらに劇的だった。一九七四年にはこの層の平均年収は四〇〇万ドルだった。それが二〇〇七年までに、彼らの年収は手取りで三五〇〇万ドルを超えるまでに拡大していた。この一万六〇〇〇世帯――全体で約四万人――だけで、アメリカで生み出される一七ドル中一ドルを稼いでいた。これは、この統計が取られた一九一三年以来最高の水準だった。

富裕層の多くは、こうした格差を「上昇指向」というアメリカの古典的信念――誰であっても成功を手にすることができるという可能性のこと――を称賛することで正当化した。しかし、もはや現実はこの神話に即してはいなかった。平均で見た場合、アメリカでは一九四〇年に生まれた子どもの九〇パーセントは大人になったとき親よりも高い収入を得ていた。しかし、二十一世紀初頭には、この割合は五〇パーセントにまで落ち込んでいた。階層の流動性は不平等によって阻害されてしまった。富裕層はリードを広げるために、ＳＡＴ〔大学進学のための共通テスト〕の家庭教師、政治的影響力、特権的な投資、節税アドバイスといったさまざまな手段に資金を投じることができたからだ。富裕層が先を行けば行くほど、その子どもがエリート校に進学し、同じような階層の配偶者を見つけ、さらに上へのアクセスをもたらしてくれるネットワークの中で生きていける可能性が高まっていった。アメリカンドリームという言葉でラッピングされた誇りや創造性がありながら、世界銀行の試算では、二〇一八年までにアメリカの世代間流動性は中国よりも低いレベルになっていた。

二〇一三年、スタンフォード大学の経済学者、ラジ・チェティは、一人の人生がたまたま育つことになった場所によって大きく左右されることを示す、郵便番号別の詳細なマップを発表した。ソルトレイクシティーでは、収入が下から五分の一の家に生まれた者が上位五分の一に入れる可能性は一〇・八パーセントだった。ミルウォーキーでは、この割合はさらに半分以下だった。

こうした不均衡な富の配分は、経済の長期的成長を損なうという結果をもたらしていた。国際通貨基金は二〇一一年に公表した重要な報告書で、不平等を一〇パーセント削減すれば、成長の期間を五〇パーセント延ばすことができるとの試算を示した。問題の大きさがわかってくるにつれて、アメリカにおける不平等の起源をめぐる問いを受けて、構造的レイシズムから租税政策、役員報酬から環境破壊まで、さまざまな原因を含む膨大な著作が生まれた。しかし、原因が明らかになってきたとしても、結果のほうはようやく目に見えるようになってきたばかりだった。アメリカ国民に全貌が突きつけられるのは、数年後になるだろう。

それまでは、富裕層の資産が上昇することで、スコウロンのような競争者の野心がますます強まることになる。彼にとって自分を判断する基準は一つの価値観だけだった。「リスクを管理して利益を上げることが仕事です。そこに迷いは感じていません」と彼は言う。「できる限り限界を広げ、できる限りうまくしのいで、クライアントのために利益を上げていきますよ」

アメリカでもっとも意識が高く、熟達した政治家のなかにも、定番の仕事を新たな現実に適合させられていない者がいた。二〇一二年の夏に行ったラジオ演説で、オバマは聴衆にこう語りかけた。「この国は、外見がどうであれ、出身がどこであれ、勉強や仕事に一生懸命取り組めば、才能に導かれてずっと先まで行くことができるのです。やればできるのです」

2 遺憾の意

朝、仕事場に向かうためワシントンDC北西部を歩く際、印象に乏しいオフィスビル街にパリから空輸されたかのような建物の前を通るのが好きだった。ボザール様式で造られた五階建てのその建物は、屋根を青銅で覆われており、銀行家の跡継ぎにして一九二〇年代には財務長官を務めたアンドリュー・メロンが一時期邸宅として使っていたものだ。

二〇一三年、この建物でリフォームが行われていることに気づいた。アメリカン・エンタープライズ研究所（ＡＥＩ）が新しい本部としてここを購入していたのだった。ＡＥＩはアメリカでもっとも長い歴史を持つ保守系シンクタンクの一つだが、これまで常設の拠点を持ったことは一度もなかった。このしゃれた新拠点は誰の目にも明らかな変化だった。民主党がオバマ再選を祝っている最中でも、彼に敵対する保守層は勢いづいていた。それをかなりの部分で支えたのは、グリニッジで見るからに繁栄を遂げていた金融業界だった。ＡＥＩの新本部には、資金を拠出してくれたダニエル・Ａ・

ダニエロの名前がつけられた。アメリカ最大規模にして政治との関わりがきわめて深い未公開株式投資会社、カーライル・グループの共同創設者でもある億万長者だ。

不況が終わった二〇一〇年以来、未公開株式投資業界は借入資金で企業買収や再構築を中心に手がけ、記録的な額の利益を上げていた。二〇一三年には、手数料収入や報酬とは別に、業界全体と投資家に六六二億ドルという前代未聞の額の配当金をもたらした。自分たちは企業を整理したり年金基金に大きな利益をもたらしたりしたというのが業界側の説明だったが、彼らの儲けは社会の犠牲の上に成り立っているのではないかという批判の高まりに直面することとなった。批判が大きくなればなるほど、業界側はロビー活動や選挙の候補者への献金を増やしていった。彼らのビジネスは息をのむほどうまみが大きかった。二〇一二年にダニエロが手にした報酬は一億四〇〇〇万ドルで、ほとんどのCEOの報酬がちっぽけに見える額だった（これに対し、JPモルガン・チェースのジェイミー・ダイモンの報酬は二三〇〇万ドルだった）。AEIに建物を寄贈する際、ダニエロはそれを「自由な企業活動《エンタープライズ》と機会の守護」のための贈り物と言った。「アメリカンドリームの実現に向けて誰もが同じように挑戦してもらいたいと思っています」

ワシントンは公共の問題に取り組む、ニューヨークやロサンゼルスの兄弟的存在であり続けてきたという物語を自ら唱えてきた。連邦議会議事堂の建築に当初携わった職人が、家具は「こざっぱりとして質素」なものだけにし、「ぜいたくな装飾」は施さないようにと指示を受けるような、分別のある都市でもあった。草創期の議員の宿舎は二人一室、寝るのは簡易ベッドだった。スペースの狭さゆえ、利用者は交代で身だしなみを整えなくてはならなかったほどだ。実際には、ワシントンはずいぶん前からアメリカでもっとも豊かな場所の一つになっていた。しかし二十一世紀になると、この繁栄は記録的なペースで拡大していった——潤沢な資金が流入したことで、アメリカ政治を動かすインセンティブや不文律が変わりつつあった。

二〇〇〇年から二〇一〇年にかけて、アメリカの企業はワシントンでのロビー活動費とPR活動費を三倍に増やした。こうした資金増は、主に三つの供給源によってもたらされていた。一つ目はカーライル・グループのような金融関連企業で、ヴァージニア州フェアファックス郡からコネティカット州フェアフィールド郡に広がるアメリカ資本の三日月地帯で成長を遂げていた。二つ目は防衛請負企業。同時多発テロ事件以降、需要が高まり、イラク戦争とアフガニスタン戦争で焼け太りしていた。三つ目はシリコンバレーやその他のテック拠点で急成長を遂げていたインターネット企業。二〇一一年、アメリカはまだ金融危機から回復途上にあったが、ワシントンはシリコンバレーを抜いて全米でもっとも豊かな都市圏になっていた。

妻とわたしがワシントンに引っ越してきたのは、街がラグジュアリーさを増しつつあるタイミングだった。この後すぐ、市内の複数のレストランがミシュランの星を初めて獲得した。ザガットはワシントンを全米でもっとも「ファッショナブル」な食事を楽しめる都市と評した。首都およびその近辺在住の二〇〇〇人以上が、三〇〇〇万ドル以上の資産を持つ「超高額純資産保有個人」の基準を超えていた。富の文化を専門に取材をするジャーナリストのロバート・フランクは、アストンマーティンやベントレーの販売状況といった関連指標を調べたところ、ワシントンは「裕福から贅沢」になりつつあるとの結論を示したほどだ。

政治資金をめぐる状況は、実務者ですら管理しにくくなるほどの水準に達していた。バラク・オバマの大統領選キャンペーンでデータ担当責任者を務めた民主党の調査専門家、イーサン・ローダーは当時の状況をこう説明する。「わたしが身を置く業界の恥ずべき秘密を言いましょう。陣営にあまりに多額の現金が集まると、それを使うのがいかに難しいかということです」。資金の流入は影響力をめぐる不安をさらにかき立てた。献金者からは前代未聞の額が政治に投じられたが、その理由の一つは、もし自分が献金しなければ競合企業やイデオロギー上の敵対者など誰かほかの者が得をするのでは、と気を揉んだためだった。「自分が関わったある選挙キャンペーンでは、とにかく資金が潤沢でした。陣営のロゴマークを月に向けて発射させようか、なんていうジョークが出るほどだったんです」

候補者側が必要としている額を大きく上回っていてもなお献金が続くのには、理由があった。それは、どれだけ客観的にとらえようとしても、法的腐敗の範疇に入るとしか言いようがないものだった。かつてジェイムズ・マディソン〔第四代大統領。「アメリカ合衆国憲法の父」と呼ばれる〕は、議会のあり方について「人民のみに依存する」との理想を示した。しかし二十一世紀までに、献金者や企業は連邦議会議員に資金を提供することで、実質的にその政治家へのアクセスを「買っている」ことが、研究者によってはっきりと突き止められていた。政治学者のジョシュア・カッラとデイヴィッド・ブルックマンの研究では、議員の上級スタッフは、献金者から面会の要請があった場合、それ以外のケースと比べて三倍から四倍の頻度で応じていたことが示されていた。

擁護派に言わせると、このシステムはアイデアを自由に競争させる環境をもたらしているという。国民がある政策について強い関心を持っているのであれば、そのためのロビー活動に資金を出すだろう、と。だが、それは時代を問わず幻想でしかない。献金者は国の現状を反映したものではないからだ。民主・共和両党で、献金者の属性は年齢層が高く、白人、男性、保守的という傾向にある。つまり、彼らは連邦議会議員とよく似ているということだ。

ワシントンにおける影響力の経済は、ほかの民主主義先進国の世界ではまずお目にかかれないタイプのものだった。わたしがワシントンに来る数カ月前、下院民主党議員団が新人議員向けの内部資料として作成したパワーポイントのプレゼンテーションが『ハフィントン・ポスト』にリークされたことがあった。新人議員へのアドバイスの一つとして、次のような内容が示されていた。毎日三〜四時間を公聴会や投票、選挙区民との面会に確保するべし、と。しかし、ワシントンでは毎日五時間以上は献金の要請――「電話対応」や「戦略的アウトリーチ」といった婉曲表現が使われる――に割くべき、とも付け加えられている。カネで政治家へのアクセスを買うことがあまりに当たり前になったため、ベテラン議員はそれが自分の意思決定に影響を与えているわけではないと形式的に否定するのを忘れることがあるほどだった。ミック・マルヴァニー元サウスカロライナ州選出下院議員は茶番と紙一重の率直さで、銀行の幹部相手に「自分の事務所にはヒエラルキーがあるんです」と話したことがあった。「あなたがこちらに献金をまったくしないロビイストだとしたら、わたしは相手にしません。献金してくれるロビイストならお話しするでしょうけど」

カネの流入は二〇一〇年以降に加速した。最高裁がこの年の「シティズンズ・ユナイテッド対連邦選挙委員会」判決で、企業や労働組合、豊富な資金を持つ個人が選挙で献金できる上限額を撤廃したのである。この判決により、誰も予想ができなかったレベルで献金の規模が急拡大することになった。二〇〇八年から二〇一二年にかけて、選挙活動に費やされた額は全体で二〇億ドル近く増加したのである。増加分の多くは「スーパーPAC」が供給源だった。スーパーPACは、候補者に直接関わらない限り上限なく献金ができるPAC（政治活動委員会）だ。二〇一二年にスーパーPACの献金は一〇億ドルにのぼったが、そのうち七三パーセントはわずか一〇〇人から提供されたものだった。

年月を経ていくなかで、政治資金の容赦ない増加は汚職の定義そのものまで変えていった。『ワシントン・ポスト』紙のベテラン政治記者、ダン・バルツは一九七二年の出来事をこう回想している。保険業界のボスにして慈善家のW・クレメント・ストーンが、リチャード・ニクソンの大統領再選キャンペーンに二〇〇万ドルを献金したことが明らかになった。これに世論が激しく反発した結果、選挙資金に関する一連の改革を後押しすることになった、と。現在の価値に直すと、ストーンの献金額は一一〇〇万ドルということになるが、これは今の大口献金者としては少額の部類にしか入らない。保守派のカジノ王として知られるシェルドン・アデルソンは、二〇一二年に九三〇〇万ドルを費やした。二〇一六年の選挙に向けて、化石燃料ビジネスで財を成したコーク兄弟は、友人たちと小規模なグループをつくり、政策に影響を及ぼすべく八億八九〇〇万ドルを献金した。彼らは増税阻止とビジネス関連の規制緩和に注力してくれるリーダー群を育成し、選挙で当選させるべく一体となって自分たちの資産を投じていった。

こうした資金によって、ワシントンでどの政治家が力を持っているのか、どのような考えを支持しているのかが変わっていった。議員の仕事が注目とカネを集めようとする個々の戦略の寄せ集めと化したことで、両党とも一体感を欠くことになった。フリーダム・コーカス――議会共和党の超保守系議員が投票の際に統一行動をとることにしたグループ――は、ジョン・ベイナー下院議長をはじめとする党執行部への攻撃を急速に強めていった（ベイナーはコーカスのリーダー、ジム・ジョーダンを「テロリスト議員」と見なしていた）。コーカスには自前のスタッフと資金があったため、ベイナーは除名をちらつかせて党の方針に従わせることができなかった。オバマ大統領やナンシー・ペロシに対しても、票の確保を約束することができなくなった。ベイナーはジャーナリストのティム・アルバータにこう語っている。「素っ裸で立っている相手と交渉するというのは、難しいですよ」

献金の総額が増え続けるにつれて、ワシントンにいる政治家の大半は、カネが政治にひずみをもたらしていることについて「遺憾の意」を示すだけだった。かたちだけの懸念の表明でしかなく、ほかにはほとんど何もしないということだ。「もはや政治家はこのことを話題にすることすらしていない」――『ワシントン・ポスト』は二〇一四年の選挙資金について、不満げにそう指摘した。真に力を持つ政治家で、自らの地位を下支えしてくれるシステムを変えようとする者はいなかったからだ。ハーヴァード大学の法理論学者で政治におけるカネの問題に対する批判の急先鋒となったローレンス・レッシグは、こうした沈黙を「屈服の政治」と表現した。選挙資金システムには政治版の「原子爆弾」を落とす必要がある、と彼はわたしに語った。「骨格が固まる前にいま吹き飛ばして、新たな方法を見いださない限り」、変化は不可能というのだ。

二〇一四年の中間選挙を控えた数カ月の中で、レッシグは奇抜な実験に着手した。PACを立ち上げ、数百万ドルを投じて選挙資金改革に基本的に賛成してくれる連邦議会の候補者を当選させようとしたのだ。言い換えれば、自らを絶滅に追い込むためのスーパーPACということになる(「皮肉を抱き締めよう」というのが彼が採用したモットーだった)。レッシグと共同創設者で共和党コンサルタントのマーク・マキノンはこのPACの名前を、緊急事態のコードネームにちなんで「メイデー」とした。政治のプロのあいだでは、この試みに対する見方は総じて否定的だった。『ポリティコ』は「茶番」で「パフォーマンス」と呼んだ。ワシントンでは新参者だが法曹界ではセレブ的存在だったレッシグは、「自分がこれまでやってきたことのなかで、これほど失敗する可能性が大きいものもない」と認めていた。

わたしはレッシグのプロジェクトに興味を抱いたが、それは成功の可能性が理由ではなく、アウトサイダーとしての彼の視点ゆえだった。わたしが会いに行ったとき、彼は各地を転々としていた。そのスタイルはアル・ゴアによる気候変動対策キャンペーンを思わせるもので、聴衆に対し政治におけるカネの問題を緊急事態としてとらえてもらおうとしていた。八月のある平日の午前中、レッシグはルイジアナ州ラファイエットのケイジャンドーム・コンベンションセンターにいた。このとき五十三歳だった彼は小ぶりの丸眼鏡をかけ、静かな警戒感と強い思いを内に秘めた雰囲気を漂わせていた。ちなみに、彼は『ザ・ホワイトハウス』〔アメリカのテレビドラマ〕にも登場したことがある(外国の政府に対して憲法について助言をするという役どころだった)。このときレッシグを演じていたのは、映画『バック・トゥ・ザ・フューチャー』シリーズで奇抜な発明家役を演じていたクリストファー・ロイドだった。

このときラファイエットを訪れたのは、「ABizトップ50昼食会」という地元のビジネスイベントで講演するためだった。自分のメッセージをルイジアナの有権者は受け入れてくれるはずだと彼は期待していた。というのも、汚職による有罪判決を受ける者の割合を人口一人当たりで見たとき、ルイジアナは全米一の州だという結果になっているというのだ。エドウィン・エドワーズ元州知事は、自分の政治生命を揺るがしかねない唯一の脅威は「少女の死体か生きている少年」とベッドで一緒にいる状態で見つかることくらいだ〔一九八三年の州知事選での発言〕と豪語したことで知られている（エドワーズはその後、カジノのライセンス発行の見返りとして賄賂を強要したという汚職事件で有罪となり、八年以上にわたり刑に服した。さらにその後、下院選への出馬もした）。

ケイジャンドームでの昼食会には七〇〇人の聴衆が集まったが、ラファイエットのエリート層としてはごく一部だった。客層はレッシグが思ったより多様ではなかった。裕福そうな白人男性がほとんどで、自社名が示された丸テーブルに着席していた。わたしはルイジアナ大学ラファイエット校の政治学者、ピアソン・クロスと懇談したが、彼は「小切手を切って費用を負担してくれるのはあの人たちですよ」と言っていた。自分の番になると、レッシグは人種間の平等と民主主義が明らかに関連しているというトピックから話を始めた。「アメリカ憲法がアフリカ系アメリカ人に選挙権を事実上付与してから一〇〇年近くが経過しても、アフリカ系アメリカ人は選挙権を手にすることができなかったというのは驚くべき事実です。屈辱的とか恥ずべきことという人もいるでしょうが」。彼は場内の上に設置された二つの大きなスクリーンに、エイブラハム・リンカンとマーティン・ルーサー・キング・ジュニア、それにデモ隊に突進していくジャーマンシェパードのスライドを映し出した。「この歴史を振り返ると、みなさんは『どうしてあんなふうに考えられたんだ?』と思うでしょう」。さらに彼はこう問いかけた。「子どもたちがわたしたちを振り返って、『マジで?』と言わせてしまうようなことはないでしょうか? 財布の厚みが市民権の判断基準だったなんて信じられないでしょう」

レッシグはアメリカの民主主義について深刻な現状を示してみせた。世論調査のデータを引いて、アメリカ人の九六パーセントが政治におけるカネの影響を減らすべきと考えていながらも、実際にそれが実現する可能性があると考えているのは九パーセントしかいないと彼は指摘した。「これはわたしたちの時代における道義的な問題なのです。わたしたちは民主主義を取り戻すことができるでしょうか?」

講演が終わると上品な拍手が寄せられたが、彼がときおり受けるようなスタンディングオベーションは起こらなかった。レッシグは自著『共和国、その喪失——いかにしてカネが議会を腐敗させたか、それに歯止めをかける方法も(*Republic, Lost: How Money Corrupts Congress—and a Plan to Stop It*)』の数冊にサインしたが、テーブルには何十冊も売れないまま残っていた。

わたしは二〇〇五年から二〇一三年にかけて北京に住んでいたが、当時の中国人は政府が腐敗によって蝕まれているとしょっちゅう不平を口にし、アメリカにも似たような問題はあるのかと訊かれたものだった。アメリカの政府にも悪党はいるが、カネで影響力を手にするというあからさまなまねは法の支配と自由な報道機関の存在によって最小化されている——たいていの場合、わたしはそう答えていた。しかし、ワシントンに一年住んでみて、そのとおりなのか自信が持てなくなってきた。

二〇一四年には、下院選で当選するために必要な資金が一九八六年と比べて平均で二倍以上になっていた。そのため、候補者は資金を獲得すべく、以前にも増して単刀直入かつ貪欲にならざるを得なかった。ウィスコンシン州では、スコット・ウォーカー州知事が自陣営のコンサルタントからこう言われたという。カジノ王のシェルドン・アデルソンのもとを訪ねて、「今すぐ一〇〇万ドルお願いしてみましょう」と。

「シティズンズ・ユナイテッド対連邦選挙委員会」判決によって、現金が一気に流れ込むようになった。これは、推進派を過去数十年でもっとも勢いづけた出来事だった。「以前からずっと、高額の献金が重要なファクターだったに違いないと思うかもしれません」と語るのは、権利擁護団体「パブリック・キャンペーン」の代表を務めるニック・ナイハートだ。「ですが、新聞の一面で取り上げられるような八十代の億万長者からなるグループが候補者を操っているという構図は、そもそも以前であれば見られませんでした」。スティーヴン・コルバート〔コメディアン、作家〕は、スーパーＰＡＣや五〇一条（ｃ）（４）〔内国歳入法の非営利団体に関する規定内のカテゴリーの一つ。税制の優遇を受けられる〕で定められる団体の滑稽さについて、次のような試みを通じて劇的に示してみせた。「匿名シェル・コーポレーション」〔ペーパーカンパニーの意〕という名称で、寄付が可能な「社会福祉」団体を登録したのだ。

しかし現実にはカネで影響力を得ることがあまりにもありふれた行為になっていたため、何が犯罪で何が正当なのか判別しづらくなることがあった。レッシグがラファイエットで講演をしたすぐ後に、こんなことが起きた。ロバート・マクドネル元ヴァージニア州知事がリッチモンドの法廷で証言台に立ち、ジョニー・Ｒ・ウィリアムズ・シニアとの関係について説明した。ウィリアムズは選挙時の献金者で、タバコから作られた食用サプリメントをめぐり州知事の後押しを得ていったビジネスマンだ。ウィリアムズと彼の会社は、マクドネルの選挙運動で航空券代として約八万ドルの献金を行った。これについては合法のように映った。しかしウィリアムズの気前のよさは、グレーゾーンにまで及んでいった。ローンや高額のショッピング、ゴルフ、ロレックスの腕時計、カントリーハウスやフェラーリの利用といった具合で、総額は一七万七〇〇〇ドルにもなった。

汚職に関わる一三件の容疑でマクドネルと妻のモーリーンを起訴した検察側は、マクドネルが州知事の権限を用いて便宜を図ったと主張した。あるときのやりとりでは、マクドネルがウィリアムズに五万ドルの借入をメールで要請した。その六分後、今度はスタッフ宛に別のメールを送り、ウィリアムズが自社の製品について公立大学での科学的検査を求めていた件について確認するよう指示を出していた。証言台のマクドネルは悪びれるそぶりも見せず、自分の行為はごく当たり前のことだとして陪審員にこう説明した。「政府への最小限かつ基本的、通常のアクセスであり、それ以外の何ものでもありません」

レッシグに話を戻すと、この問題に目覚めた背景には、思いがけない経緯があった。彼は長話も電話もメールも大嫌いだった。妻のベッティーナ・ノイエフェインドは公益法を専門とし、コソヴォの戦争犯罪について調査をしたこともある弁護士で、レッシグのこだわりを補う実務的な役割を担った。「わたしは自分のことを、さくさくしたグラノーラ好きで、ホメオパシーを信じ、自然を大切にしていきたいタイプの人間だと思っています」と彼女は言う。しかし、レッシグは政治の大変革を求める一方で、人生のほかの部分でも大きな変化が起きた。二〇〇七年にドイツでサバティカルを過ごしていたとき体重が増えてしまったため菜食に切り替え、約二七キロのダイエットに成功したのだ。わたしと会った頃には、ブルーベリー、ゆで卵、アボカド半分というスーパーフード的朝食を毎日変わらずにとっていた。ノイエフェインドは夫について、「何かをとことんやり続けることにシンプルさと優雅さを見いだしていましたね」と語っている。

レッシグは、ペンシルヴェニア州ウィリアムズポートで育った。父は小さな鉄工会社を所有する熱烈な共和党員で、レッシグも「全国十代共和党員」のメンバーとして活動に積極的に加わった。一九八〇年の共和党全国大会で、十九歳の彼は全州の代表団を通じて最年少のメンバーとなった。しかし、共和党での政治キャリアを発展させていこうとした彼だったが、州上院選に立候補するも敗北し、そこで終わりを告げることになった。ペンシルヴェニア大学卒業後、彼は「この空間にこそ権力を支配するべき理性がある」として、法への畏敬の念を深めていった。ケンブリッジ大学で修士号を、イェール大学で法学の学位を取得した彼は、その後シカゴ大学とスタンフォード大学で教員を務めた。

一九九〇年代後半には、彼は法律、文化、インターネットが交錯する分野に関し、アメリカでもっとも影響力のある理論家の一人になっていた。政治におけるカネの問題に取り組むことになった原点は、一九九八年にさかのぼる。この年、「ソニー・ボノ著作権保護期間延長法」という、映画や音楽、その他の作品の著作権を二〇年延長し、過去のものにも適用する内容の法律が連邦議会を通過した。レッシグは連邦議会に行き、この法律の遡及適用は著作権保有者の利益の封じ込め以外の何ものでもないと主張した。これが適用されたところで、ウィリアム・フォークナー〔小説家〕やジョージ・

ガーシュイン〔作曲家〕は故人のため、新作を生み出すことができるわけでもない、とも指摘した。レッシグによると、ディズニーはソニー・ボノ法案を提出した下院議員二五人のうち一八人の選挙運動に献金を行っていたという。彼は「議会がカネで自由に買える状態である限り」、著作権が切れることはけっしてないでしょう、と言ってこの話を締めくくった。

　レッシグの見立てでは、問題の根本には、影響力のあるアメリカ人が日々密かに妥協を繰り返し、破壊的な行動には目もくれず、経済や社会、政治の中核的な機関をじわじわと腐敗させていることがあるという。彼はこうした人びとを「善きドイツ人」〔ここでは、悪事を見て見ぬふりをする人びとの意〕と呼んでいた。「政治腐敗の典型例」として、ランディ（・デューク）・カニンガム――二〇〇五年に収賄罪で有罪判決を受けたカリフォルニア州選出下院議員――やヴァージニアで公判中のロバート・マクドネル元州知事の名前を挙げた。「これが真に注目すべき腐敗というわけではないのです。真に注目すべき腐敗とは、影響力が取引され、その力に依存し、それをひけらかすことが当たり前になったシステムの中で生きている人たちのことです。そういう人間が『善きドイツ人』なのです」

　この年の秋、リッチモンドの連邦陪審は汚職に関する一一の容疑についてマクドネルに有罪判決を下した。かつてトマス・ジェファソンも務めたポストに在任したマクドネルは、自らの権力をゴルフ旅行や妻のドレス、スポーツカーのために売り渡してしまったのだ。彼の判決が発表された後、わたしはジム・クーパーと電話で話をした。一九八三年以来、テネシー州選出の民主党下院議員を断続的に務めた政治家だ。今回の裁判所の判決について、同僚はどう受け止めているか彼に訊いてみた。すると、次のような答えが返ってきた。「議員は内心、戦々恐々としていると思いますよ。この類いの利益提供は、議会では驚くほどありふれたことですから」

しかしマクドネルの凋落は、刑務所行きになる行為と再選につながる行動を分け隔てる微妙な境界線のありかを試すものと言えた。マクドネルは、贈答品の見返りに栄養サプリメント食品のプロモーションについて便宜を図ったことで実刑判決を受けた。だが連邦議会議員のほうは、栄養・ダイエットサプリメント食品業界から何万ドルもの献金を受け取っても合法とされている。アイオワ州選出で民主党所属のトム・ハーキンとユタ州選出で共和党所属のオリン・ハッチ両上院議員は、長年にわたってこの業界から最大の恩恵を受けてきただけでなく、消費者保護のための規制に抵抗するスポークスマンの急先鋒でもあった。

裁判所が判決を下すときが来ると、マクドネルは寛大な処分を求めた。連邦裁判所の量刑ガイドラインでは、懲役一〇年から一二年に相当する罪だった。元イリノイ州知事のロッド・ブラゴジェヴィッチは、オバマが占めていた上院の議席をカネで売り渡そうとした罪で一四年の刑に服していた。マイケル・ドライ検察官は、マクドネルの犯罪は「二二六年のヴァージニアの歴史において前代未聞」だと指摘した。これに対し、弁護側は刑務所での服役を科さないよう求めてきた。代わりに六〇〇〇時間の地域奉仕活動を提案し、州知事経験者やNFLのスター選手を含む一一人の証人を出廷させ、寛大な処分を要請した。証人はマクドネルについて、物質的な所有にはほとんど関心がないと証言した。判決そのものがほかの者に対して十分な抑止になるとの見方がヴァージニア州議会下院議長から示されたほか、マクドネルの妹からは、兄はすでに自らの行いをひどく悔いており、食欲をなくし体重が減っているとの証言も出た。マクドネルの弁護人は判事に寛大な判断を求めた際、感極まって言葉が出ないほどだった。

判決の言い渡しで、ジェイムズ・スペンサー地裁判事はつらそうな雰囲気を漂わせていた。「心が引き裂かれる思いだが、わたしには避けて通れない任務があるのです」と心情を吐露した。彼はマクドネルに懲役二年の刑を言い渡した。寛大な量刑が下されたことで、マクドネルはリッチモンド裁判所の外に出て、法廷に謝意を表明した。

マクドネルに対する刑罰は、彼が権力と大物の友人の影響力を結集させられることを示すものだった。判決後、わたしは大量収監の問題に取り組む非営利団体「イコール・ジャスティス・イニシアチブ」のエグゼクティブ・ディレクター、ブライアン・スティーヴンソンに電話で連絡をとり、判決についてどう思うか訊いてみた。比較対象として、彼はヴァージニアで下された別の判決について言及した。

ノーフォーク在住のトラヴィオン・ブラウント被告には、彼の人物像について証言してくれる元州知事も現職州議会議長もＮＦＬのスター選手もいなかった。ブラウントは十一歳でクリップス〔ロサンゼルスのギャング集団〕に入った。留年を繰り返し四度目の六年生をしていた十五歳のときには、母が不登校裁判所や関係機関に対し、ギャングから脱却させるプログラムを息子に受けさせられないかと相談したこともあった。それからほどなくして、ブラウントと年長のティーンエージャー二人は、ハウスパーティーでドラッグの売人を襲う事件を起こした。三人は銃を手に取った。ブラウントはピストルを仲間に渡そうとしたが、自分のほうに押し戻されてしまったという。三人は現金、マリファナ、携帯電話を奪った。ブラウントが家の別の場所にいたとき、ほかの一人が売人の頭を銃で殴り、頭蓋骨を割った。

警察は一週間もしないうちに犯行グループを逮捕した。二〇一三年に『ヴァージニアン・パイロット』紙はブラウントの役割について、「発砲はなかったし、彼は犠牲者を殴打したわけでもない。朝刊で取り上げるほどではない」と報じていた。ブラウントは司法取引を拒否したため、銃器の違法使用、強盗、誘拐を含む五一件の重罪容疑で裁判にかけられることになった。陪審員はこのうち四九件について彼を有罪とした。二〇〇八年三月の判決言い渡しでは、ヴァージニアでは銃犯罪についての刑罰はあらかじめ決まっており、銃器関連の罪に関する量刑は懲役一一八年になったとの説明が判事からあった。加えて、この犯罪には未成年者三人に銃を突きつけて行った強盗が含まれるとして、判事は六回の無期懲役を追加した。何らかの変化が生じない限り、ブラウントは「高齢者向け釈放」の対象となる二〇五一年の六十歳の誕生日まで服役することになる。

中間選挙が近づいていくなか、レッシグのアイデアを潰そうとする動きが全力で進められていることが明らかになりつつあった。共和党幹部は選挙資金改革について、言論の自由に対する攻撃であるとともに、資金調達で自党がこれまで維持してきた優位を揺るがす企みだとして以前から拒否し続けてきた。なかでも、たるんだ顎とヴィクトリア朝時代の事務員ふうの丸眼鏡がトレードマークの上院院内総務、ミッチ・マコネルは現状擁護派の急先鋒だった。彼は選挙資金について、「アメリカ国民にとって最大の関心事の一つとして、静電気でぴったりとくっついているよ」とジョークを飛ばしたことがあった。

五〇年前、マコネルは穏健派で人工妊娠中絶に賛成の共和党員として政治の世界に足を踏み入れた。このとき彼はケンタッキー州選出のマーロウ・クック上院議員のスタッフだったが、この議員は大気汚染防止基準の設定や露天採鉱に関する規制に賛成の立場だった。しかし、彼の政治的立場は常に交渉可能なものだった。権力を追い求める彼の姿勢は、富を追い求めるグリニッジの金融関係者と同じくらいあからさまだった。『ロング・ゲーム――ある回顧録（*The Long Game: A Memoir*）』と題した政治についての回顧録で、彼はこう記している。「多くの場合、個人の野心が持つ意味は大半の人が認めている以上に大きいのです。これは当然わたしにも当てはまります。別の言い方をすれば、それを隠す必要性はまったく感じてきませんでした」

一九七七年、共和党の弁護士としての仕事に飽き飽きしていたマコネルは、郡の幹部職選挙に立候補し、郡史上どの候補をも大きく上回る三五万五〇〇〇ドルもの資金を調達し、それを選挙運動に投じた。彼はタリー・プレッサーをコンサルタントとして雇った。高額の報酬で知られる世論調査専門家にしてストラテジストだ。プレッサーからは、マコネルは「外見的な印象では中心的存在にはけっしてなれない」との評価が示された。そこで陣営はこれをプラスに転換させることにした。マコネルを温和な中道主義者で、公務員の団体交渉権を支持する候補者として打ち出したのである。これが功を奏し、ＡＦＬ-ＣＩＯ（アメリカ労働総同盟・産業別組合会議）の現地支部やルイヴィルのリベラル紙『クーリエ・ジャーナル』から支持を得ることに成功した（後者の発行人は「過去最大の過ちだった」とのちに語っている）。資金の投入は報われ、マコネルはこのアプローチを全面的に支持するようになった。「ほかのものはすべて二の次です。わたしはこれからも常に潤沢な資金を用意しますし、早い段階から資金を用意します」。選挙後の取材で、彼はそう語っていた。彼は資金を確保できたことで、有権者と直接つながることが可能になったとのちに語っている。「自分のような人間がチャンスを手にできる唯一の手段ですから」というのが彼の説明だった。

このことをマコネルは肝に銘じていた。一九八四年の選挙で上院議員を二期務めていた民主党のウォルター（・ディー）・ハドルストンに挑んだ際、彼は一八〇〇万ドル近い資金を調達した。このおかげで、世論調査専門家でのちにFOXニュースを立ち上げるロジャー・エイルズを雇うことができた。選挙では、五一〇〇票という僅差でマコネルは当選を果たすことができた。「勝ちは勝ち」というのが彼の受け止めだった。私生活のほうでも動きがあった。海運会社の経営者を父に持ち、共和党内で頭角を現しつつあったイレーン・チャオと一九九三年に結婚したのだ。イレーンの母が亡くなると、マコネル夫妻は二五〇〇万ドルもの遺産を相続し、ワシントンの高額資産保有者の仲間入りを果たした。

連邦議会でも、マコネルが大きなエネルギーを注いだのは資金調達だった。一九九七年、彼は大半の同僚議員が嫌がる仕事を引き受けた――全国共和党上院委員会の委員長だ。実質的にはこのポストは議員団の資金調達責任者で、上院二期目に入っても再任した。ワイオミング州選出上院議員のアラン・シンプソンは、資金調達の仕事を「彼は楽しんでいましたね」と記者に語ったことがある。「彼は目をきらきらさせて、足取りも速くなるんです。つまり、大好物ということですよ」。二〇〇二年に政治資金規制に関する超党派の取り組みが実現したが、マコネルはその後、この改革に反対する訴訟を起こしさえもした。「マコネル対連邦選挙委員会」裁判で、この改革は言論の自由に対する制限であり憲法に反すると指摘したのだ。彼はのちに、最高裁で「シティズンズ・ユナイテッド対連邦選挙委員会」判決をもたらした裁判の原告にもなった。『USニューズ＆ワールド・レポート』誌は記事の見出しで彼を「選挙資金界のダース・ベイダー」と呼んだが、当のマコネルはこの見出しをオフィスの壁に貼っていたという。

これと並行して、マコネルは資金調達と同様に、小規模の政治家グループに頭数以上の権力をもたらす政治ツールをもう一つ見つけ出した。上院には絶対多数である六〇人の賛成がない限り議事進行を妨害できる「フィリバスター」と呼ばれる伝統があるが、マコネルはこれを王のごとく取り仕切ったのである。一九四一年から一九七〇年の間は、上院でフィリバスターを阻止するには三六票しか必要としなかった。ところが、マコネルが上院少数党院内総務だった二〇〇九年から二〇一〇年の二年間では九一票を必要とした。

これは代議制民主主義の本質という観点で大胆な破壊行為だった――アメリカの総人口のわずか一〇パーセントを代表するだけの上院議員が、ほぼすべての立法活動を阻止する力を持っているのだから。オバマ政権期、マコネルはワシントンを徹底的に機能不全に追い込むことで、国民の批判の矛先をホワイトハウスにいる与党に向かわせようとする策に賭けた。これは機能的な比喩で、連邦議会のラジエーターを弱め、配水管の流れを悪くするのに等しい行為だった。記録を取るようになって以来、二〇一〇年から二〇一二年は連邦議会で立法活動がもっとも低調だったが、当然の結果だろう。

当時は影響がかなり低く見積もられていたが、マコネルは現代アメリカ政治の深層で起きている変化を具現化してみせていたのだ。彼は民主党を「通路を挟んで反対側にいるよき友人たち」と呼んで表面上は上品さを保ってはいた。しかし実際には、正当性を欠いた存在であり、アメリカの安定と繁栄を危機に陥れるのに等しい、打破すべき勢力と位置づけていた。二〇一一年に国の債務をめぐりデフォルトに追い込むことも辞さないとする政治的恐喝キャンペーンを主導していたとき、マコネルは債務を「身代金を要求する価値のある人質」と呼んでいた。

こうした風潮は連邦議会を支配するようになり、党派的な侮辱行為から無縁なものは皆無に近く、いかに実務的な案件であっても例外ではなかった。たとえば、低所得層の母親の家庭に看護師が訪問する、「看護師・家庭パートナーシップ全国サービス」というプログラムがある。二九の州で一万八〇〇〇家庭に看護師が派遣されており、疾病の罹患、薬物濫用、福祉への依存といった項目について減少するなど、その効果ははっきりと示されている。対象となった家庭の子どもが十五歳になるまでに犯罪で逮捕される割合は、ほかの子どもたちと比べて半分以下という結果もあった。必要な費用は年間八〇〇〇万ドルで、連邦政府の支出水準から見ればごくわずかな規模でしかなかった。ところが、オバマケアの一環としてこのプログラムの拡充が提案されると、下院共和党はこれを攻撃対象としてねらいを定めた。ヘリテージ財団では、「育児の世界に連邦政府の指示で行われるトップダウン式のアプローチを押しつけようとする隠れた目的《ステルス・アジェンダ》がある」との警告が学者から発せられた。グレン・ベック〔政治評論家、ラジオパーソナリティ〕は、この計画は看護師を肥満の子どもがいる家に派遣するものだと言い放った。結果、拡充案は葬り去られてしまった。

自分の権力が拡大していくにつれて、マコネルは民主主義の形式を軽視するようになっていった。

彼は自分に批判的なニュースメディアの取材にはめったに応じなかった。「自分にとってプラスになるときのみ、メディアと話すことにしている」と彼は記している。オバマ政権の最後の年には、マコネルはもはや制度主義の旗を掲げることすらしなくなっていた。民主党が指名したメリック・ガーランド最高裁判事候補に関し、マコネルは上院での承認採決を阻止したが、このとき彼はこの人事について「ドァから退出することになっている死に体の大統領」によって決められるべきではないと言い放った。

党内の支配を維持するべく、マコネルは同僚議員が政府の活動についてとくに問題視してきた点のいくつかを、そっくりそのまま取り上げることもした。自分が説明すべきストーリーをいつも覚えておくのは、容易なことではなかった。選挙前に行われたFOXニュースによるインタビューで、マコネルはオバマケアを廃止するためには、上院で六〇票を確保するのに加えて、オバマの承認を得る必要があると語った。しかし、この事実をはっきりと口にすることを「異端」と見なす共和党関係者もいた。たとえば、ティーパーティー系候補を支援する「上院保守派基金」は「ミッチ・マコネルはオバマケア廃止について白旗を揚げた」と糾弾した。マコネル陣営は急いで事態の収拾に当たり、この抗議のショーが成果の見込めない、象徴的なものであっても、そこに彼が加わる意欲を失ったわけではないことを明確にした。マコネルの報道担当は記者団にこう説明した。「本人はこれが容易ではないことを理解しています。ですが、共和党が幸運にしてふたたび多数派になることができれば、われわれは実現に取り組む責務をアメリカ国民に対して担うことになるでしょう」

この男はいったい何を信じているのか——何十年にもわたり、数々のすぐれた政治作家がこのテーマに取り組んできた。だが、それは徒労だけが残る追究だった。ジャーナリストのアレック・マクギリスは、二〇一四年の中間選挙の直後に刊行したマコネルについての批判的な伝記『皮肉屋——ミッチ・マコネルの政治教育（*The Cynic: The Political Education of Mitch McConnell*）』で、こう記している。「マコネルを突き動かしているのは、政府や国家に対する特定のビジョンなどではなく、自分自身のためにに政治ゲームを展開し、キャリアを前に進めていくことにある」。マコネルとともに四半世紀にわたり上院議員を務めたクリス・ドッドは、この問いについて思いを巡らした上で、こう言った。「大まかな印象ですら思いつかないよ」

二〇一四年の選挙の終盤、マコネルは地元の州を回った際、「チーム・ミッチ」のロゴをプリントしたシャツを着て、「アイ・オブ・ザ・タイガー」〔映画『ロッキー3』の主題歌〕をスピーカーで流した。彼のメッセージに複雑さはまったくなかった。マコネルのバンパーステッカーに掲げられた言葉は、エレガントと言えるほど簡潔だった——「石炭。銃。自由」。

この年の中間選挙は、アメリカ史上もっとも高額の費用がかかり、透明性に欠けた選挙の一つとなった。献金者名の公開を法的に義務づけられていない「ダークマネー」グループと呼ばれる政治・慈善団体から、かつてないほどの資金が投じられていた。マコネルの地元州では、「ケンタッキー・オポチュニティー連合」と自称するグループが対立候補のアリソン・ルンダーガン・グライムズを「反石炭」勢力の走狗だとして、舌鋒鋭く攻撃していた（のちの法定開示では、この団体はアメリカの石炭大手、アルファ・ナチュラル・リソーシズを含む三つの提供元から資金を得ていたことが判明した）。

投開票の結果、共和党候補が次々と当選を果たし、上院で多数を奪回した。この勝利により、これまで以上に右寄りの共和党議員が議会に加わることになった（アイオワ州で新たに上院議員に選出されたジョニ・アーンストは、中絶と同性婚の禁止、さらにオバマ弾劾を求めた）。この選挙は、上院多数党院内総務になるというマコネルが抱いていた長年の野望を実現したという点でも重要だった。わたしはオバマこそがこの時代の政治を象徴する人物と考えていた。しかし、その彼はマコネルが支配するワシントンの住人だった。マコネルは連邦議会におけるこの世代の特徴を究極的に体現する人物だった。一般的な政治上の賛辞の中では、彼は「制度主義者」であり、その主義を擁護する存在として説明されていた。だが、それはフィクションでしかなかった。彼はまごうことなき政治的人間であり、勝利のために計算を駆使し、事実や痛みには関心を示さず、政策や原則よりも権力のほうが重要というシンプルな信念に基づいて行動する存在だったのだ。

マコネルは民主党が強い州にあって、環境保護と人工妊娠中絶に賛成する共和党員として政治の世界に足を踏み入れた。しかし、党の右傾化に合わせて、彼も年を経るごとに右寄りに変わっていった。マコネルにほかの者の上に君臨するという強烈な意欲があったとしたら、成果を挙げ歴史に名を残すという野心を抱きつつも、彼はそれをしっかりと隠し通してきたと言える。彼が何よりも重視したのは勝敗の結果だった。イデオロギー面の進化について問われた際、彼は肩をすくめてこう言った――「とにかく勝ちたかったんでね」。

二十一世紀の初め、アメリカは安定しているように見えた。好景気の期間は史上最長記録に迫りつつあった。国内総生産は、冷戦終結時の二倍近くになっていた。シリコンバレーのイノベーションによって、株式市場は史上最高値を更新しようとしていた。当然といえば当然だが、ワシントンで誰もが——大半が百万長者の白人男性で占められる連邦議会はなおさら——気にするのは、どれだけ自己満足を得られるかになっていた。

連邦議会議員やワシントンの大物は、「脆弱さ」というものをほとんど理解していなかった。つまり、破滅的な事態に対する想像力が欠如していたのだ。ニューヨーク州選出上院議員のカーステン・ギリブランドが軍での性的暴行問題について声を上げようとしたところ、上院は「遺憾の意」を表明するだけという反応がほとんどだった。「男性の上院議員のなかには被害者になるとかひどい扱いを受けるといった事態を自分事として想像できない人がいるのです」と彼女は言う。「ですが、わたしはこういうことが自分に起きたら、と想像することができます。自分の息子にこういうことが起きたら、と想像することもできます。そうしたら、やりきれない思いになりますよ」

うわべだけの成功を追求するというワシントンの風潮によって、蔓延する腐敗がわかりにくくなっていた。カネと足並みをそろえた妨害行為は、自然なルートで政治が進んでいくのをせき止めていた。これは「何が起きているか」ではなく、「何が起きていないか」をめぐる問題なだけに、見落としてしまいがちな点だ。過去を振り返ってみると、アメリカ国民は憲法修正というかたちで民主主義の健全性を保ってきた。修正は平均で少なくとも一〇年に一回は行われてきた。しかしこの半世紀、そのペースは失速してしまった。連邦議会議員の給与引き上げという事務的な内容だった一九九二年の修正を別にすれば、最後に重要な変更が憲法に加えられたのは、選挙権年齢の十八歳への引き下げを定めた一九七一年の修正だった。ジェンダー差別の禁止を定める「男女平等憲法修正案」の実現に向けた運動〔各州の批准が発効に必要な数に達せず、一九八二年に廃案になった〕や大統領選の選挙人改革を求める運動があったにもかかわらず、アメリカは南北戦争の前以来、重要な憲法修正がもっとも長く行われない状態になってしまった。硬直化は議会の住人自身にも及んだ。上院の平均年齢は史上最高になっていた。八十代の議員が八人もいたが、これは過去に同時に同年代の議員が在任していた数のほぼ倍だった。

まだ影響が見え始めたばかりというレベルだったが、マコネル時代のシニカルな姿勢はアメリカの政体全体に広がりつつあった。一世代にわたり、アメリカ国民は政党幹部からこう言われ続けてきた――たとえ不平等が拡大し、賃金は上がらず、平均寿命が低下したとしても、テクノロジーやグローバリゼーション、市場自由化を信じなさい、と。しかし、国民は民主党からも共和党からも逃げ出すようになっていた。その一方で、無党派層の割合は高まりつつあった。二〇一四年の選挙の投票率は、一九四二年以来、アメリカで最低レベルにまで落ち込んでいた。

一九一二年にノーベル平和賞を受賞したエリフ・ルートは、「人というものは、統治するか、統治されるかのどちらかだ」とアメリカの聴衆に語ったことがあった。それから一〇〇年後、意気消沈したアメリカ国民は、統治に関わる活動から距離を置くようになっている。そこで生じた空白の中で、経済と政治を支配する勢力は、自らの成功を保障し、説明責任から守ってくれる現行のシステムに磨きをかけている。ワシントンでは、こうした人間は資金調達、恣意的な選挙区割りの改定、カネによる影響力の取引をする権力を手にしてきた。一方、グリニッジでは、税率の着実な低下、規制緩和やロビー活動、増殖する富が積み重なることでもたらされるアドバンテージを享受してきた。二〇一四年に調査会社ギャラップが行った世論調査では、連邦議会を信頼していると答えたアメリカ人は七パーセントしかおらず、これは同社がこれまでに行ったいかなる機関についての調査を通じても最低の数字だった。政府がＰＲキャンペーンとして、「オースティンを風変わりなままにしよう」に相当する、キャッチーなスローガンを作ろうと検討したことがあった。これに関連して、アメリカ国民に対し首都と聞いて連想する言葉について尋ねる調査が行われたところ、もっとも多かった回答は「腐敗」「高学歴」「傲慢」だった。

ワシントンでは、有権者が不満を募らせていると警告を発する者も出始めていた。「こうした人たちはウォールストリートの利益、高額献金者、支配者層《エスタブリッシュメント》によって滅茶苦茶にされています。それはもう嫌だと言っているのです」。ジョン・マケインが二〇〇〇年と二〇〇八年に大統領選に出馬した際、統括顧問を務めたトレヴァー・ポッターは、二〇一四年にそう語っていた。その年の予備選で、下院多数党院内総務のエリック・カンターは思いがけず敗北を喫した。彼を下したのはデイヴ・ブラットというポピュリスト的な対抗馬で、縁故資本主義《クローニー・キャピタリズム》を保護しているとしてカンターを糾弾していた。「党の支配者層のほとんどは、この問題を突かれると弱いと思います」とポッターは言う（件《くだん》のカンターは事実上、この批判を受け入れた。なお、彼はその後、投資銀行で職を得て、翌年末までに三四〇万ドルの報酬を手にした）。

オバマ政権の最後の数年に全米各地を回っていきながら、わたしはアメリカの政治・経済エリートに対するむき出しの軽蔑の強さに衝撃を受けた。わたしが目の当たりにしたのは、「大きな政府」や「役人の干渉」といった抽象的なフラストレーションではなかった。国民は金権政治や私的金融取引に対して激しく、そして明確に懸念を抱いていた。そしてそこで描かれる実態は、アメリカの政治文化を変え、人びととの間の日常的なつながりさえも弱体化させていたのだ。社会科学者はこの影響を認識していた。イェール大学の社会学者、ニコラス・クリスタキスによる不平等のインパクトに関する研究では、不公正さを鮮明なかたちで示されると、人が他者と協力する頻度はほぼ半分になるという結果が示された。格差は「集団の結束を弱め、人びとを非協力的、非友好的にし、最終的に協働することを困難にしている」と彼は記していた。政治以外のところでも、人びとは構造的な不公正さを思い起こさせるような状況に対し、直感的な軽蔑を示していた。『米国科学アカデミー議事録』には、二〇一六年に行われた次のような研究が掲載された。搭乗クラスによって複数の客室エリアに分かれている飛行機では、「機内でのイライラ《エア・レイジ》」の度合いが高くなるというのである。エコノミークラスの乗客が、飛行機の中央部からではなく、ファーストクラスの客室を通って席に向かう場合は、エア・レイジの発生件数はさらに増加していた。多くのアメリカ国民にとって、政治や法律、経済といった権力構造は、ファーストクラスの客室を通って席に向かう、長い行列のような様相を強めていった。

　マコネルの勝利はレッシグの敗北を意味した。大ショックというわけではなかったが、レッシグは落胆ぶりを隠そうともしなかった。友人の一人で、ハーヴァード大学客員教授を務めるアレックス・ホワイティングによると、レッシグは自分のプロジェクトがうまくいかないと、いつも呆然としてしまうのだという。「彼は何が問題であるかを突き止める力を非常に重視しているのです。おそらく、彼は生々しい権力の非合理性と影響力を考慮に入れていなかったのでしょう」

　しかし、数日のうちにレッシグは気持ちを切り替えた。引き続き時論を展開すべく、活動を再開したのだ。彼は自分のプロジェクトについて、かつて懐疑主義がはびこるなかで始まった、アメリカ史における政治運動に相当するものと位置づけるようになった。一八八〇年代の時点で、女性参政権を求める運動は約四〇年にわたって展開されていた。にもかかわらず、『ニューヨーク・タイムズ』紙はこの運動の活動家を「軽蔑すべき嘲りの対象」となっている「選挙権狂い」と一蹴した。さらに同紙は、運動の提案内容について「頭が半ばおかしい狂信者か、頭の悪いな年配の女々しい人びと」による仕業だと指摘した。修正第十九条が実現したのは七〇年後のことだった。

レッシグには一つ確信していることがあった――アメリカ国民は、政治腐敗に反旗を翻すまでそれほど悠長に待つはずがない、とりわけ若者は政治が不正に操作されていることをわかっている、と。彼はこう言っている。「それを吹き飛ばさなくちゃいけないんですよ」

3 丘の上の宝石

大学最終年を過ごしていた一九九八年、わたしは新聞社のカメラマンの仕事を探していた。アラバマ州バーミンガムからアラスカ州ホーマーまで、一〇以上の小規模紙に手紙を送った。そのうち一紙がわたしにオファーを返してくれた――ウェストヴァージニア州クラークスバーグの『エクスポネント・テレグラム』だ。同紙の編集委員は、週給二三〇ドルで写真部でのインターンの仕事を提案してくれた。わたしは車に荷物を積み込んで、南へ向かった。

人口一万六四〇〇人のクラークスバーグは、ウェストヴァージニア州北部に位置し、オハイオ川とアレゲーニー山脈の間の緑豊かな高原にある。その起源は、希望に満ちた入植者がこの地に文化と政治の地域拠点を築こうとした一七八五年にまでさかのぼる。歴史家のスティーヴン・W・ブラウンは「アレゲーニーのアテネ」と呼んだほどだ。十九世紀半ばには、ウェストフォーク川経由で石炭をピッツバーグの製鉄工場に送ることで利益を上げるようになっていた。フランスの旅行家、J・H・デイス・ディバーは一八四六年にクラークスバーグを訪ねた際、近代的な建物は「十数棟にも満たなかった」が、現地の人びとは「優越した文化とマナー」を誇りに思っていることを書き留めている。

政治的にも文化的にも、この街は北部と南部をまたぐ位置にあった。クラークスバーグは、南北戦争の両軍に傑出した人物を輩出した。南部連合の将軍、トマス・〝ストーンウォール〟・ジャクソンは、司令官ロバート・E・リー自身が「わが右腕」と呼ぶほどの存在になった。北軍の少佐だったネイサン・ゴフ・ジュニアはその有能さゆえに、捕虜になったとき、釈放を実現すべくエイブラハム・リンカンが直々に介入したほどだった（ゴフは後年、連邦裁判所判事、連邦上院議員、海軍長官を務めた）。

二十世紀になると、野心に満ちたクラークスバーグの幹部は、一大都市の建設に乗り出した。電話を設置したのはウェストヴァージニアでもかなり早い段階だったし、銀行が八行、病院が三つ開設され、路面電車網の整備も行われた。南北戦争の勇将、ネイサン・ゴフは高級ホテルを建て、父のワルド・ゴフにちなんで「ワルド」と名づけた。ウェストヴァージニア初の「高層ビル」の一つ――九階建てのタワー二棟――を建てたのも彼だった。小さなダウンタウンの別の場所にできたロビンソン・グランドは、全米でもっとも早くにできた活動写真劇場の一つだった。一九二〇年までに、クラークスバーグの人口は二万八〇〇〇人にまで増加し、富裕層は瀟洒なヴィクトリア様式の豪邸をクオリティヒル〔カンザスシティの高級住宅街〕にも似たエリアに建てた。

クラークスバーグの歴史を通じて、地面の下に広がっている地層が発展のための豊富な資源をもたらしてくれた。豊富な天然ガスの埋蔵量と何ヘクタールもの広大な砂地があったことで、ガラス産業が花開いた。そこに魅力を感じたヨーロッパの職人がやってきて、小都市クラークスバーグに国際的な雰囲気がもたらされた。ベルギー出身の職人は外でもフランス語を話していた。全米最大のガラス会社、ヘイゼル・アトラスは市内に工場を持っていたし、ピッツバーグ・プレート、アンカー・ホッキング、ローランド、ハーヴェイ・グラスといった企業も同様だった。クラークスバーグには「丘の上の宝石」というニックネームがつけられた。

アメリカの多くの地域と同様に、第二次世界大戦後の三〇年でクラークスバーグの生活水準は着実に向上していった。この間、国の経済規模も労働者の平均収入も倍増した。クラークスバーグのガラス工場で働く労働者であれば、住宅や車を購入し、家族のために生計を立てていくことができた。メインストリートにはアールデコ調の立派な裁判所があったが、市はその前にこう書かれた看板を掲示した。「みなさんは誇りを持って当然です！」。地元政府は公園や下水道、道路を数多く整備した。その結果、一九五七年に全米都市連盟はクラークスバーグについて、「市民への関与」や「包摂性《インクルーシヴネス》」といった価値へのコミットメントを評価して「全米を代表する都市」と呼んだほどだ（それから四〇年後にわたしが引っ越してみると、この称号は依然として誇らしげに街灯柱に記されていた）。

初めてクラークスバーグに入ったとき、都市のひとかけらが山間部に移植された場所のように感じられた。格子状の通りで構成されるダウンタウンが広がり、コーニス〔軒蛇腹と呼ばれる西洋建築上部の装飾〕が施されたオフィスビルや高架路もあった。ＦＢＩは少し前に広大なビル群を近郊に建てたばかりだった。かつて炭鉱だった場所に指紋やデジタル記録を処理するための施設が造られ、二七〇〇人の雇用がもたらされた。人びとは好景気を肌で感じていた。

わたしはダウンタウンのアパートを家賃二五〇ドルで借りることにした。建物の隣には、洗車場とウェンディーズがあった。別の側には、落ち着いた雰囲気の住宅街が広がり、「シカモア」や「ビーチ」「バーチ」「ローカスト」といった地元で自生する木々の名前がつけられていた。家屋は木とれんが造りのバンガローで、手入れの行き届いた庭が付いていた。住人はリタイアした夫婦が多く、『エクスポネント・テレグラム』を購読し、街角にあるユナイテッド・メソジスト・テンプル教会に通っていた。

いちばん近くにあった家には、これまで見たなかでもっとも丹精を込めてメンテナンスされてきた車があった。鮮やかなターコイズ色のボディに白い幌が付いた、一九六〇年代のセダンだ。その車はいつもぴかぴかに磨かれており、わたしは職場から帰宅する際、ときどきそこで立ち止まって写真を撮らせてもらったものだった。それを見ていると、「誇りを持って当然」と呼びかける看板を思い出した。

『エクスポネント・テレグラム』の本社は小規模だがどっしりとした石造りの建物で、入口には天井を支える円柱があった。取材対象の地方都市クラークスバーグと同じくらい、この新聞も意欲にあふれていた。朝刊紙『クラークスバーグ・エクスポネント』と夕刊紙『クラークスバーグ・テレグラム』が毎日刊行されていた。さまざまな経緯はあるものの、同紙のルーツは一八六一年にまでさかのぼることができる。初期の頃は地元政治の中で激しい党派対立を繰り広げた。『エクスポネント』は左傾化し、『テレグラム』は右傾化したのである。

同紙の編集部は住民の反発の矢面に立たされてきた。クラークスバーグでアーキビストを務めるデイヴィッド・ホウチンは、少し前にこう教えてくれた。「安全な仕事ではなかったですよ。記事が理由で、編集委員が刺されたり撃たれたりすることが珍しくなかったですから」。かつて『テレグラム』の編集委員をしていたウィルバー・リチャーズについては、「一度ならず銃撃されましたし、彼も反撃したものです」とホウチンは言う。「二十世紀になった頃には、新聞の編集委員が撃たれることはなくなっていましたよ。棍棒で殴るか、鞭打ちにする程度になっていましたから」。一九〇三年、将来を嘱望されていた地元の弁護士、ジョン・W・デイヴィスが『テレグラム』の編集委員を馬車用の鞭で打つ事件を起こし、その後すみやかに警察に出頭した。自分の父について同紙が付けたコメントに不満を抱いていたというのが理由だった。この事件で彼のキャリアに傷がつくことはなかった。八年後、デイヴィスは下院議員に当選した。さらに一九二四年には民主党の大統領候補にまでなり、紙吹雪が舞うクラークスバーグのダウンタウンでパレードをするところから選挙運動を始めた。デイヴィスはカルヴィン・クーリッジに敗北を喫するが、その後も政治的権力を保つことに成功した。ただし、そのために人種融和の推進を犠牲にすることもあった。たとえば一九五四年には、敗訴に終わったものの、最高裁でサウスカロライナ州の弁護人として、学校の「分離平等政策」の正当性を主張した。デイヴィスはのちに名門組織となる外交問題評議会〔『フォーリン・アフェアーズ』誌の発行で知られる、世界的に有名な非営利の会員制組織〕の創設に加わったほか、法律事務所「デイヴィス・ポーク」にも名前をとどめている。

　二十世紀半ばには、クラークスバーグのジャーナリズムに対する暴力沙汰は下火になり、エクスポネント・テレグラムは政治的イデオロギーを脇に置いて強い経済的理由を重視するようになった。読者が増えれば増えるほど、広告料も高くできたからである。このため、同紙は攻撃的な内容を控えるようになった。わたしが着任した頃には、『エクスポネント』も『テレグラム』も政治的主張は社説だけに限定し、ニュース欄担当のわたしたち記者が地元の政治に関心を払うことはほとんどなかった。両紙とも「わが生活、わが家、わが新聞」というモットーを掲げ、それは編集長も同じだった。彼は名をビル・セディヴィーといい、四十二歳で身長は一八三センチメートル、銀色の山羊ひげと広い胸板が印象的だった。週末になると彼は急流を巡るガイドの仕事も務め、内に秘めた熱情を覆い隠すようなカジュアルな雰囲気を醸し出していた。

クリーヴランド郊外で育ったセディヴィーはインディアナ州とオハイオ州で小規模紙を発行し、その後ウェストヴァージニア州で最良の新聞を発行しようという目標を抱いてクラークスバーグにやってきた。利益を増やしたいと考えていた『エクスポネント・テレグラム』のオーナー陣に対し、セディヴィーは人員カットではなく新聞のクオリティを高めるべきだと進言した。オーナー陣はこれを受け入れ、記者と編集委員、カメラマンを二〇人にまで拡大することを許可した。セディヴィーはわたしたちを「兵士」と呼び、朝になると一面を広げて「昨日はガツンとかましてやったな」と言っていたものだ。

わたしは仕事が気に入っていた。任されたのは、二人いるベテランのカメラマンが時間の余裕がないか関心のないテーマについて写真を撮ることだった。ほとんどの週で、ウェストヴァージニア州各地を何百キロも車で移動し、学校や農場、廃品置き場、工場、炭鉱で撮影をした。地元のボクシングの試合やアマチュアバンドの演奏、住宅火災、政府の会議まで何でも担当した。老人ホームの開所スケジュールから誕生日を祝う小さなメッセージ広告まで、紙面にはコミュニティ紙定番の多種多様な情報が掲載されていた。しかし同時に、炭鉱労働者のストや環境保護を求める抗議行動、刑務所の新設計画といった問題についてアグレッシブかつ熱心に取り上げることも忘れなかった。

ときには遠く離れた地での出来事を追いかけようとしたこともあった。わたしにとっては着任から二カ月が経った一九九九年春、コロラド州リトルトンでティーンエージャー二人がコロンバイン高校でクラスメートを襲撃する事件が起きた。当時はこのような大量殺人はきわめて珍しかったため、数日にわたってニュースはこの件でもちきりだった。わたしたちは事件について記事を四本掲載し、その中にはクラークスバーグで子どもを持つ保護者の反応も紹介していた。その母親は娘に対し、コロンバインでの事件は「例外」と説明し、こう伝えていた。「ここの学校は安全だし、あなたも安全。それに、この町も安全だからね」


アパラチアは、ある実務的な理由で、いかなるときも小規模紙の手に余る存在だった。それは、山間部の悪路のために、新聞を遠くまで配送することが困難だったのだ。したがって、約三二キロを移動する間に小さな新聞販売店が一つもないという状況は、けっして珍しいことではなかった。競合紙がある小さな町でも、せいぜい二つといったところだった。油田地帯では、労働者は『デリック』『ヴォルケーノ・ルブリケイター』『ウエストヴァージニア・ウォーキング・ビーム』といった選択肢のなかから新聞を選ぶことができた。南北戦争の頃には、地方武装組織が現地の印刷所を制圧して、北部向けに『ナップサック』、南部向けに『ゲリラ』という新聞を発行していたこともあった。

「自らに語りかける国民こそが、よき新聞だ」――かつて劇作家のアーサー・ミラーはそう言った。アメリカの歴史を通じて、地方メディアが提供する監視と指示は、民主主義と密接につながっていた。アメリカ国民が「自らの代表者の行動がもたらした判断に規制をかける」ためにほかに方法があるだろうかと、一七八八年にアレクサンダー・ハミルトンは問うていた。地方紙は、社会の団結にも大きな効果をもたらしている。地方紙を読む層は、投票率が高く、自らも立候補する割合が高くなるという調査結果もある。そうした読者は、共通の問題や慶事、感動をめぐってほかの住民とつながりを持ち、学者が「想像の共同体」と呼ぶまとまりを形成していった。地元紙は自国についての理解を地域、国、世界といったレベルでもたらしてくれることで、「アメリカ人の問題関心」という食物連鎖の中でプランクトンに相当する役割を担っていたと言える。

しかし、地方紙はその歴史が始まった頃からずっと、脅威にさらされてきた。一八四四年、電信を発明したサミュエル・F・B・モールスが初めて公開の場で送ってみせたメッセージは、「神は何をつくり給うたのか（What hath God wrought?）」だった。モールスは自分の発明によってアメリカ国民が一体化し、「国全体が一つのコミュニティになる」との予測を示した。たしかに、電信は計り知れない恩恵をもたらしはした。だが、それはニュースと政治をエンターテインメントと恐怖の側に追いやるプロセスの始まりでもあり、ここから世代を超えて伸びる導火線に火がついたのだった。

モールスが電信機をお披露目したその翌日、新聞はそれを用いてワシントンからボルチモアまで最初のニュース原稿を送った。十九世紀末には、読者ははるかかなたで起きた戦争や犯罪、火事、洪水といった数々のニュースに接するようになった。通信分野に関し二十世紀を代表する学者の一人、ニール・ポストマンはこう記している。「電信は国を『一つの地域』にしたが、それは互いに表面だ

けの事実しか知らない多くの他人が住んでいる奇妙な地域であった」〔今井幹晴訳、以下同〕

ポストマンは一九八五年の著書『愉しみながら死んでいく――思考停止をもたらすテレビの恐怖』で、アメリカの通信の性質に生じた根本的な変化について指摘していた。その変化は、本の刊行から数十年で鮮明になる一方だった。情報の世界は、ポストマンが言う「『いない、いない、ばあ』の世界、あちらと思えばまたこちら、瞬時に表われてはすぐに消えてしまう世界」への道を着実に歩んでいった。アメリカ人がSNSという断片的世界の中でのコミュニケーションを生み出す何十年も前の時点で、彼は文脈と関連性に時間を割かない世界について次のように警告を発していた。「子どもの遊び『いない、いない、ばあ』のように、まったく自己充足した世界であった。だが、『いない、いない、ばあ』のように、永遠に愉しみ続ける世界でもあった」。テレビニュースの時代になると、断絶の感覚は短くもエレガントなフレーズで表現されるようになった。ポストマンによれば、「では……次に《ナウ・ディス》」と伝えることで、ニュースキャスターは「今までに聞いたことや見たことはこれから聞くことや見ること、あるいはこれから聞いたり見たりする可能性のあることとは関連がないこと」を示そうとしたものだという。「ニュースキャスターが言いたいのは、視聴者は四五秒間もかけて過去のことを考えてはならない、九〇秒間もかかって過去のことに対して精神病のように心を奪われてはいけない、次には他のニュースの断片か、コマーシャルに注意を向けなければならないということだ」としている。

一九六八年には、全国ネットで放送されるニュース番組の平均サウンドバイト〔ニュース番組などで引用される短いフレーズ〕時間は、六〇秒を超えていた。それが二〇〇四年には八秒以下にまで短くなっていた。最終的に、「では……次に」式のコンセプトは短時間で注意を引かなくてはならない時代に絶妙にフィットしたため、これを皮肉抜きにそのまま名称として採用した会社も出た。「ナウ・ディス」という二〇一二年に設立された動画ニュース制作会社は、携帯電話での閲覧を想定した短い動画や記事を提供している。「ナウ・ディス」はアメリカでもっとも人気のある携帯ニュースサイトの一つになった。

ウェストヴァージニアのように小さな州では、コミュニティとの距離の近さをとりわけ誇りに思っていた。「誰かについて取り上げるときは気をつける必要がありますよ。だって、その人はあなたのお母さんと知り合いかもしれませんから」と語るのは、AP通信の現地支局で二〇年以上にわたり働いてきたヴィッキー・スミスだ。よそから来た記者が貧困と犠牲を強いられてきたウェストヴァージニアの複雑な歴史を風刺することに、彼は何度も不快な思いをさせられてきた。彼は死者一二人を出した炭鉱爆発事故の取材をしているとき、角を曲がったところでナンシー・グレイスとぶつかりそうになった。とにかくテンションが高いケーブルテレビの司会者だ。そのときスミスはこう言った。「あんたはここで何をやってるんだ？　こっちのことなんて知りもしないし、気にかけてもいないじゃないか」

わたしが着任したとき、『エクスポネント・テレグラム』は、時に地元の名士を批判することも厭わない伝統を保っていた。市内担当編集委員のジュリー・クライサーは、長期にわたって君臨するクラークスバーグ市長について不満をこぼす市民についての記事を掲載したことがあった。すると、市長本人が四ブロック離れた市役所から歩いてきて、セディヴィーのオフィスに押し入ってきたという。「市長はステッキを床にバシバシと叩きつけていましたね」と、クライサーは当時のことを振り返る。「編集部でわたしのほうを指して、もう一度ステッキを床に叩きつけたんです」

政治的には、クラークスバーグは大恐慌からずっと民主党の地盤であり続けていた。大恐慌で経済が崩壊し、ウェストヴァージニアの石炭生産が四〇パーセント減ると、フランクリン・ローズヴェルトは山間部での貧困対策プログラムを推進した。一九六〇年の民主党大統領予備選でカギとなる役割を担ったのはウェストヴァージニアだった。カトリックでは勝てないのではとの疑念が広がった際、ジョン・F・ケネディ上院議員はプロテスタントが圧倒的に多いウェストヴァージニアをあえて遊説で訪れた。ケネディはセレブとして人気があったローズヴェルトの息子、フランクリン・ジュニアを伴うことが多かった。ある炭鉱労働者は彼に、「あんたの父さんの写真」が実家の壁に掛かっているよと言ったという。

一九六〇年、クラークスバーグにはリンドン・ジョンソン、ヒューバート・ハンフリー、ケネディ家の面々がやってきた。ロバート・ケネディは三回、エドワード・ケネディは一回訪問し、兄の「政治的未来はクラークスバーグのような町にかかっているのです」と訴えた。ジョン・F・ケネディ自身も現地入りした。ガラス工場を視察したほか、ローカル局の生放送に出演し、スタジオには視聴者が来てケネディに質問することもできた。ケネディ陣営はストーンウォール・ジャクソン・ホテルに事務所を開設した。このホテルは市内で最高層のビルだが、クラークスバーグは「客室数二〇〇のホテルを持つ都市としては世界で最小」という、やたらと具体的な主張が記されたポストカードを無料で配っていた。ケネディは宴会場でスピーチを行い、最低賃金の引き上げと高齢者向け連邦健康保険の導入を訴えた。「社会保障制度を始めたのはわが党です。そして今、その仕事の仕上げに取りかかろうとしているのです」と彼は言った。『エクスポネント』は、聴衆が「あまりに静粛にしていたため、ピンが落ちたときの音が聞こえるくらいだった」と、会場の様子を伝える絶妙な記事を掲載した。三週間後、ケネディは予備選で勝利し、カトリックに対する偏見により彼の選挙運動は頓挫するのではないかとの懸念を払拭してみせた。彼は大統領就任後、こう語っている。「ウェストヴァージニアがなかったら、この場所にはいられなかっただろうね」

　ときどき、地元の極右過激グループの活動がニュースになることもあった。一九九六年には、地元のＦＢＩビル群の爆破計画が連邦捜査官によって摘発されたことが明らかになり、クラークスバーグに全米の注目が集まった。市の消防署副隊長を含む七人は「山岳民兵《マウンテニア・ミリシア》」と自称し、銃器を保管し、計画を練っていた。しかし、「人種差別的な僻地」というウェストヴァージニアのステレオタイプがあったことで、地元の黒人活動家による長年の献身的な取り組みがかき消されてしまう傾向があった。クラークスバーグで育ったジム・グリフィンは、人種分離対応を行うレストランで入店を断られたことがあった。十代のとき、グリフィンはＡ＆Ｐ〔かつて全米最大だった食料雑貨チェーン〕で食料品を万引きした。黒人はレジで仕事をさせてもらえないことにフラストレーションを募らせていたのが原因だった。ある日、仲間だった白人のレジ係が、気まぐれに自分の代わりにレジに入らないかとグリフィンに言ってきた。客の一人が、「わたしが使っている店の会計を、あの男にやってほしくないんだが」と言った。するとグリフィンに代わりを頼んだ白人のレジ係は、こう言い返したという。「彼に会計をさせないのでしたら、どうぞ品物を棚に戻してきてください」

　ジム・グリフィンは一九六五年に高校を卒業した。その数週間前には、二十五歳の公民権活動家のジョン・ルイスが率いるデモ隊がアラバマ州セルマのエドモンド・ペタス橋で警察から襲撃を受ける事件が起きていた。グリフィンは公民権運動に惹きつけられていた。十八歳のとき、地元の裁判所で人種分離策と闘うために休業状態だった全米黒人地位向上協会（NAACP）のクラークスバーグ支部の活動再開に取り組んだ。ウェストヴァージニアは南北戦争で北部側につき、ディープサウスから逃れたアフリカ系アメリカ人が移住してきたが、州内には南部側にシンパシーを持ち続けていた者もいた。時を経ていくなかでアフリカ系アメリカ人はさらに北に移っていったため、ウェストヴァージニアは全米でも白人の割合がもっとも大きい州の一つになった。

グリフィンは自分の州で、内側から変革を起こそうとした。化学メーカーのユニオン・カーバイド社で労働者として働きながら、コミュニティカレッジにも通った。六年後、彼は同社初の黒人スーパーバイザーになった。クラークスバーグでは、人種差別問題の調査に取り組む「人権委員会」や「ウェストヴァージニア黒人ヘリテージ・フェスティバル」の創設に携わった。友人で黒人の牧師だったデイヴィッド・ケイツには、地元で政治家になるよう促した。市議会で欠員が出ると、ケイツは後任に任命された。一九九九年には、市議会はケイツをクラークスバーグ史上初の黒人市長に選出した。「タイミングがすべてです」とは、グリフィンが好んで口にする言葉だ。

ケイツが市長になったとき、近郊のクー・クラックス・クラン（KKK）支部が「アメリカにおいて自分たちは発言権があると今でも信じている白人を団結させる」ための集会を行う計画を発表した。ケイツはケイツで、クラークスバーグは「憎悪を求める者よりも多様性を求める人のほうが多いこと」を示すべく、対抗集会の開催を呼びかけた。この集会は「団結プロジェクト」の名で知られるようになり、『エクスポネント・テレグラム』は数週間にわたってこの取り組みを紹介し、クラークスバーグ市民に対し「白装束に身を包み、愚かな内容を吹聴する、いかれた連中」にノーを突きつけるよう呼びかけた。社説ではこう訴えた。「多様性を支持する人びとは、自由を守るために寒い中であっても立ち上がるだろう」

ＫＫＫの集会は大失敗に終わった。十一月六日の正午、およそ一五人が白いローブをまとって姿を現し、五〇人程度の支持者が拍手喝采した。市のルールではフードや仮面の着用は禁じられていたが、ＫＫＫのグランド・ドラゴン〔州のトップ〕はこれについて、匿名のままでいたい参加者に恐怖を与えると抗議していた。対抗集会のほうには市内各地から何百人もの人が駆けつけ、地元の政治家、聖職者、イタリア系、ユダヤ系、ポーランド系のコミュニティの代表がスピーチを行った。「ＫＫＫの集会は三〇分くらいだけで、その後は解散したと思いますよ。クラークスバーグ市の住民であることがすごく誇らしかったですね」とグリフィンは語っている。

『エクスポネント・テレグラム』では、編集委員会メンバーのハリー・フォックスがこう高らかに言った。「大人も若者も、黒人も白人も、富裕層もミドルクラスも貧困層も、夫も妻も、単身者も家族持ちも、全員にとって、わたしたちが互いについて本当に大切にしているものは何なのかをあらためて問い直すことができてよかったと思う」。この日、彼は「真に自由な社会に至る道を、われわれは少し前に歩むことができた」と記している。その後の数週間で、クラークスバーグは外から市内に入る道路に次のようなメッセージを掲げた。「クラークスバーグにようこそ。わたしたちは多様性を大切にしています」

オフの日には、車で丘のほうへ行き、ハイキングをするのが好きだった。マツやヒマラヤスギが生い茂るなかに山道があり、どの尾根の頂からも眼下の森には小渓谷が広がっていた。炭鉱労働者の娘で環境保護主義者のジュディ・ボンズと出会って間もない頃、彼女はよく「山はわたしたちの魂に宿っています」と言っていた。当初、この言葉からは青臭い印象を受けた。彼女が何を言いたかったのかを理解できるようになるまでには、数年の歳月を要した。

地元の人びとは、定住地としての市街地よりも、小さい頃から慣れ親しんだ小渓谷に深いつながりを感じることが多かった。自分たちは山や川、つまり彼らが言うところの「故郷《ホーム・プレイス》」と常にともにあるのだという。しかし、それは自然の保全とイコールではなかった。州旗に炭鉱労働者が描かれているように、土地から資源を採掘することはウェストヴァージニアのセルフイメージのうちかなりの部分を占めていた。歴史家でアパラチア州立大学教授のジョン・アレクサンダー・ウィリアムズは、こう語っている。「ウェストヴァージニアに一貫したテーマがあるとすれば、それは初期の探検家がこの地について言った『魅力的だが、恐ろしくもある』という言葉でしょうね」

十九世紀以来、土地から得られる利益のうち、地元の人びとにもたらされるのはごくわずかでしかなかった。一八七〇年代には、ウェストヴァージニア州政府が土地の所有権と天文学的な額の利益を生み出しうる地下資源の採掘権を分離した。その結果生じたのは、その土地で働き、環境面の影響を被る人びとは、地下資源から利益を得る人びととは別という事態であり、これは何世代にもわたって影を落とすことになる。ニューヨークでは投資家向けのパンフレットで、「ウェストヴァージニアのオイル・ドラド」〔南米にあるとされた伝説の黄金郷「エル・ドラド」にかけた表現〕と喧伝され、石油も石炭も鉄鉱石も手つかずの状態で眠っており、「足りないのは資本家を磁石のように惹きつける開発事業だけです」とアピールした。パンフレットにはこんな言葉も躍っていた。ウェストヴァージニアは「この偉大な国においてもっとも豊かな地域の一つになる運命にあるのです」。

だが、そのような運命は待ち受けていなかった。州外の企業や投資家は得た利益を、政治的影響力の発揮に投じた。アラスカ州で創設されたような、石油収入の一定割合を州民に分配する恒久的な税制の導入を阻止しようとしたのだ。一八九〇年代には、地元の政治家が企業によるスト潰しを支援するようになっていた。北部から来た製材業者の一人は、「ここでやりたいのは、この土地から取れるだけ取って、できるだけ早くやって、終わったらずらかることだね」と語っていた。森林はかつて州面積の三分の二を占めていたが、一九二〇年までに製材企業による森林破壊が進行していた。ウェストヴァージニア初の猟区管理人を務めたA・B・ブルックスは「もともとこの土地から生活の糧《かて》を得てきた人びとは、ほとんどが隔絶された世界から近代産業という渦の中に放り込まれてしまった」と、驚嘆を隠していない。

ウェストヴァージニアは、「土地」という自らにとって何よりも貴重な資産に対するコントロールを失ってしまった。炭鉱労働者は炭鉱併設の居住施設に移ったが、そこではあらゆる物品、それこそ飲料水まで対価を雇用主に払わなければならなかった。クラークスバーグ在住でハリソン郡についての歴史家でもあるクリスタル・ワイマーは、「地元の人たちが影響力を十分に持たないままに、相手と闘うのはきわめて困難なことでした」と教えてくれた。「多くの人間が文字を読めず、『鉄道があなたの家のそばを通るようになって、列車から火花が飛んで倉庫が燃えてしまったとしても、訴えることなんてできやしないよ』と言われていたのです。法律はいつもねじ曲げられていたため、庶民は成功を手にすることができませんでした」と彼女は説明する。一九四五年にジョン・ガンサーがウェストヴァージニアを訪れた際、別世界のような現状に彼は衝撃を覚えた。「失礼な地元民が自分たちの場所を『アメリカのアフガニスタン』と呼んでいるのを耳にしたこともあった」と彼は著書の中で記している。

ケネディが歴史的なウェストヴァージニア訪問を行った一九六〇年までに、アパラチア中部は外部の人間のために富を産出するようになっていたが、半数以上の家庭で水道設備が整っていなかった。住民が抗議したところで、返ってくる答えはだいたい同じだった——現状が悪いと考えると言うけれど、炭鉱会社がなかったらどのくらい貧しかったか想像してみてください、と。一九六三年には、ケンタッキー州の弁護士にして作家のハリー・コーディルが、この地域の人びとが受けている苦難の深さを次のような言葉で全米に知らしめた。「一大工業地帯に住む人びとを置き去りにして、生かしておくためだけの食料しか与えず、あとは地獄に行けと言うと、こういうことが起きるのです」

わたしがクラークスバーグに来たとき、ウェストヴァージニア州は環境史の新たなチャプターを開こうとしていた。「山頂除去《マウンテントップ・リムーバル》」と呼ばれる、採掘革命が起きていたのである。アパラチアの低硫黄石炭は誰もが欲しがる資源だったが、一九九〇年代にこれを採掘する安価な方法が企業によって編み出された。作業員のチームを地下に送り込むのではなく、山の頂を爆破して吹き飛ばし、石炭を採掘するのである。この方法は主に州南部で採用されていたが、地下から採掘するのに比べて一時間当たりで二・五倍の石炭を産出することができた。企業は広大な山間部を採掘するための権利取得に取りかかった。最大級の炭鉱はクラークスバーグから数時間の場所にあったが、マンハッタン島よりも大きな面積をカバーするまでになった。

当時編集長を務めていたビル・セディヴィーは、マウンテントップ・リムーバルがいずれ大惨事をもたらすと考えていた。彼はこれについて、懐疑的な内容のコラムや社説を何本も執筆した。ウェストヴァージニアの川や土地にもたらされるダメージを彼は懸念していた。「おれはリバーガイドなんだぞ、勘弁してくれよ」──そうわたしに言っていたものだ。採掘が発展への道だという経済神話にも疑義を呈した。「みんなが『石炭がおれたちを救ってくれるんだ』なんて言うのを見るのにうんざりしていたから、記事を書いてたんだよ」

業界側はセディヴィーのコラムを受けて、報復攻撃を仕掛けた。ロビイストが『エクスポネント・テレグラム』の大きな広告枠を買って、マウンテントップ・リムーバルは州にとって誇らしいものだと称賛したのだ。広告では、「石炭は生活にとってなくてはならないものです」と主張されていた。「ウェストヴァージニアのコミュニティは、清潔な水、すぐれた水道設備、救急・火災対応、さらには多くの州と比べて安価な電力まで享受しています。これは石炭がわたしたちの経済に貢献してくれていることによって可能になっているのです」。広告は、読者を安心させるメッセージで締めくくられていた。「家を建てたことのある方であれば、工事中の段階では見栄えはよくないことをご存じでしょう」。しかし数年後に戻ってくれば、「ここで採掘が行われていたことすらわからなくなっているでしょう」。

市内では、セディヴィーのキャンペーンについては評価が分かれた。彼はわたしにこう話してくれた。「ここのコミュニティの中には、『やれやれ、こういう監視役みたいな報道をする連中は五〇年もそんなことをやってるのかよ』という人たちがいたんだ。だけど、コミュニティのもう一方の側には、しっかりと、本当にしっかりと声を上げる人たちもいた。そういう人たちは、教会でお祈りをした後のブランチで誰が誰の家に行ったかなんていう記事を懐かしがってたんだ」。セディヴィーは、自分があまりに厳しく、あまりに性急にやりすぎてきたのではないかとも思っていた。「こんな哲学を説いてきたわけさ。まじめなテーマを深掘りするクールなローカル紙にすれば、売れるし利益も上がるはずだってね」。しかし、読者は忍耐力を失っていた。街では反発が高まっていた。わたしが着任した数カ月後、セディヴィーは次に進むときが来たと伝えた。彼はアイダホ州で、自然保護団体の運営を担当する仕事のオファーを受け入れたのだった。

街のあちこちで、多くの人が石炭採掘に対しこれまで以上に期待を寄せているかのような印象があった。背景にあったのは、クラークスバーグ経済のほかの柱がぐらついていたことだった。一九七〇年代以降、メキシコや日本の大規模で先進的な工場との競合を強いられた結果、地元のガラス工場は次々と閉鎖を余儀なくされていた。あまりに多くの若者が職を求めて故郷を離れていったので、ウェストヴァージニアではこんなジョークができたほどだ。ここの子どもたちは三つのR、「読み(reading)」「書き('riting)」、そして「ルート77(Route 77)」という「脱出の道」について学ぶことになっている、と。二〇〇〇年には、クラークスバーグの人口は一九四〇年の半分にまで落ち込んでいた。

典型的な悪循環がここでも起きた。人口減少によって税収が減り、地元政府は警察や消防、公園整備、ごみ収集への支出カットを強いられる――この結果、さらに人口流出が促されてしまうのだ。公共プールは運営のための予算が枯渇してしまった。小さなダウンタウンでは店舗の閉鎖が相次ぎ、建物の腐食が始まった。ワルド・ホテルは巨大な廃墟と化し、上階の窓からは草が空に向かって伸び放題になっていた。

当時はまだ気づいていなかったが、二十世紀末の時期にはわたしたちのような新聞の経済基盤にも小さなひびが入り始めていた。ニュースやエンターテインメント――それに誤情報も――の提供方法を革命的に変えるインターネットは、ウェストヴァージニア各地の家庭に普及しつつあるところだった。一九九九年、編集委員の一人だったボブ・スティーレーは、ＡＯＬ〔アメリカの大手プロバイダー〕にサインインして最初のメールを「サイバー空間にいるまったくの他人」宛に送信するというシンプルな作業について、コラムを書いた。「わたしは今、栄光の道を突き進んでいるのだ」と記したほど、彼はこの空間に魅了されていた。何年も後にこのコラムにふたたび出会ったとき、わたしが思い出したのは、電信で送られた最初のメッセージだった――「神は何をつくり給うたのか？」。

わたしは海外で生活するようになってからも、『エクスポネント・テレグラム』のウェブサイトにときどきサインインして、クラークスバーグの状況をフォローしようとした。いいニュースは必ずあった。地元の高校は数学の点数が州内でもトップクラスだった。ＦＢＩのビル群には小規模テック企業が何社も入居するようになり、これにも支えられてクラークスバーグの経済は地域のほかの場所よりも大きく成長した。クラークスバーグは、ささやかながら不動産分野での目玉をアピールしさえもした――ウェストヴァージニア最大の小規模ショッピングモールがありますよ、と。

だが、深刻な状況になりそうな兆候もはっきりとあった。ウェストヴァージニアは極端な不平等のケーススタディと言える場所だった。南側の炭鉱地帯では職も人口も減る一方、細長く伸びる東側の地域はワシントンDCからもたらされる資金によって成長を遂げていた。一九九〇年以来、ウェストヴァージニアでは収入増の半分以上は州の上位一パーセントの富裕層によって占められていた。二〇〇七年から二〇一七年にかけて、ウェストヴァージニアの人口は一万八〇〇〇人減少したが、これは全米でもっとも速い減少ペースだった。同州は喫煙、肥満、糖尿病、処方薬の濫用といった分野で全米トップの割合を記録していた。その一方で、大学卒業率という点ではほかの多くの州に後れをとっていた。四年制大学卒の学歴を持つ労働者は二割しかいなかった。人口減に伴い、政治的影響力も縮小していった。この傾向が続けば、ウェストヴァージニア州は二〇二二年までに三つある下院議席が一つ減ることになる〔同年の中間選挙では二議席になった〕。

こうしたもろもろの傾向は『エクスポネント・テレグラム』の紙面で確認することができた。かつて広告を出していた地元の店舗は消えつつあり、求人広告欄を埋め尽くしていたのはインターネット企業だった。二〇〇〇年から二〇一二年にかけて、全米各地の新聞の紙面広告が七一パーセント減少するという大惨事が起きていた。デジタル広告は減少分を埋め合わせるにはほど遠い状況だった。一九九〇年から二〇一七年までの二七年間で、国の人口は三〇パーセント増加する一方、新聞発行部数は全米で五〇パーセント減った。

二〇〇二年には、『エクスポネント・テレグラム』は朝夕刊を毎日発行することはもはやできなくなったとして、一つに統合すると発表した。長年にわたりオーナーだったハイランド家は、同紙の売却を検討していた。親族はみな市外に出ていってしまい、経営権を持つ唯一の家族が住んでいるのも約六四〇キロ離れたニューヨーク州イサカだった。

前出のポストマンは「互いに表面だけの事実しか知らない多くの他人が住んでいる奇妙な地域」になったと指摘していたが、報道の軸足がテレビとインターネットに移っていくにつれて、その影響は彼の警告と驚くほど一致するかたちで政治にも広がっていった。ネットの世界では、何がインセンティブとなり何が人を惹きつけるかは、地方紙の全盛期とは大きく異なっていた。超党派性ではなく、ネットニュースサイトは真逆の方針を追求していった。あからさまで挑発的な政治報道によって注目を集めようとしたのである。二〇一四年に刊行された『アウトレイジ産業――政治オピニオンメディアと新たな非礼（*The Outrage Industry: Political Opinion Media and the New Incivility*）』で、ジェフリー・ベリーとサラ・ソビエラジという二人の研究者は、トークショーのホストやネット上のコメンテーターによる新たなコミュニケーションのスタイルについて、次のように記している。彼らは「過度の一般化、センセーショナリズム、ミスリーディングないし明らかに不正確な情報、個人攻撃、敵を小馬鹿にする姿勢」に依拠しているが、それは有効だからにほかならない。「怒りや恐怖、道徳的不満といった感情面の反応を引き出すこと」によって、自分たちのチャンネルに視聴者を釘づけにしておける可能性が高まる、と。

ウェストヴァージニアのベテラン記者、ヴィッキー・スミスはソーシャルメディアが報道に及ぼす影響にはげんなりさせられるとわたしに語った。AP通信の編集委員からは、ツイッターやフェイスブックで注目されているトピックを深掘りするよう求められることが多くなっていったという。「ゴシップかフィクションとしか言いようがないものを追いかけたり、噂話を否定するのに時間を費やしたりしなくてはいけないんですよ」と彼女は言う。「でも、それは報道ではないですよね。どうしてそのようなことに反応しなくてはならないのでしょうか？ わたしたちには、もっと大きくて、もっと重要で、もっと意義のある伝えるべきテーマがあるのに」。だが、受け手のほうも変わりつつあった。「ニュースを消費する側は、もう客観性や事実に基づいた報道を求めなくなっているのが否定できないほど明らかになりましたね。自分の世界観に合致した報道しか求めていないのです」

こうした傾向は、意識のありようをも変えていった。アメリカ国民は地元コミュニティの人間について知ることが少なくなる一方、遠く離れた場所にいる人物や抽象的な対立、中央の政治についての娯楽的情報には詳しくなっていった。ペンシルヴェニア大学の政治学者、ダニエル・J・ホプキンスによると、一九四九年から二〇〇七年にかけて副大統領の名前を言える国民の割合は変わらなかった一方で、住んでいる場所の州知事の名前を言える者の割合は、大きく落ち込んだという。二〇一二年までに、アメリカ国民が自分の州の政治家に寄付をする額は一世代前と比べて激減していた。ものすごく嫌いな政治家の名前を尋ねる質問に対し、自分の州の政治家を挙げた回答者はわずか一五パーセントしかおらず、政治的関心の大半ははるかかなたに向けられていた。

政治と公共空間の「全国化」によって、国民の自己認識も変わりつつあった。ホプキンスは著書『団結が進むアメリカ（*The Increasingly United States: How and Why American Political Behavior Nationalized*）』で、デジタル化された書籍の本文中に「わたしはアメリカ人である」といったフレーズがどのくらいの頻度で登場するかを、「わたしはカリフォルニア人である」のようなフレーズと比較しながら分析を試みている。かつてアメリカ国民は自分が住む州のアイデンティティを強く意識していたが、一九六八年頃には国としてのアイデンティティが勝るようになり、その傾向は今日に至るまで続いている。テレビ、そしてその後のソーシャルメディアの到来によって、人びとは物理的なコミュニティから切り離されることになっていった。新たなメディアは、自己隔離に導く強力なツールだったと言える。

ノースカロライナ大学教授のペニー・ミューズ・アバナティの集計によると、二〇〇五年から二〇二〇年にかけて、アメリカでは二一〇〇紙以上の新聞が廃刊になったという。存続する新聞も、編集部の人員が四五パーセント以上カットされた。フォード財団に所属するジャーナリストのファライ・チデヤは、この減少を「大量絶滅事件」という生態学的な言い回しで説明している。『ワシントン・ポスト』でメディアコラムニストを務めるマーガレット・サリヴァンは二〇二〇年に刊行した著書『ニュースの消滅（*Ghosting the News: Local Journalism and the Crisis of American Democracy*）』で、次のように記すことでチデヤの喩えを敷衍している。「グローバルな気候クライシスのような問題がそうであるように、社会の多くの人たちに対してこれについてもっと深く考えるべきだとか、何かをすべきだと説得するのは困難なのです」。実際、ほとんどのアメリカ人は驚くほどそのことに気づいていなかった。二〇一九年にピュー・リサーチ・センターが行った調査では、回答者の四分の三近くが地元紙の財政状況は良好だと考えていたのだ。

地方紙の消滅に社会の関心が向けられることはほとんどなかったが、投票や政府の業務にはリアルな影響をもたらした。作家で構成される団体のアメリカ・ペンクラブが行った調査によると、地方ジャーナリズムが低調になるのにつれて、次のような影響が出るとしている。「公務員は規律、効率、有効性が低下し、企業の不正行為にメスが入ることもなくなる。地方紙がなくなると、市民の投票率は低下し、政治に関する情報が少なくなり、選挙に立候補する者も少なくなる」。『ジャーナル・オブ・フィナンシャル・エコノミクス』に掲載された研究では、ある地方紙が廃刊になると、三年でその場所の地方税は市民一人当たり平均八五ドル上昇し、人件費の上昇も通常のペースより一・三パーセント高くなったことが示された。言い換えれば、地方紙が廃刊になることで政府は効率性が低下し、自分たちに甘くなるということだ。

苦境にある新聞社にとって、残された選択肢はどれも魅力的なものではなかった。企業グループに身売りすることで廃刊を回避した社もあったが、記者の削減や空きスペースの売却によって経費をカットしなくてはならなかった。サリヴァンが「露天採鉱」と呼ぶ対応だ。実際には、こうした地方紙は外見だけは立派だが中身は広告の回覧板と化してしまい、全米レベルの通信社から配信される断片的なニュースが紙面の大半を占めていた。ポストマンなら「『いないいないばあ』ニュース」と呼んでいたであろう、まとまりのない記事の羅列だ。

そうした未来がクラークスバーグの『エクスポネント・テレグラム』にも訪れるのではないかとわ

たしは予想していた。ところが、創刊から一五〇年を経た二〇一二年、同紙の運命は思わぬ軌跡をたどることになる。地元で税務専門の弁護士として活動するかたわら、石油・ガスビジネスも手がけるブライアン・ジャーヴィスが買収に名乗りを上げたのである。彼は当時三十歳にもなっていなかったが、父のセシルが以前、同紙の会長を務めたことがあった。ブライアンはテネシー州の大学に進学後も、夏には帰省して父のオフィスの下階にある編集部でインターンとして働いた。セシルは地元ではよく知られた人物だった。市の有力者であり、アイアンマン・トライアスロンの選手だったが、二〇〇七年に自転車事故でこの世を去っていた。わたしはクラークスバーグを訪れた際、ブライアンに会いに行った。「最初の計画では、地元に戻って父と弁護士の仕事をするつもりでした。しかし自分がまだロースクールにいたときに父が亡くなってしまったんです」と彼は言う。『エクスポネント・テレグラム』を買い取ることは、父の思い出を大切にしたいという思いからだった。「父はこの新聞を心から愛していましたから」

わたしたちが座る椅子の前には長テーブルがあり、そこには革のバインダーに閉じられた、南北戦争の時代にまでさかのぼる新聞のバックナンバーが積み上げられていた。この新聞を失うことは、クラークスバーグを支える柱をまた一本蹴り飛ばされることになってしまうとブライアンは懸念していた。「わたしはこの地が州になる前の一八六三年にまでさかのぼって問題を考えています」と彼は言う。しかし、大仰な決意表明は彼の好むところではなかった。「部屋にこもって遺言状や信託関係の書類を作成するのとは別のことをしたかっただけです」と彼は素っ気なく言う。ビジネスとしての観点では、彼は現実的だった。紙の新聞は「衰退するコミュニティ」だと彼はとらえていた。この減少傾向を食い止めるべく、若い世代の読者をウェブ版の紙面に引き込む一方、紙版の購読者を重要視してテこ入れにも取り組んだ。購読を勧める同社の広告には、普通なら地元料理を売り込むときに用いられるような言葉が添えられていた。「ウェストヴァージニア人のために、ウェストヴァージニア人が毎晩作り、直接お届けいたします」

わたしは現編集長のジョン・ミラーに会おうと、編集部のほうまで足を延ばしてみた。彼と出会ったのは二〇年前のことだ。わたしがインターンだったとき、ミラーはスポーツ担当の編集委員で、副編集長も兼務していた。今じゃ骨にインクが染みついているんじゃないですかとわたしが言うと、彼はにやりとして言葉を修正してくれた。「うんざりして、年季の入った、くたびれた骨に、だな」

このとき五十代後半のミラーは、長身で、用心深そうな黒い瞳と豊かな茶色の山羊ひげが印象的だった。『エクスポネント・テレグラム』で取り上げられることやクラークスバーグで起きることで、彼のデスクを経由しないものはほとんどないと言っても過言ではなかった。彼が歩くときの足取りは、さまざまなことで頭がいっぱいであることを示すかのように重かった。ミラーは人生のすべてをクラークスバーグで過ごしてきた。そして、人生と同じくらいの長さを『エクスポネント・テレグラム』とともに歩んできた。彼は九歳のとき、三人のきょうだいの新聞配達について行き始めた。担当エリアは広がっていき、ミラーがティーンエージャーになる頃には街のかなりの部分をカバーするようになっていた。ミラーは教員になるのが夢だった。しかし大学一年生だった一九八一年に父が心臓発作を起こしてしまったため、ミラーは職探しをしなくてはならなくなった。まず『エクスポネント・テレグラム』でスポーツ記事を書かせてもらえるようになり、その後、日中に大学に通えるようにとの配慮で夜間の担当として雇用されたのだった。

ミラーはクラークスバーグやウェストヴァージニアでの出来事について語るとき、数字を挙げるのが常だった。彼はその後もスポーツ担当記者としての気概を持ち続けており、話題に具体的なイメージを与えるデータを次々に繰り出していた。地元の病院でアスピリンがいくらで売られているかや解体予定の老朽化したビルの件数を教えてくれたものだった。そして何よりも、彼は求人とカットされる職の数を常に把握していた。「モーガンタウンで一五〇〇の仕事がなくなったな」――ある日、彼はそう言った。別の日には、「三菱から二五〇人分の仕事が来るぞ」という具合だった。「テルマのホットドッグ」が閉店したときには、「二人で店を回してたんだよ。おれのお気に入りの店だったんだがな」と言っていた。

三〇年にわたる『エクスポネント・テレグラム』との関わりを経て、ミラーは自分が書いてきた記事――ＦＢＩのビル群によってもたらされた好景気の復活、ケイツ市長の当選、ＫＫＫへの反論、といったように、いい内容も悪い内容も――を通じて人生をとらえるようになっていた。彼は意識的に楽観的な姿勢を崩そうとしなかった。「自分は古いタイプの人間なんだよ。つまりね、悪いニュースをこれみよがしに報じるようなまねはしないということさ」と彼は言う。

近年では、クラークスバーグは悪いニュースの占める割合のほうが大きくなっていた。オピオイド〔麻薬性鎮痛剤の一つ〕汚染はウェストヴァージニア経済の過程と強いつながりを持っていた。石炭採掘のような工業系の仕事で肉体的な痛みを感じる者が多い州にあって、鎮痛剤は当初、合法的な治療薬としてもたらされた。しかしその後、経済学者のアン・ケイスとアンガス・ディートンが「失望の海」と呼ぶ状態へと次第に広がっていった。オピオイド汚染は貧困、ストレス、それに失業をもたらした。『チャールストン・ガゼット・メール』のエリック・エアの調査によると、二〇〇七年から二〇一二年にかけて、卸売業者からウェストヴァージニアに出荷された鎮痛剤のヒドロコドンとオキシコドンは、子どもも含む州民全員が四三三錠ずつ服用するほどの量になったという。鎮痛剤はヘロインやフェンタニル〔合成オピオイドで効果が強い〕の使用にも道を開き、その結果ウェストヴァージニアは全米で薬物中毒がもっとも深刻な州になってしまった。貧困層向けに葬儀費用の補助を行う州の「埋葬基金」は資金不足に陥り、二〇一二年にはついに経営破綻してしまった。

クラークスバーグでは、この問題はとくに深刻だった。山間部を通る幹線道路の州間《インターステート》ハイウェイ七九号線に沿うかたちで街は広がっており、北東のモーガンタウンと南西のチャールストンの間に位置している。かつてはこのロケーションゆえに経済成長が進んだのだが、オピオイド汚染に際しては薬物運搬の重要な中継地点になってしまった。同市で起きたあらゆる犯罪の年間逮捕率は、わたしがいた頃から一〇倍以上に増えていた。

長年にわたり、ミラーはコカインやクラックといったドラッグが来ては去っていくのを見てきたが、オピオイドの場合は違うと感じていた。「普通ならハマるとは思えない人に影響が出ていてね。処方薬で中毒になってしまって、そこから路上の売人のほうに行くわけさ」と彼は言う。オピオイド汚染は、地元の人びとが「バックパッカー」と呼ぶ人たちが出現したことで可視化されるようになった。持ち物を引きずるか、衣類や食料でいっぱいの折りたたみカートを押しながら歩く男女のことだ。

かつて自分が住んでいた古ぼけたアパートまで車を走らせた。一階の窓はベニヤ板で覆われていた。わたしが借りていた三階の部屋を見上げてみると、窓にはガラスがなく、そこに掛けられたシーツが風でひらひらとはためいていた。このとき初めてクラークスバーグを訪れたら、かつて全米に広がっていた繁栄期を共有した都市ではなく、前に追いつくことなど一度もできていない場所と思ってしまっても不思議ではない。当時ぴかぴかに磨かれていたターコイズ色のコンバーチブルは、どこにも見当たらなかった。

4 泥の街

シカゴ
一九〇五年四月二十三日

夜一二時を回った頃、わたしから見て曾祖父に当たるアルバート・シェラーは、月明かりの下でシカゴのサウスサイドを歩いて帰宅する途中だった。当時彼は二十一歳。シカゴ大学の四年生で、小柄で華奢な体格で細い丸眼鏡をかけていた。その日の夜、彼はシカゴ・コロシアム〔現シカゴ・スタジアム〕で友人とリンリン・ブラザーズのサーカスを観た後、列車で最寄り駅まで戻った。アルバートはミシガン湖から数ブロック離れたところにある家に父母と同居していた。両親は生活の糧を得るため、棚を作って食料雑貨品を販売していた。

シカゴの街を歩くことは、五感に対する攻撃と同義だった。路面電車がガタガタと音を立てながら進み、甲高い音を上げて列車が走り、食肉処理場からは嫌なにおいが漂っていた。しかし、深夜一二時を過ぎると街は活動を停止して静けさが戻り、ドレセル大通りを歩いているのはアルバート一人だけだった。新築の豪邸が立ち並ぶエリアを過ぎたところで、茂みから武装した男たちが飛び出して、彼の行く手を阻んだ。

銃を持った男たちはあまりに幼かったため、アルバートは手を上げろと言われても、ジョークに違いないと思った。「坊やたち、冗談はやめなよ。あっちに行きな」と彼は言った。しかし、一味の一人が彼の胸に向かって発砲した。弾丸は心臓に近い左の肺を突き破り、アルバートは後方によろめいた。一人の通行人が近くの家に入っていくのが目に入ったので、彼は助けを求めた。しかし、二発目の銃弾が右肩の下部に背中から命中した。アルバートは街灯の明かりの下で、歩道に倒れ込んだ。犯人たちは彼のポケットを探ったが、持ち去ることができたのはわずか八〇セントだった。

一九〇五年、シカゴは殺人事件の発生件数が全米でもっとも多い都市だった。調査報道ジャーナリストのリンカン・ステフェンスはシカゴのことを、「暴力事件ではトップ、汚さは最悪、騒々しくて、無法地帯で、見栄えのしない」都市と呼んでいたほどだ。それでもアルバート・シェラー銃撃事件は、当時まだ草創期にあり、市民の自慢だったシカゴ大学の学生が被害者とあって、大きな注目を集めた。『シカゴ・トリビューン』はこの襲撃事件を一面で取り上げた。「強盗団、学生を銃撃」という見出しとともに、被害者の写真と「重体のようだ」という憶測が掲載されていた。

アルバートは一命を取り留めた。入院中には学長のウィリアム・R・ハーパーが見舞いの手紙を送り、その中でアルバートが「前途有望な人材」であることに触れていた。「一命を取り留めたことを喜ばしく思っています」とも記されていた。医師たちは胸から摘出した銃弾をアルバートに渡した――彼はこれを生涯にわたり肌身離さず持ち続けた。一九七三年に彼が亡くなった後、息子（つまりわたしの祖父）は銃弾をどうしたらいいか判断がつきかねたため、小さな封筒に入れてシカゴ大学に郵送した。大学側はこれをファイリングし、事件についての新聞記事や記録とともにアーカイブとして保存することにしたという。

わたしが幼かった頃、祖父が事件のことに一度か二度触れたことがあった。しかし、シカゴ大学がその後もファイルに保存している資料の中身を確認すべくアポイントメントを取ったのは、中国からシカゴに戻ってからのことだった。アメリカ国民は犯罪と収監という自国の負の歴史に向き合い始めており、罰と許しの意識がもたらされていた。わたし自身もこの銃撃事件について、たびたび思いを巡らすようになっていたのだ。資料室では司書がマニラ紙のフォルダーを持ってきてくれ、わたしはテーブルに中身を広げた。紙資料の中に、あちこちに傷がついた鉛の銃弾が二発あるのを見つけた。それはわたしの手のひらで川の石のようにたたずんでいた。

フォルダーの中には、この事件で収監された少年たちについての黄ばんだ新聞記事の束もあった。一人はウィリアム・ウォジトコウスキという十六歳の少年で、サウスサイドの安アパートで育ち、印刷所の工員として働いていた。彼の両親はポーランドからの移民で、ウィリアムが十二歳のときに父は死に、妻と四人の子どもが残された。ウィリアムは事件の二年前に学校を中退していた。事件が新聞の一面で報じられると、彼は街から去り、海軍に入隊した。シカゴ市警の刑事がロードアイランド州の海軍基地にいたウィリアムを捕まえると、彼は自白した。

その年の十二月、ウィリアムは法廷で強盗と襲撃の罪を認めた。彼にとってはこれが初犯だったが、人生の軌道が変わることになった。わたしは何年も経って初めて、彼の人生がどのようなかたちで変わったのかを知ることになる。ウィリアムは判事に対し、事件後に逃亡したのは「悪い仲間から逃れるためで、現地にとどまっていたらそれはできないとわかっていました」と語っていた。判事はイリノイ州中部のポンティアックという街にある少年院にまず行き、その後に懲役に服すとの判決を下した。ウィリアムが刑務所に到着すると、看守との質疑応答が行われたが、そのやりとりにはアメリカ都市部の底辺の生活状況が如実に表れていた。

教育レベルは？

「読み書きだけです」

物乞いか犯罪者か？

「いいえ」

経済状況は？

「厳しいです」

わたしの家族がシカゴに来たのは、ちょうどこの都市が形成途上のアメリカの象徴として発展している時期と重なっていた。アルバート・シェラーの祖父で鞍職人をしていたウィリアムは当時まだ二十歳になる前で、一八五〇年代にペンシルヴェニア北部から来て食料雑貨店を始めた。同時期にやってきた建築家のルイス・サリヴァンはシカゴを「飽きることのない刺激に満ち、大きなことができると思わせてくれる場所」と呼んだが、そうした精神を体現する地でウィリアムと妻のリヴィナは人口を八人増やしていった。

ミシガン湖の南西岸に隣接するシカゴの土地は、一年の大半が沼地の状態だった。そのため、最初についたニックネームの一つは「泥の街《マッド・シティ》」だった。しかし、何世紀にもわたり先住民にとってそこは貴重な場所だった。土地が肥沃なことと、河口という優れた立地ゆえに湖から吹いてくる嵐から船を守ることができる天然の良港だったのである。彼らはこの地を「チガゴウ」と呼んでいた。「ラムソン〔野生ガーリック〕の場所」という意味で、この植物が低地の草原に自生していたためだった。その後、シカゴは野望と富の追求が交差する地へと成長を遂げていった。一八三〇年代には、シカゴは西部へのゲートウェイになっており、不動産需要は全米でもっとも高くなっていた。発展のペースも、アメリカのほかの都市よりも速かった。一九〇一年には、フロンティア史が専門の歴史家、フレデリック・ジャクソン・ターナーがシカゴを「国のあらゆる勢力が交錯する」場所と呼んだ。

シカゴの神話は、創造と再創造を尊ぶアメリカの気質――「われわれは世界をもう一度つくり直すことができる」というトマス・ペインの言葉にも表れている信念――と密接にからみ合っていた。それは沼地の上に築かれた都市であり、市議会は泥を避けるため二〇年かけて通りや建物の位置を最大で約四・三メートル高くしていった。初期に造られた邸宅や石造りの建物は、砂漠を行く巨大な荷馬車のようにほかの馬車や通行人をかき分けながら、市内のあちこちに移っていった。一八九八年の小説『自由の真実（*The Gospel of Freedom*）』で、ロバート・ヘリックはシカゴについて、「自然に対するとてつもない冒瀆」であり、「パン生地を練るかのように生き物が扱われている」場所と評した。一九〇九年には、建築家のダニエル・バーナムとエドワード・H・ベネットが、シカゴの区画を変更し、市民をミシガン湖に近づけるビジョンを発表した。「湖畔は本来、市民のものなのです」というのがバーナムの考えだった。公共空間は民主主義において不可欠の領域であり、さまざまなバックグラウンドや経験を持つ人びとが集う場所なのです――彼はそう訴えた。この地域の歴史を扱った『自然の大都市（*Nature's Metropolis: Chicago and the Great West*）』で、ウィリアム・クロノンは次のように記している。初期のシカゴは「変化」と同義であり、それは「牧歌的な純朴から国際的な洗練へ、農村の束縛から都市の自由へ、清浄から腐敗へ、子どもから大人へ、過去から未来へ」の旅路だったのだ、と。

二十世紀初めの頃、「大移動」が始まった。七〇〇万人以上の黒人が安全と自由、そしてチャンスを求めて南部を去っていった。一九一四年に第一次世界大戦が勃発すると、北部の都市の工場では新規労働者の需要が高まり、アメリカ史上最大の人口移動に拍車がかかった。シカゴの黒人向け有力紙『シカゴ・ディフェンダー』は移住促進キャンペーンを始め、移動や住居の手配をしてくれる団体のリストを掲載した。こうして、シカゴは確固たる根拠があったわけではなかったが楽観主義に支えられて、「約束の地」として知られるようになった。大移動以前はシカゴの総人口にアフリカ系アメリカ人が占める割合は二パーセントでしかなかったのが、一九七〇年までに三三パーセントになっていた。

しかし、この大移動は強烈な反発を引き起こした。白人居住エリアでは、家主が黒人住民に物件を貸したり売ったりすることを禁ずる「制限誓約」が作られた。移住者が住めるのは主に「ブラック・ベルト」の名で知られるサウスサイドの一帯に限られていた。市政府は学校や安アパートが飽和状態になっても関心を向けることはしなかった。ドレセル大通りの邸宅――アルバートが強盗に襲われる直前に見た場所――は、下宿屋と老人ホームに分割された。スイスの建築家、ル・コルビュジエはシカゴを訪問した際、「別荘《ヴィラ》が村《ヴィレッジ》になっている」と記した。「錆びついた鉄柵の奥には、ごみで埋め尽くされた庭に雑草が生えている。悲惨な光景が広がっているのだ」とも。人種分離の風潮は根強かった。のちにピュリッツァー賞を受賞するエドナ・ファーバーは一九二一年の小説『少女たち（*The Girls*）』で、ノースサイドに引っ越すことにしたサウスサイドのある家族について書いたくだりで、こう記している。「シカゴに住んだことのある人なら、サウスサイドが生きていける場所でないことは誰もが知っています」

一九三〇年代には、住宅所有資金貸付公社のような連邦政府機関ですら、黒人居住エリアでの住宅ローン融資を禁じていた。これは「レッドライニング」として知られるようになった政策に基づくもので、ローンや保険契約にはリスクが高すぎるエリアを赤で示した地図から来ている。一九四〇年には、シカゴはアメリカ連合国の首都だったヴァージニア州リッチモンドよりも人種隔離の度合いが高くなっており、市政府の都市計画担当者もそれを公に認めた。市は全米に広がる一連の強力な政策からなる排除のシステムに人種分離を組み込んだのである。

一九五〇年代から六〇年代にかけて建設された州間ハイウェイはバッファローからアトランタ、カンザスシティに至る地域で人種間に境界線を引くという結果をもたらした。シカゴでは、「パニックの売人」と呼ばれる不動産投機家が、「手遅れになる」前に安値で物件を売却するよう白人の家主に呼びかけていた。そしてその物件を不公平なマーケットでは選択肢が限られている黒人の買主に転売したのだった。この結果、白人の逃避がさらに進み、ほぼ全員が黒人で占められる居住エリアが形成された。

リチャード・J・デイリー市長は一九五五年に就任した——ローザ・パークスがバスで後方の座席への移動を拒んだのと同じ年だ。だが、彼は公民権運動をけっして受け入れようとしなかった。デイリーが依拠する信条は彼の伝記を書いたアダム・コーエンとエリザベス・テイラーが「冷酷な保守主義」と呼ぶもので、これはシカゴの労働者階級の白人から支持されていた。「ブリッジポートの住民が努力しているように、貧しい者は自助努力《ブートストラップ》で這い上がるべきだとデイリーは信じていた」と伝記には記されている。「ゆりかごから墓場まで」、デイリーは一つの居住エリアの数ブロックの範囲内だけで生活を続けていた。補佐官を務めたエドワード・マルチニアックは、「ある場所で育ったんだったら、なんでおれのところに入ってきたいと思うんだ?」というのがデイリーの姿勢だったと後年説明した。彼は学校での人種融和策にも警察でのアファーマティブ・アクションにも反対し、都市再生基金を活用して広大な公共住宅群を建築した。シカゴの人種隔離政策のシンボルとなる公共高層住宅の建設について懸念を口にはしたものの、最終的には計画を承認した。この住宅は貧困層にとっては「書類整理棚《ファイリング・キャビネット》」のように閉じ込める場所になったと連邦調査委員会は指摘している。

一九六六年には、マーティン・ルーサー・キング・ジュニアがシカゴを訪問し、住宅差別への抗議を行った。彼は自らの運動を「スラムの環境の中でさらに何千人もの黒人を支配しようとする悪意に満ちたシステムを撤廃するためのもの」と呼んだ。彼は支持者とともに、サウスサイドのマーケット・パーク地区を行進した。そこは労働者階級の白人やポーランド系、リトアニア系が住むエリアで、彼らは生涯で貯めた資金を投じて購入した家に住んでいた。彼らは人種融和策によって自分たちの投資と居住エリアが奪われるのではないかと恐れていた。そのためキングと支持者が来ると、住民は石や瓶を投げつけた。キングの頭に石が当たった。彼は事件後にこう語っている。「南部では多くのデモを見てきたが、今日目の当たりにしたものほど敵対的で憎悪に満ちたものはこれまでなかった」

八月末にキングとデイリー市長は、住宅差別に終止符を打つ「頂上合意」を結ぶまでになった。ところがその合意内容は実行されず、デイリーはのちに「紳士協定」にすぎないと一笑に付した。こうした試練はあったものの、一九六〇年代末までにキングの世代は、数々の道義的・法的ブレークスルーを達成した。一九六三年のワシントン大行進、六四年の公民権法、六五年の投票権法がそれで、平等を阻む障壁がなくなりつつあるとリベラル派は意を強くした。一九七三年には、リンドン・ジョンソンの補佐官を務めたベン・J・ワッテンバーグとリチャード・M・スキャモンは誇らしげにこう記している。「合衆国史上初めて、まことに多くのアメリカ黒人がミドルクラスに移行しており、その数は増えつつある」、これは「巨大な成果」であり、「今後も継続するように思われる」と。

一九九九年の夏、わたしはクラークスバーグのアパートを引き払い、シカゴへと向かった。『シカゴ・トリビューン』の市内版編集デスクでのインターンという輝かしい仕事に就くためだった。編集部の中ではもっとも低いレベルのポストの一つだったが、それでも市北西部に近いバックタウンのアパートで、ワンルームの部屋を借りられるだけの給料をもらうことができた。バックタウンの「バック」とはヤギのことで、ポーランド系の入植者がかつてこの地で放牧をしていたという。わたしが来た頃にはポーランド系は高速道路に沿って郊外へと移っており、バックタウンにはほとんどいなくなっていた。数十年にわたるレッドライニングにより、黒人が住宅を購入して入居することができず、空き家は荒れ放題になっていた。その後メキシコ系や中米系が入ってきて、黒人には上ることが許されていなかったはしごをつかんで這い上がっていった。競争と挫折というシカゴの長い歴史の一幕がここでも展開されていたのである。

数キロ先のダウンタウンは活況を呈しており、シカゴの金融業界を駆け巡る富からもそれは明らかだった。質素を尊ぶ気質がある一方で、シカゴには高級タウンハウスや湖畔のコンドミニアムが次々に造られ、『シカゴ・トリビューン』は富裕層や著名人の不動産をテーマにした「上流階層《アッパー・ブラケット》」というコラム欄を設けたほどだ。わたしが着任したのは、インターネットが新聞業界の脅威となる直前の恵まれた時期だった。『シカゴ・トリビューン』は全米第三の都市であるシカゴに確固たる影響力――それが論争を招くこともあったが――を持っていた。ジョン・ガンサーは一九四四年に地元に戻った際、次のように記している。「『トリビューン』に触れずに中西部について書くのは、デンマーク王子のハムレットだけでなくポローニアス抜きで『ハムレット』を上演するのに等しい」。当時、『シカゴ・トリビューン』は全米で最大の発行部数を誇る新聞だった。「実に多くのシカゴ人が『トリビューン』を軽蔑している。だが、そのシカゴ人が毎日同紙を買っているのだ」とガンサーは記している。

こうした蔑視は、社主で編集長のロバート・〝カーネル〟・マコーミックに向けられた。熱烈な保守主義者で、敵からは「十四世紀最高の人物」と呼ばれていた。一九三センチの長身で口には白いひげをたくわえ、厳格な雰囲気を漂わせていたマコーミックは、大げさな所作を好んだ。自邸でピクニックを催したときには、馬に乗せた輿《こし》から姿を現したという。マコーミックのもとで『シカゴ・トリビューン』はリベラリズム、ニューディール政策、ローズヴェルト、労働組合に激しい批判を加えた。しかし、一九五五年に彼が亡くなってから数十年を経て、同紙の紙面からはそうしたイデオロギーは影を潜め、市内や郊外、さらに周辺のニュースを積極的に取り上げるようになった。

わたしは大都市の新聞のリズムを学んでいった。朝出勤すると、業務スケジュールをチェックするのが常だった。「市長、抗議」や「雪」といった具合に、各項目は「スラッグ」と呼ばれる短い見出しで示されていた。いつも必ずあったのは「蛮行」というスラッグで、夜間に発生した銃撃事件をはじめとする暴力犯罪の検挙があったことを示していた。毎朝出る「蛮行」はメトロノームと同じくらい確実な存在だったが、より深い事実を反映していた。いかなる場所でもそうだろうが、ある場所についてありのままに書くという作業は、権力について書くということを意味するのだ。誰が権力を持ち、誰が持っていないか。そして権力を手にしたり、他者から奪おうとしたりするために人はどのような手段に出るのか。現実には、それは人種、カネ、暴力といった問題をめぐりシカゴで展開される果てしなき闘争として表れていた。わたしはこの三つのセットをシカゴに流れる非公式なリフレインとしてとらえるようになっていった。

「蛮行」が大規模な殺人事件となると、編集部は独自記事を作るべく、詳しい内容の調査を新人記者の一人に任せることがときどきあった。悲しいことだが事件の共通項ゆえに、「少年銃撃される《ボーイショット》」というスラッグが付けられることが少なくなかった。「イエスは涙を流された《ジーザスウェプト》」の編集部バージョンと呼ぶべきこの二音節が示す苦悩の大きさに、衝撃を覚える機会が何度もあった。わたしは公営住宅の階段を上る作業に何日もの時間を費やした。「カブリニ・グリーン」「ステートウェイ・ガーデンズ」「ロバート・テイラー・ホームズ」——住宅の名前は、崩壊寸前のシステムの象徴になっていた。国勢調査のデータによると、全米でもっとも貧しい一五の区域のうち一〇カ所がこれらの区域で、人口の九二パーセントが黒人だった。

一九九九年の秋、シカゴ市は老朽化した五一棟の公営住宅すべてを取り壊し、数千戸の住宅を新たに建設する計画を発表した。市いわく「公営住宅入居者の自活促進」を意図した計画のもと、クレーンが高層住宅の骨組みを引き裂いていった。これによって五万人もの人びとが転居を余儀なくされた。規模だけで言えば、グリニッジのほぼすべての家を解体し別の場所で再建するのに等しい作業だ。プロジェクトの大々的なプロモーションの一環として、連邦政府からアンドリュー・クオモ住宅都市開発長官がシカゴまで来て、今は「銃創に包帯を巻くのをやめるとき」だと高らかに述べた。

その年の冬、わたしは自分にとって初となる選挙報道を担当することになった。きわめて単純で一方的な構図ゆえに、編集部はベテラン政治記者の手を煩わせることはないと考えたためだった。その構図とは、長年にわたり下院議員を務めてきたボビー・ラッシュがバラク・オバマという無名の若い法学教授を相手に選挙戦を展開するというものだった（オバマが民主党大会で演説をして、一躍セレブ政治家になるのはこの五年後のことだ）。

ラッシュは地方政治の象徴というべき存在だった。彼は公営住宅で育ち、高校を中退し、ブラックパンサー〔一九六〇年代半ばに結成された黒人の急進過激派組織〕に加わった。一九六八年には、シカゴ市警が友人でブラックパンサーの幹部だったフレッド・ハンプトンの家を捜索した際、ハンプトンを殺害するという事件が起きた。ラッシュはこれを「暗殺」だとして市警を糾弾し、シカゴの民主党「マシーン」、つまり権力を支配する白人主体の政治ネットワークに対する抵抗のシンボルになった。彼は武器所持の罪で刑務所送りとなったが、一九九二年の下院選でイリノイ州第一区から出馬し、当選を果たした。この選挙区は、政治的土壌という点できわめて象徴的な場所だった。一九二九年の下院選では解放奴隷を父に持つオスカー・スタントン・デプリーストがこの選挙区で当選した。彼は下院で、三期にわたり唯一のアフリカ系アメリカ人の議員だった。この時以降、第一区は全米でもっとも長期にわたり黒人の政治家が当選を続ける選挙区になっていた。

オバマは当時三十八歳で、ハワイ、インドネシア、ハーヴァード大学というバックグラウンドを併せ持っていたが、政治経験はイリノイ州上院議員だけで、期間は三年にも満たなかった。彼は州都スプリングフィールドのヒエラルキーと停滞を嫌悪しており、ラッシュが市長選で敗北したのを受けて挑戦を決意した。彼はそこに至る数年で、正しい考えがあればその下で広範な団結を実現することができると主張することで、政界の片隅で注目を集める存在になっていた。一九九五年に初めて公職に立候補した際、オバマは記者に次のように語った。「政治論争は今ではあまりにねじれてしまい、あまりに視野が狭くなり、あまりにゆがめられてしまっているのです。市民はコミュニティを欲していいます。それが大切だと思っているからです。変革を欲しているのです」。選挙区は保守派のキリスト教徒が支配的だったため、オバマは道徳心に訴えて支持を獲得しようとしていた。たとえば次のように――「今わたしたちの社会は妊娠してしまう十代の無責任さを議論していますが、彼女たちに夢を抱いてもらえるように教育することを怠ってきた社会の無責任さは問われていないではありませんか」。彼は政治コラムニストや「湖畔住まいのリベラル派」のなかからとくに自分を支持してくれる者に声をかけてはいたが、当選をめざす肝心の選挙区ではアウトサイダーのままだった。有権者の九〇パーセントがラッシュの名前を知っていたが、オバマの名前を知っていると答えた者は九パーセントしかいなかった。

わたしはオバマのオフィスに電話し、インタビューをしたいと彼本人に伝えた。すると、ヴァロワ・レストランで会おうと言ってくれた。シカゴ大学の近くにある、現金払いのみのカフェテリアだ。彼は一人で来て、紅茶をもらうために並んでいた高齢者に続いて順番を待っていた。そして入口近くの小さな合成樹脂製のテーブルに来ると、その奥に身体を押し込むようにして座った。彼の長い足はテーブルからはみ出ていた。オバマはネクタイを緩め、わたしは厨房からのカタカタという皿の音にかき消されないようにと、テープレコーダーを彼に近づけた。

一時間にわたり、オバマは横柄には聞こえない口調で、選挙区の状況や選出されたリーダーについて自身の見立てを語ってくれた。「第一区には非常に大きなポテンシャルがあると思っています。そしてわたしには資金を取ってくるだけでなく、プログラムをデザインする力があるのです」と彼は言った。これは彼のスタッフが嫌がる、テクノクラート的な主張だった。陣営の現地コーディネーターで、ケネディ・キング大学で数学担当教員もしていたロン・デイヴィスは、理容室や教会を地道に訪ねて支持を要請していた。彼はこう言ってオバマによく釘を刺していたという。「いいですか、もっと上手に話してくださいよ、有権者に伝わるように話してもらわないと困るんです！」

選挙戦の動向を詳しく取材していた週刊新聞『ザ・リーダー』のテッド・クラインは、対立候補によるオバマ評をとらえていた。インテリで白人リベラル派の道具にすぎず、自分より先行する黒人指導者を分断しようとしている、と。やはりラッシュの議席を獲得しようとしていた州上院議員のドン・トロッターは、「バラクはこのコミュニティで、黒人の顔をした白人として見られている一面があるね」とクラインに語っていた。WVON〔シカゴの地元ラジオ局〕のリスナー参加型のラジオフォーラムの場で、ラッシュがシカゴ市警の銃撃事件に対する抗議デモを主導したときに自分が果たした役割について説明していると、そこにオバマが割り込んできた。「慣行をどう変えていくかを体系的に考えることなしに、ただ警察の不適切な行動に抗議するだけでは十分とは言えないでしょう」。ラッシュはこれに激怒した。「バラク・オバマはハーヴァードに行って、頭のいいばかになったようだな」。ラッシュはクラインにこう語っている。「バラクっていうのは、公民権運動について書かれたものを読んだだけで自分は何でも知っていると思っている人間なんですよ」

インタビューでは、彼から自己防衛、つまり怒りに満ちた言葉がほとばしるように出るのではないかと思っていた。しかしオバマは、階層や教育、人種に基づく信頼性をめぐる論争には与しなかった。自分の将来は有権者や政治家のアイデンティティに対する意識を強固にするのではなく、柔軟にする力にかかっていると彼は確信していた。「選挙戦半ばにすらたどり着かないうちに、わたしは自分の負けを骨の髄まで思い知らされた。そこから先、わたしは毎朝、漠然とした恐怖とともに目覚め」るようになった――彼は二年後、『合衆国再生――大いなる希望を抱いて』〔棚橋志行訳〕でそう記した。

わたしは選挙戦について記事を書き、オバマを「民主党の注目株」と呼びはしたが、意味のあることを書けるほど十分に本質を理解していなかった。将来の大統領の発言で引用できたものはなきに等しかった。数日後、彼へのインタビューを録音したテープは別の取材で上書きされた。

それからの数週間、わたしは彼を追ってコミュニティセンターやカフェ、老人ホームを訪ねていった。オバマは帽子をかぶったり手袋をはめたりすることなく、外で有権者と触れ合うのを好んだ。「ケニア人のケネディ」――スタッフはそんなジョークを言っていたものだ。彼はその後も自分のストーリーとレトリックをマスターしようと取り組んでいた。二つの人種的ルーツの物語を全米に通じるビジョンのアナロジーとして位置づけるという術をまだ会得できていなかった。しかし、彼は国民皆保険制度や少年犯罪の防止、警察の慣行の改革といった政策について、深く思慮に富んだ見解を示していた。こうした見解の中には思慮に富みすぎたものもあったため、ある演説ではわたしの隣にいた男性が寝息が聞こえるほど深い眠りに落ちてしまったほどだったが。

しかし、わたしはオバマがどこにでもいるような挑戦者ではないと感じていた。彼はシニシズムを一貫して拒み続けていた。市役所にいる二重顎のしたたかな老人や彼らの年代物の人種差別マシーンを強く批判する、新世代の政治を提唱していたのだ。当選の可能性はなくても、彼の近くにいると高揚感を覚えたものだった。予備選が行われた三月二十一日の夜、オバマは三一ポイントという予想以上の大差をつけられて完敗した（彼は後年、「恥ずかしくて仕方がありませんでした」と伝記作家のデイヴィッド・レムニックに語っている）。わたしは彼の落選について、二、三のパラグラフを書き上げた。それによって、刺激的な出会いにあっさりと終止符が打たれたのだった。

市内報道デスクで二年過ごした後、二〇〇一年にわたしは『シカゴ・トリビューン』のニューヨーク支局勤務を命じられた。マンハッタンに着任したのは八月のことだった。後から振り返ると、晩夏のニューヨークでの数週間は、投げたボールが弧の最上部に達して落ちてくる前の、重さのない瞬間のようだった。

旅客機が世界貿易センターに突っ込んだ朝、わたしは石炭産業について記事を書くためにクラークスバーグで取材をしようと、ウェストヴァージニアに向かう途中だった。翌日に、ニューヨークに戻る列車が見つかった。それから三カ月、わたしはずっとニューヨークにいた。テロの起源とその後の展開について記事を書き、それが中東や中国への派遣につながり、一〇年を海外で過ごすことになった。二〇一三年になってようやく帰国すると、自分の関心が歴史によって影響を受けてきた物語に向かうようになっていた。シカゴを再訪することにしたのはそのためだった。

二十一世紀に入ってから一〇年が経っても、シカゴのリーダー層は依然として尊大なプライドを誇示し続けていた。リチャード・M・デイリー市長は父が保持していたシカゴ市長在任記録を塗り替え、シカゴを「ニューヨークとLAとその他大勢」のグループに引き上げようと躍起になっていた。一九九〇年代に誕生した高級エリアは、シカゴの中で別の市のような存在に成長を遂げていた。デイリーはダウンタウンで植樹や花壇を造営し、荒廃していた廃線跡を「ミレニアム・パーク」という壮大な公園に造り替えた。なだらかな起伏があり緑豊かな約一〇ヘクタールの土地で、アートや音楽活動、休息のための場所だ。総工費が予算を大幅に超えたため、『シカゴ・トリビューン』はシカゴに対し、誰もが認める「全米でもっとも腐敗した都市」になってしまったのではないかと疑問を呈した。しかし、シカゴのホワイトカラー層は拡大しつつあった。国勢調査の調査単位で「富裕」に分類された地域は一九七〇年の四倍になっていた。モトローラ・ソリューションズ、ビーム・サントリー、GEヘルスケアといったグローバル企業が移転してくると、シカゴ都市圏の失業率は四・一パーセントに低下した。これは一九七六年に政府が統計を取り始めて以来、もっとも低い数値だった。ほかの多くの地域と同様、シカゴの殺人事件件数も一九六〇年代以降で見たことのない水準にまで減少した。黒人やヒスパニック居住地域も含め、大半の地域で治安が改善した。ただし、逆に極度に治安が悪化した地域もあったのだが。

丸め込まれるのは簡単だった。二〇〇〇年代半ば、『エコノミスト』誌はシカゴに対し、「繁栄を謳歌し、新しいビルや彫像、公園があちこちに造られ、バイタリティが全体にみなぎっている」と称賛を惜しまなかった。二〇一〇年に中国から一時帰国した際、わたしは『ニューヨーカー』誌でデイリーについての記事を書いたが、彼のリムジンに同乗することに時間を費やしすぎて、彼に批判的な人たちとは十分に時間をとることができなかった。週刊新聞『ザ・リーダー』は、「『ニューヨーカー』を同乗させて」という見出しでわたしの記事を批判したが、それも当然だった。わたしはロンドンや北京に対するデイリーの執心ぶりのほうに目が行きすぎるあまり、最貧困層が飢えているなかで彼がシカゴの栄養状態改善にどの程度取り組んでいるかについて、理解することを怠っていたのだ。

二〇一一年にデイリーが引退すると、ラーム・エマニュエルが後任になった。デイリーの仲間であり、のちにオバマの首席補佐官を務める人物だ。エマニュエルは擁護できないほど経済状態が極端に分かれている都市――アメリカの不平等の典型――の運営を引き継ぐことになった。シカゴの不平等の規模は二つの基本的な事実に表れていた。一つは工業分野の雇用崩壊という、アメリカ経済全体に通じる点だった。アメリカ国民は工業の衰退を白人労働者階級の問題ととらえていたが、黒人が圧倒的に多い地域ではひときわ深刻だった。サウスサイドとウェストサイドで、危機的状況は無視できないほど顕著に表れていた。それは、歴史家のアンドリュー・ダイアモンドが二〇一七年に刊行した『金儲けの道を邁進するシカゴ（*Chicago on the Make: Power and Inequality in a Modern City*）』で「マンハッタンとデトロイトが激突」と呼んだような二つのアメリカの衝突だった。

半世紀前、製造業大手のウェスタン・エレクトリックの工場では、四万三〇〇〇人以上の労働者が雇用されていた。インターナショナル・ハーベスターは一万四〇〇〇人の従業員を抱えていたし、シアーズ・ローバックも従業員が一万人いた。アクメは鉄鋼を製造し、ゼネラル・ミルズは朝食用のシリアルを製造した。一九六〇年代以降、工場の海外や郊外への移転が始まると、隠しようもない損失の規模はショッキングだった。一九六〇年代末までに電気機器工場はなくなり、シアーズは本社を移転し、インターナショナル・ハーベスター、アクメ、ゼネラル・ミルズもそれに続いた。こうした撤退によってほとんど学歴のない労働者向けの職が何万という単位で失われただけでなく、地方銀行への預金、食料雑貨店やガソリンスタンドに落ちるお金もカットされる結果がもたらされた。ハーヴァード大学の社会学者、ウィリアム・ジュリアス・ウィルソンは、シカゴのある地域をテーマとした『アメリカ大都市の貧困と差別――仕事がなくなるとき』という本を一九九六年に刊行した。彼はこの本で、一九六〇年から一九七〇年にかけて調査地域の企業数は七五パーセント減少したとの試算を示した。継続的な雇用の減少はさらに急激だった。一九七〇年時点で、サウスサイドに近いバック・オブ・ザ・ヤーズ地域には小売業で一万一六四六の職があった。それが二〇一五年に残っていたのは一八四九の職だけだった。この影響をもっとも大きく受けたのは黒人とヒスパニックが圧倒的に多い地域だった。

シカゴに深刻な不平等をもたらしているもう一つの原因は人種分離だ。わたしはときどき、かつて公営住宅があった敷地のそばに車を停めたものだった。一〇年前に大々的に取り壊しが行われた、あの場所だ。赤れんが造りのタウンハウスが立っているところもあったが、それ以外のエリアは依然としてほこりまみれの雑草が生え放題になっているだけで、その間からビニール袋がひらひらと舞っていた。

移住プロジェクトに対する期待はすでにしぼみきっていた。カブリニ・グリーンやロバート・テイラーの取り壊しを嘆く者はどこにもいなかったが、多くの居住者にとって移住は人種や収入の分断をさらに深くしただけだった。居住者は安全で条件のいい地域への転居について斡旋してもらえたり、保証金の支払いの補助として少額の現金が給付されたりすると約束されていた。ところが、どちらも全面的には実施されなかった。それから数年して、一部の旧居住者は毎年夏、草以外には何もなくなった跡地に集まって同窓会を開くようになった。公営住宅に住んでいたときに強いられ続けた苦難にもかかわらず、かつての住まいがもたらした社会的つながりや仲間意識を懐かしんでいたのだ。

高層公営住宅プロジェクトが終了してから一〇年を経た後でも、シカゴは依然として全米でもっとも人種的な分離が深刻な大都市として認識されていた。レイク・フォレスト大学で政治学を教えるポール・フィッシャーは、一九九五年から二〇〇二年にかけて公営住宅を退去した三〇〇〇以上の世帯を追跡調査した。結果は、ほぼ全世帯が黒人の割合がきわめて高い国勢調査の調査単位地域に住むことになっていたことがわかった。「法の下での公民権を推進するシカゴ弁護士の会」が二〇一四年に行った調査では、シカゴ住宅局が発行した補助クーポンを使って物件を借りようとした者が差別を受けるケースが頻繁にあったと記録されている。シカゴ北西部では、当時、家主が賃貸契約を断ったケースは全体の五八パーセントにのぼったという。

こうした差別の結果、黒人の住民は市内各地の人口密集地域に集中するようになった。どこもダウンタウンの経済成長とは無縁であり続けてきた場所ばかりだ。シカゴは求人不足の状況ではなかった。大都市研究所の報告書によると、ループ〔シカゴの環状高架鉄道〕の内側やノースサイドでは通勤三〇分圏内に最大七〇万件の職があるとのことだった。しかしこれがサウスサイドとなると、同じ通勤時間の条件だと五万件の職しかなかった。こうした通勤時間の違いは、別の形態の雇用創出にとっても障害となった。経済学者によれば、理論上はホワイトカラーの職一件で五件の雇用――ウェイターや建設労働者、犬の散歩代行業など――が生み出されるはずだった。しかしシカゴの場合、人種分離によってこの波及効果が阻害されてしまった。

全体として見ると、シカゴの黒人世帯と白人世帯は経済面で完全に別々の方向に向かっていた。アフリカ系アメリカ人の中で、公民権運動以降に成人した最初の世代を取り巻く状況は厳しくなっていた。二〇〇七年の調査によると、ミドルクラスの白人は両親よりも平均年収が二万ドル近く高いのに対し、同じカテゴリーの黒人は両親よりも平均年収が九〇〇〇ドル少ないという結果が出ているという。プリンストン大学の社会学者、パトリック・シャーキーは、二〇一〇年時点でもっとも貧しく、人種による住み分けがはっきりしている地域に住むアフリカ系アメリカ人の七〇パーセント以上が、四〇年前も同じ世帯に属していたとの結果を明らかにした。彼は人種分離を維持し、経済への投資を行わず、住民を刑事司法の裁きが必要になる状況に追い込んだ政治的決定の影響に見られるパターンを追跡した。シャーキーの言葉を借りれば、そうした人びとは「しかるべき場所にはまってしまった」のだった。

テネーシャ・バーナーはこれを「バブル」と呼んでいる。「外に出ない限り、何もわからないということだから」。二人の子どもを持つシングルマザーのバーナーは、子どもが安全に動けるエリアについての地図をいつも頭の中で更新している。東に数ブロック行ったところにある公共図書館はどうだろう？　無理無理。ここの子どもたちは、そっちの方向には四ブロック以上は歩いていかない。だって、ギャングの抗争があるから。「ばかばかしいし、おかしいですよね。でも、ここのコミュニティから出られる唯一の方法は、車しかないんですよ」と彼女は言う。

愚かな行為に対するバーナーの許容度は低かった。三十代後半の彼女は自身の出身校でもあるダレス小学校でアシスタントをしており、廊下の様子をチェックし、生徒に教室に入るよう促し、苦痛な宿題のサポートや思春期の悩み相談、外の世界についての理解を手伝ってきた。彼女は絶大な尊敬を集めていたが、それは地元出身という経歴が一因だった。「わたしは仕事が終わったらいい車に乗って、すてきな家に帰るなんてことはしません」と彼女は言う。「そんなことあるわけないでしょう。わたしたちは氷が張り雪が積もったこの歩道を歩いていくんです。そして同じように滑るんです」

一九七八年生まれのバーナーは、生まれてからずっとパークウェイ・ガーデンズで過ごしてきた。このアパート群は住宅差別対策として一九五〇年代に計画されたもので、シカゴ初の黒人家庭が所有するコープ・アパート〔協同組合が所有する形態のアパート〕だった。パークウェイ・ガーデンズはウッドローン地域と広大な鉄道線路区画の間に位置し、すぐさま人気の物件になった。判事やジャーナリスト、工場労働者が住み、ミシェル・オバマも幼児だった一九六〇年代にここに住んでいた。バーナーの祖父はエディー・バーナーといい、ミシシッピー州チューラ出身だった。教育は小学五年生までしか受けていなかったが、プラスチック製カップの「ソロ」ブランドを製造する工場で安定した仕事をしていた。祖母のスージーは紳士服メーカーのハートシャフナー&マークスで縫製担当として働いていた。

バーナーは自分が小さかった頃、「このアパートの前には警備を置く必要はないよ。ゲートだっていらないんだから」と言われたのを覚えている。毎年春には、居住者による美化週間があった。「大きな花壇があって、わたしたちはそこに行って花を植えていたものです。ベンチの塗装をしたり、棟ごとに手作りのお菓子を売るバザーをやったりしていました」。パークウェイ・ガーデンズは自前のチアリーダーチームがあり、ほかのアパート群と対抗戦を行っていたという。しかし、一九九〇年代後半までに工場はなくなり、治安悪化によって買い手がつかなくなっていた。コープ・アパートだったパークウェイ・ガーデンズは低所得層向けの賃貸アパートに変わった。バーナーの両親はドラッグに苦しめられた。父はＨＩＶに感染し、バーナーが十八のときに亡くなった。年月を経るなかで、パークウェイ・ガーデンズ沿いの道路は危険な場所としてとりわけ知られるようになった。二〇一一年から二〇一四年にかけて、ここはシカゴのなかでもっとも銃撃事件が多く発生するエリアだった。

この世界の中で、バーナーは自分にとってのロールモデルに出会った。十五歳で息子を身ごもり、高校中退を考えていた彼女は、イングルウッド高校のパトロールをしていた黒人の若手警察官、ジェニファー・トマスと親しくなった。トマス警官は十九歳年長だったが、バーナーのことを「わたしの娘」と呼んでくれるようになったという。「毎日学校に行けば、わたしのことを大好きでいてくれる人に会える、わたしが欲していた思いやりを示してくれる人に会えると思うようになりました。それで、『絶対に通い続けなくちゃいけない』という感じになったんです。彼女がそこにいるからというだけでなく、今ではわたしの中に自分を必要としている人がいたからです」

バーナーは息子のアントワンを出産すると、夜間や夏期に授業を受けて遅れを取り戻さなければならなかった。アントワンの父は存在感がほとんどなかった。「金銭的には助けてくれましたが、育児については彼の人生の中で父がいなかったので、父親としてどうやればいいのかわかっていませんでした。でもわたしは、『父親がいようといまいと、この子を育てなくちゃいけない』という気持ちでした。『ママの赤ちゃん《ベイビー》、パパはどうかな《メイビー》』っていう言葉があるでしょう。だから、わたしがやるしかなかったんです」。アントワンの父が姿を見せることはめったになかったが、彼の家族は欠かせない存在になり、バーナーの姉とともに育児の手伝いをしてくれた。このおかげで、バーナーは学校に通うことができた。「学校から帰宅すれば、そこに息子がいるわけです。子どもがすぐそこにいる状態で宿題をやり、一緒に夕食をとっていました。でもわたしは心に決めていたんです。『絶対にやり遂げてみせる』って。そのとおりやってみせました。一九九六年の夏、予定どおり卒業できたんです」

その後の数十年で、人生でできることをコントロールしたいというバーナーの思いはさらに強くなっていった。彼女のアパートは余計なものがなく、汚れもいっさいない、ミニマリストの理想というべき状態だった。「屑《ジャンク》が嫌なんです」と彼女は言う。バーナーは親切だが、他人に厳しい住人でもあった。「自分で消臭スプレーを買ってきて、管理人さんが片づけやモップがけ、ゴミ拾いを済ませると、各フロアにスプレーをまくことにしています」。よくも悪くもバーナーのルーツはパークウェイ・ガーデンズに深く根差しており、そのために「バブル」の外の様子について思いを巡らすことはほとんどなかった。彼女のリビングの壁には、シカゴを写した大きなパノラマ写真が掛けられていた。「シカゴのような場所はほかにはないですね。本当にないと思いますよ」と、誇らしげに彼女は言う。この地域で母親向け活動のコーディネートを担当する認定セラピストのディアドリ・コルディケが、この写真を彼女にプレゼントしたという。「彼女はある意味、ここの非公式な市長なのです」とコルディケは言う。「サウスサイドでは彼女を知らない人はいないほどの存在です」

しかし、バーナーは愛するシカゴについて頭に描く地図で、厳格な境界線を引いていた。ミシガン・アヴェニューと言えばシカゴでいちばん有名なショッピングエリアだが、そこの高級店は外国の領土に等しかった。「黒人だと、じろじろと見られるのです。ニーマン・マーカス〔アメリカの高級百貨店〕に入れば、『何かお探しでしょうか？』と店員が言ってきますよね。でも本当のところは、『ここでいったい何をしようと言うんですか？』と言いたいのでしょう」

史上初の黒人大統領が誕生したからといって、アメリカで何世紀にもわたり続いてきた偏見にすぐさま終止符が打たれると思った者は誰もいなかった。しかし、オバマ政権がいら立ちを強めていくなかで、新時代の希望と依然として続く差別の現実の食い違いは、新たな火種をもたらすことになった。二〇一三年七月、フロリダ州の陪審員裁判でジョージ・ジマーマンという銃撃事件の被告に無罪判決が下された。ジマーマンは丸腰の十代の黒人少年トレイヴォン・マーティンを殺害した件について、自衛だったと主張していた。裁判所の外では、若い活動家たちが大規模な座り込み抗議を行い、「ブラック・ライヴズ・マター」のスローガンを初めて世に広めた。「ブラック・ライヴズ・マター」の誕生は、進歩的政治の転機を示すものだった。オバマの大統領就任から五年を経て、活動家たちは長期的な変革をめざす彼のビジョンに対する幻滅をこれまで以上にはっきりと表すようになっていた。アメリカ国民は不公平に対して「覚醒を保つ」べきだというのが彼らの考えだったが、この精神の原点はマーティン・ルーサー・キング・ジュニアの「革命の最中に寝ていることほど悲劇的なものはない」という一九六五年の発言にあった。

依然として続く人種分離の現実や関心が高まる流動性の低さは、アメリカが自らに言い聞かせてきた物語とあまりに異なっていたため、国民は全体像をなかなかのみ込むことができなかった。だが、それを裏づけるエビデンスは否定のしようがなかった。収入面で階層というはしごを上っていけるアメリカ国民が減っただけでなく、地理的な意味でも移動することが減ったのである。一九四〇年代以降、一年の中で転居を経験した人の割合は半減し、九・八パーセントにまで低下した。これは国勢調査で統計を取り始めて以来、もっとも低い数値だった。教育を受けた裕福な国民はその後も職や配偶者、広い家を求めて引っ越しをしていた。しかし、その他の国民はたとえ職を見つけることができなくても、引っ越すことはなかった。多くの場合、後者の人びとは金融危機がもたらした影響から逃れられないままでいた。彼らが住む家は、住宅ローンの総額を上回るだけの価値を回復する状況にはなっていなかったからである。ある報告書は、アメリカの現状についてこう指摘している――「動く者と動けない者が分化してしまった」。

シカゴの白人高収入層が住むコミュニティと黒人低収入層が住むコミュニティの間にある谷があまりに深くなったため、研究者は両者を関連づけるのに苦労するほどだった。ハーヴァード大学の社会学者、ロバート・サンプソンはシカゴの各地域における人間発達の研究を二〇年以上にわたり主導してきた。低体重児、乳児死亡率、十代の妊娠、身体的虐待、殺人といった、人生で起きるありとあらゆる苦難についての両コミュニティのギャップは、サンプソンの表現を借りれば「程度の違いではなく、性質の違い」をもたらしているのだという。

何よりも明確なコントラストを示す指標は、暴力的犯罪の分布だ。一九九〇年以降、ニューヨーク、ロサンゼルス、ダラス、ワシントンＤＣの殺人発生率は少ない場合でも七〇パーセント減少した。暴力的犯罪をめぐる議論で頻繁に取り上げられるシカゴでさえも、九〇年以降、殺人発生率は三分の一にまで低下した。これは苦心の末に得られた成果ではあるが、アメリカ国民は他の先進国の状況といかに差があるかについて、やすやすと誤解してしまっている。サンプソンは二〇一一年に刊行した『アメリカの偉大な都市（*Great American City*）』で、「一年間でシカゴで殺害される者の数は、過去五〇年でストックホルムで殺害される者の数よりも多い」と指摘している。さらに、シカゴの一部地域では生活の危険度が増したところもあるという。就職について有利な情報を得られるか、初めてローンの融資を受けられるか、あるいは銃撃戦に巻き込まれて撃たれるか――わずか数ブロック離れているだけでいかに人生の基本的な可能性が変わってくるかについて、サンプソンは説明してくれた。黒人が圧倒的に多い地域では、生活水準が中程度の白人地域と比べ殺人発生率が平均で一三倍にもなっていた。

投資引き揚げ、暴力、ネグレクトが累積することで生じる影響はあまりに明白だったため、ダウンタウンでは政府や政治に大きな関心が集まっていたのに対し、新世代のシカゴの黒人はそれらとのつながりをほとんど感じていなかった。大恐慌時代、アメリカは二五パーセントにも達した失業を食い止めるべく財政出動を行ったが、シカゴの黒人が圧倒的に多い地域では若年男性の失業率はその倍で、しかも政治家は何も対策を講じていなかった。多くの者にとって、政府との唯一の接点は刑事司法制度だった。サンプソンはわたしに、次のように解説してくれた。「シカゴで黒人の比率がもっとも高いコミュニティの受刑率は、白人の比率がもっとも高いコミュニティの四〇倍にもなるのです。比較することすら不可能でしょう」

変革と再生への重視が喧伝されてきたにもかかわらず、シカゴは政治的にも経済的にも停滞にはまってしまい、人びとはそこから抜け出せない状況に陥っていた。わたしの祖先が来てから一五〇年を経て、シカゴはふたたびフレデリック・ジャクソン・ターナーが言う「国のあらゆる勢力が交錯する」場所になっていた――しかし、それは誰もが望んだようなかたちではなかった。

5 みんながやっていることだから（その1）

二〇〇七年から二〇一〇年にかけて、チップ・スコウロンは自身のヘッジファンドから三一〇六万七三五六ドルの収入を得た。彼とシェリルはグリニッジの丘の上で、約一・二ヘクタールの敷地に家を建てた。ニューイングランドのシングルスタイル〔シンプルさが特徴の建築様式〕で、ベッドルームが七つ、バスルームが一一、ワインセラー、ビリヤードルーム、スパ、プールサイドの休憩室、車八台が収納できるガレージ、スタイリッシュな石塀と、間取りや設備もぜいたくだった。彼は稀少なスポーツカーのコレクションもしていた。フェラーリ458、アストンマーティン・ヴァンキッシュ、アルファロメオ8Cスパイダー、アリエル・アトム2といった具合だ。近くのプライベート・カーレース場、モンティチェロ・モータークラブにも入会した。メンバーにはコメディアンのジェリー・サインフェルドやプロレーサーのジェフ・ゴードンがいた。

スコウロンは豪邸や財産の規模を笑い飛ばすこともあったが、同じような豪邸は街中で建てられていた。わずか一年の間にグリニッジでは住宅一七六件の取り壊し許可証が発行されたが、これは五年前と比べて三倍の水準だった。家の裏には月面の谷のような崖が走り、黄色いブルドーザーが地下映画館やスカッシュコート、ワインセラーを造るための穴を掘っていた。こうした新築住宅の多くはおべっか使いが「ストックブローカー・ジョージアン」と呼ぶスタイルに沿ったものだった。多くの物件の建設を手がけた地元ディベロッパーのマーク・マリアーニは、あまりに高額の報酬を受け取ったため、プライベートジェットを二機所有し、カリブ海のリゾート地アンギラとコロラド州テルライドに家を購入した。さらにラウンドヒル・ロードに豪邸を一軒建て、妻と子どもたちを表した天使像を飾った。取り壊した古い家にはノスタルジーをまったく感じていなかった。「そこに足を踏み入れることすらしないですね。関心はないです」と彼は記者に語っていた。

旺盛な住宅欲は、二〇〇八年にさらに高い軌道に乗ったように見えた。ヴァレリー・コーガンというロシア人ビジネスマンが、一九〇〇万ドルで購入した豪邸――かつてマットレス王のザルモン・シモンズが所有していた物件――を取り壊し、大邸宅を建てる計画を発表したのだ。面積は約五〇〇〇平方メートルで、トイレが二六基、レスポールのギターの形をした中庭、荒天に備えたスタジアムを思わせる機械開閉式のドームまで付いていた。グリニッジといえど、さすがにこれはやりすぎだった。近隣からの反発を受けて、コーガンは計画をスケールダウンし、トイレを一五基に減らすことにした。しかし懸念を払拭することはできず、最終的に彼は建設を断念し、別の場所に移っていった。

グリニッジに集中する富が拡大していくなかで、一定のパターンが生まれてきた。住民は家や理想の学校、喧噪とは無縁のプライベートジェットによる移動といった富の証明を確保すると、次は市内で展開される本当の「ゲーム」に目を向けるようになった。有利な制度を「さらに調整」したり、マージンを拡大したり、現実世界でも仮想世界でもトラブルに対しての保険をかけたりしていった。どこに目を向ければよいかわかっていれば、自身の余命から節税、子どものＳＡＴの成績まで、生活のあらゆる局面で状況を改善していけると考えたのだ。別の言い方をすれば、勝者が今後も勝ち続けていける状況を確固たるものにするということだった。

スコウロンの場合、富を手にしたことで政治の世界に一気に関わることになった。二〇〇八年の大統領選では、ジョン・マケイン陣営の大口献金者になった。医師時代に自分をコソヴォに派遣した医療支援団体、アメリケアの理事会メンバーにもなった。彼とシェリルは年間利益を共同で管理する役職に就き、一晩で一〇〇万ドルを集めて同団体の資金調達としては史上最高額を達成した。新世代の金融関係者にとって、慈善事業と政治は手を取り合って進める関係にあった。彼らは富を駆使することによって、教育や貧困対策といった政策分野で自らのビジョンを実現することができ、しかも公開の場での政治的議論の中で詮索されることもなかった。批判的な立場からすると、富裕層の慈善家は民主主義のプロセスを転覆する存在に映った。彼らは公共セクターは無能で非効率だという考えに基づき、そこを迂回することで政府に対する信頼の低下と投資抑制を加速させており、社会が自らをどう統治すべきかについて集団として議論するプロセスを排除するものにほかならない、と考えられたのだった。

ときどき、スコウロンは自分の富がいかに短期間で蓄積されたかについて驚嘆するばかりだった。資金豊富なヨーロッパの投資家との商談のためほかのファンドマネージャーとジュネーヴに出張したときには、こんな場面に出くわした。トイレでかつて自分の雇用主だったスティーヴン・コーエンが右に、イジー・イングランダーが左にいたのだ。医学博士の学位を取得するのに費やした年月よりも短い時間で、彼は『ヘッジファンドを始めよう』で勉強を始めるところから億万長者の間に挟まれる立場にまでなったのだった。「わたしはそこに立ち尽くして、こう考えていました。『これ、おかしいだろ』って」──彼はそう振り返っている。

グリニッジに集中した途方もない規模の富は、明確なかたちと目に見えないかたちの両面で人間の認識をゆがめる効果をもたらした。外の世界を知りさまざまな分野の本を読む人であっても、影響力や権力、カネといった事柄をほかの世界がどうとらえているかについて、わからなくなってしまうことはよくあった。グリニッジでヘッジファンドマネージャーをしているクリフ・アズネスはあるインタビューでこう語っている。「世界には、『うちのパパはヘッジファンドをやってるんだよ』と言ったら、『ヘッジファンドって何？』という答えが返ってくる場所があります。でもコネティカット州グリニッジでは、子どもたちはこう訊いてくるんです。『きみのパパはどんなヘッジファンドをやってるの？　裁定取引？　トレンドフォロー型？』」

グリニッジ、そしてアメリカ経済全般が金融によってがっちりと包囲されていく過程は、その巨大さゆえに原因と結果についての確固たる説明を受けつけないタイプの変化のように感じられた。実際には、当時アメリカ人の大半がほとんど気づいていなかったが、いくつかの特定可能な変化によって引き起こされていた。そうした決定は、富をめぐる文化──いかにしてもたらされ、課税され、消費されるか——だけでなく、アメリカ自身が何を大事にし、何を無視するのかをも大きく変えたのだった。

ウォールストリートの最初の二〇〇年のうち、ほとんどの期間にわたりアメリカの金融産業は経済の限られた一部しか占めておらず、新規事業や住宅ローン、株式や債券に預金を投入することに専念するケースが多かった。歴史的には、ニューヨーク証券取引所の内規でゴールドマン・サックスのような投資銀行はパートナーシップ共同出資とすることが定められていた。コンサルティング会社のグリニッジ・アソシエイツでかつて常務だったウィリアム・ウェクスラーは、わたしにこう解説してくれた。「身を引くときが来たら、自分が保有する株を次の世代に売却していたのです。一定レベルの成功を手にしたら、優雅にリタイアするのが文化的に受け入れられていましたね」。こうした制度があったことで、経営者は過剰なリスクを取ることに及び腰だった。「この会社の経営にあたって、全部駄目にしないためにはどうしたらいいだろう?」と考えたわけだ。しかし一九六九年には、成長と近代化を欲する企業の圧力を受けてニューヨーク証券取引所が株式についての要件を撤廃したことで、銀行に大きな変化が生じた。それからの三〇年でアメリカのメガバンクはどこも株式を上場した。貯め込んだ巨額の他人の預金を解き放つことで、リスクを封じ込めていた古臭い制約が取り除かれた。銀行はその資金を使って、何千人ものトレーダーを雇ったり、さまざまな条件が付加された金融商品を試験的に販売したりした。トレーダーははるかにアグレッシブに投機をするようになった。彼らはもはや共同経営者のカネをリスクにさらす必要はなくなり、正しい方向に資金を投じれば、思いがけないほどの大金を手にすることができたからだ。

当時、後世に影響を及ぼす決定がもう一つ実行に移されていた。第二次世界大戦終結後の二〇年、アメリカの大企業は自らについて、顧客、株主、労働者、そして社会全体に責任を持つ存在と位置づけてきた。侵害行為はあちこちで行われていた。企業は女性や有色人種を排除したし、工場は環境を汚染し、タバコ大手は何十年にもわたり嘘をつき続けてきた。しかし、企業の幹部は総じて次のように考えていた。アメリカが健全な司法制度と政治制度、近代的なインフラ、積極的な研究開発、活力ある労働人口を維持していくのを企業が支援していけば、長期にわたり利益を手にすることができる、と。ゼネラルモーターズのCEOとして、チャールズ・ウィルソンは一九五三年に上院でこう言った。「この国にとっていいことはゼネラルモーターズにとってもいいことだし、その逆も同様だ」

一九六〇年代後半には、企業は復活した日本と西ドイツとの競争激化に直面するようになっていた。シカゴ大学のリバタリアン経済学者、ミルトン・フリードマンは根本的な変革の必要性を訴えた。一九七〇年九月十三日の『ニューヨーク・タイムズ・マガジン』誌で、フリードマンは「企業の社会的責任とは、利益を増大させることだ」と題した論考を発表した。アメリカの競争力は、企業は「インフレを抑制し、環境を改善し、貧困やその他もろもろのものと闘うこと」に協力することが期待されるという「破壊的」な考えによって危険にさらされている――フリードマンはそう主張した。「企業の社会的責任は一つであり、ほかにはない。ゲームのルールの範囲内にとどまる限り、別の言い方をすれば、ごまかしや不正のない、自由で開かれた競争を行う限りにおいて、自らの利益を増大させるための活動に資源を活用し、関与していくことだ」という。

一九七六年にノーベル賞を受賞したフリードマンは、本人が夢見たであろう成果以上のものを達成した。彼の業績によって、コーポレートガバナンスについての有力な新理論がいくつか生み出された。フリードマンの弟子の一人、マイケル・ジェンセンは、一九七六年に「企業の理論（Theory of the Firm: Managerial behavior, agency costs and ownership structure）」とタイトルは地味だったが、史上もっとも影響力の高い学術論文の一つを共同執筆した。そこでの主張は次のようなものだった。ＣＥＯが従業員、顧客、社会全体といった「ステークホルダー」の歓心を買おうとするのをやめれば、企業はより速く成長するだろう、企業は株主の利益をほかの何よりも優先すべきなのである、と。企業の幹部が株主を第一に考えるよう促すために、彼らの報酬を給料ではなく株式で支払ってはどうかとジェンセンは提案した。ドラッカー研究所のリック・ワーツマンはわたしに次のように解説してくれた。「ＣＥＯの報酬に占める株式の割合は数パーセントにすぎませんでした。それが今では、五〇パーセントから八〇パーセントにもなっています。突如として、株主の利益を最大化することが彼ら自身の利益になったのです。では、短期間で株価を上昇させるための、いちばん簡単な方法は何だと思いますか？　研修や賃金といった経費をカットすることです。その結果、不平等が一気に拡大してしまいました」

「株主資本主義」と呼ばれたこのビジョンは、新世代の企業リーダーの指針となった。ＧＥはオーウェン・ヤングとグリニッジ在住のレグ・ジョーンズが率いていたが、ジョーンズの後任となったジャック・ウェルチが何十万もの雇用カットを断行し、それを称賛したウォールストリートから「ニュートロン（中性子爆弾）・ジャック」というニックネームで呼ばれるようになった。ウェルチと部下は成功を収めた。ある上級幹部はわたしにこう語っていた。「マーケットが全体として活況を呈した一九九〇年代後半、わたしは自分が受け取るべき以上の利益を手にしました。株の状況次第で、給料の五倍の額を稼ぐことができました。あれはすごかったですね。馬鹿げているとも思いましたが、それでもすごかったです。わたしは業績手当の考え方に大賛成ですが、あのとき株価上昇をもたらしていたものには何も関わっていませんでした」

この幹部は、ＣＥＯ陣や「報酬コンサルタント」で構成される取締役会がＧＥの役員向けにさらなる高額の報酬パッケージを決定するのを目の当たりにしていた。「内輪のフィードバック・ループがあり、そこでは役員自身や報酬コンサルタントが取引をしていました。とてつもない利益相反が行われていました。みんな夢中になっていましたね」

しかし、株主の利益を真に最大化するには、もう一つ決定が必要だった。シカゴ学派の経済学者に影響を受けた銀行家のジョン・シャドは、証券取引委員会の委員長になって間もない一九八二年に、一九三〇年代以来の規制を緩和した。対象とされたのは、企業が公開市場以外で自社株を買うことで株価を上昇させることを禁じていた規制だった。シャドは「ルール10b-18」という秘密めいた雰囲気の制度を創設し、これによって自社株買《バイバック》いに道が開かれた。それ以降の数十年で、アメリカの企業は自社株を買い支えるために資金の投入を増やしていった。経済学者のウィリアム・ラゾニックによると、二〇〇八年から二〇一七年にかけて、Ｓ＆Ｐ５００の構成企業は利益の五三パーセントを自社株購入に充て、三五パーセントを配当金というかたちで株主に還元したという。言い方を換えれば、利益一ドル当たり八八セントが研究や研修、設備、賃金、福利厚生ではなく、株主と上級幹部を潤すために使われているということだ。

こうした半世紀にわたる変化が集積した結果、金融界は巨額の利益を生み出す産業となる一方、実体経済はきわめて大きな打撃を受けていた。一九八二年当時、ウォールストリートはアメリカの企業利益のうち六パーセントを占めていたにすぎなかった。それが二〇一七年になると、二三パーセントにもなっていた。巨額のマネーが金融取引や株主優遇に向かったことで、銀行は雇用創出や起業のための融資に回す資金を大きく減らしていった。国勢調査のデータを分析したところ、一九七八年から二〇一二年にかけて、「新規」に分類されるアメリカの企業の割合は四四パーセント減少した。全体として見ると、ストックオプション革命によって企業の行動があまりにラディカルに変わったため、それを最初に提唱したマイケル・ジェンセンはのちに「経営のヘロイン」と呼んで後悔の念を示したほどだ。

二〇〇七年、季節が秋から冬に移る頃、チップ・スコウロンは大きな賭けをするべく準備を進めていた。彼は数カ月にわたり、C型肝炎を治療する新薬開発に取り組むバイオテクノロジー企業、「ヒューマン・ゲノム・サイエンス」の株を集めていたのだ。アルブフェロンというその薬は、臨床試験で効果と安全性が証明されれば何百万もの命を救えるだけでなく、何十億ドルもの利益を生み出すポテンシャルを持っていた。

ほかのヘルスケア分野の投資家と同様、スコウロンは次に開発される重要な新薬を探り当てようとする作業に多くの時間を費やしていた。医学関係の学会に出席し、ヨーロッパやアジアの研究室を訪ね、「専門家ネットワーク」――投資家が産業部門の研究者と面会できるようにする紹介サービスで、相談料は最大一時間一〇〇〇ドルにものぼった——に何百万ドルもの資金を投じた。「治験や開発状況について四六時中話し合っている医師のコミュニティがあるんです。医師たちはどの薬が有望で、どの薬がそうでないかを知りたがっていますし、知る必要にも迫られています。その知見を人と共有し、資金を得たいと考えているのです」

ヘッジファンドは、トレーダーが「情報エッジ」と呼ぶ知見の断片、言い換えれば株価の上下に影響を及ぼしうる事態についてのあらゆる情報を常に探し求めていた。企業の上級職員に金銭を払って公開の場ではアクセスできない情報を入手することは違法なのだが、汚職と選挙資金をめぐるグレーゾーンのケースと同じように、優秀な弁護士であれば「金銭の支払い」や「情報の入手」の定義について論議を起こしたり異議を唱えることができるのである。スコウロンの観点では、厳密な区分についてあれこれ思いを巡らすことは自分の仕事ではなかった。「わたしからすると、『重要な非公開情報』に関する事柄と『信認義務』〔相手方に対して負担する義務〕を負う者を区別するラインについては、『どっちでもいいんじゃない』という感じでした」

アルブフェロンの臨床試験が有望な結果を見せていた二〇〇七年初めから、スコウロンは株式の購入を続けていた。十二月までに、その規模は時価総額で六五〇〇万ドルにもなっていた。彼の推測では、この新薬が実用に入れば、株価はさらに七〇パーセント上昇するはずだった。現実には、それは推測以上のものだった。彼は自信を抱くだけの根拠を綿密に集めていたのだ。前年にウィーンでの会議に出席した際、彼は著名な肝臓病専門家で、医学誌に研究業績が数多く掲載されているイヴ・M・ベンハモウ博士への紹介を依頼していた。当時四十代後半でパリ郊外ヌイイ＝シュル＝セーヌの高級住宅街に住んでいた。世界中の患者を対象にアルブフェロンの臨床試験を行う運営委員会があったが、ベンハモウは五人いる委員の一人だった。

スコウロンはベンハモウ医師と長い時間を過ごすようになった。二〇〇七年春、彼はベンハモウが会議出席のため訪れていたバルセロナに飛んだ。二人はスコウロンが泊まるホテルのスイートルームに集まった。彼はベンハモウに、コンサルタントとしてフロントポイントに加わってほしいと要請した。同社からの「プレゼント」として、スコウロンは五〇〇〇ユーロが入った封筒を渡した。ベンハモウの知見に対する謝意を表したもの、という意味合いだった。その年の秋、ベンハモウはスコウロンと連絡をとった。妻とニューヨークに行く予定を立てており、ホテルについてアドバイスを求めたのだった。アドバイスの代わりに、スコウロンは秘書に対し、彼の費用負担で夫妻のためにマンダリン・オリエンタルを予約するよう指示した。十一月、二人はふたたび会った。このときの場所はボストンで、スコウロンはベンハモウを連れて市内やハーヴァード・メディカルスクールを案内し、夕食をご馳走した。「いつの日か、あなたと奥様、ご家族全員に同じことをできる機会が来ることを願っています」――ベンハモウはお礼のメールでそう記した。スコウロンは返信を送った。「これは始まりにすぎません」

ところが数週間後、アルブフェロンの臨床試験に試練が訪れる。治験に参加した患者の一人が死亡し、もう一人が入院する事態が発生したのだ。ベンハモウはそれからの数日、新薬の今後について製造元の企業と協議を行った。彼とスコウロンは電話で何度も話をし、スコウロンは保有する株式の売却を始めた。十二月の一一日間にわたり、世界の大半が新薬が問題に直面していることをまだ知らないなかで、スコウロンの会社は「ＨＧＳＩ」という証券コードで知られるヒューマン・ゲノム・サイエンスの株のうち四六パーセントを売却した。二〇〇八年一月十八日、開発側は臨床試験の一部中止を決断した。ベンハモウはこの情報をスコウロンに知らせた。電話で話しながら、スコウロンは同僚に「ＨＧＳＩを売れ」「全部だ」とショートメッセージを送った。何日もしてから新薬の問題が報じられると、株価は四四パーセント下落した。スコウロンは三〇〇〇万ドルの損失を回避することができた。

スコウロンの売却のタイミングは疑念を招くことになり、証券取引委員会が調査に乗り出した。フロントポイントはベンハモウと連絡をとろうとしたが、スコウロンが先にパリにいる彼に電話をかけ、「さまざまな薬」について話しただけだと一般的な表現で説明するよう促した。ベンハモウはこの計画に従うことにし、フロントポイントとの話し合いはスムーズに進んだ。数日後、スコウロンはボストンに飛び、別の会議に出席するため現地を訪れていたベンハモウと会った。二人は昼食をともにし、スコウロンは彼をホテルまで車で送っていった。車内でスコウロンは紙テープで巻かれた札束二つが入ったバッグを取り出した。ベンハモウは受け取りを拒否した。しかし数週間後にミラノのホテルのバーで再会したときには、ベンハモウは一万ドルを現金で受け取った。スコウロンは証券取引委員会の調査を心配していたわけではなかった。彼とベンハモウは詳細については明確な回答を避ければいいと考えていた。「簡単な話ですよ」と彼はベンハモウに言った。調査官から新薬の詳細について話をしたかどうか訊かれたら、「覚えていません。お、ぼ、え、て、い、ま、せ、ん」と言いさえすれば大丈夫だ、というのだ。

さまざまなところで、スコウロンの秩序だった生活にほころびが出始めていた。出張時には、売春婦を呼んだりバーで女性との出会いを求めたりするようになった。財布には常に二〇〇〇ドルが入っており、その倍や三倍の額を使う夜もあった。多額のカネが行き交うなかで、彼は自分がベンハモウに賄賂を渡し始めたときにそのことをほとんど意識していなかった。「彼に五〇〇〇ドル渡すのは、お小遣いにちょっとプラスするくらいのものでした」と彼は振り返る。彼は立ち止まって自らの行動について考えたとき、恥ずかしさと冷徹なシニカルさのあいだで気持ちが揺れ動いた。セックスのため、あるいは株取引の情報のためにカネを払うのはみんながスキャンダルと見なすほどのことなのか？　彼はこう語る。「みんないつもやっているけど、みんないろんなかたちで隠しているだけというパターンじゃないですか。ティンダー〔アメリカの出会い系サイト〕についてはどうだと思います？」

フロントポイントでは、スコウロンは会社をつくり直すプランを思い描くなかで、同僚と言い争いをするようになっていた。彼は全能感に浸ったかと思えばむなしく目的を失った気持ちになった。自宅では深夜、ベッドに横たわってこう考えていた。「行く先々で嘘をついてるよな。本当のおれを知ってるやつは誰もいやしない」

証券取引委員会は最初こそ注目したものの、その後、調査は下火になった。調査官は関係者に聞き取りを行ったが、スコウロンはトレーディングを再開し、収入は上昇し続けた。アメリカの大部分はまだ不景気から回復する途上にあったが、スコウロンは二〇一〇年十一月までに一一〇〇万ドルを新たに稼いだ。彼はボートの購入を検討していた。その考えを同僚の一人に話すと、どれくらい費用がかかると思っていますかと訊かれた。「八〇万ドルか九〇万ドルくらいは払おうと思っているよ」とスコウロンは答えた。

同僚は笑って言った。「それならどうしてまだ考え中なんですか？　すぐ買えばいいじゃないですか」

ボートについての会話から数時間後、スコウロンは同僚が電話の周りに集まっているのに気がついた。珍しいことに、会社の法務顧問もそこにいた。ＦＢＩがボストン空港でイヴ・ベンハモウ博士を逮捕したとのニュースが少し前に通信社によって報じられていた。ベンハモウは「ヘッドファンドマネージャー」に情報を漏洩したとして証券詐欺の容疑をかけられていた。記事では具体的な名前は挙げられていなかったが、すぐにスコウロンに疑惑の目が向けられた。

彼はオフィスから出ていき、ヘッジファンドの世界に足を踏み入れた初日が終わったときと同じように、妻に電話をかけた。彼は妻に、いま弁護士に会いに行く途中だと伝えた。「まずい状況になると思う」――彼はそう告げた。二〇一一年の春までにベンハモウはインサイダー取引と調査官への偽証で罪を認めた。彼はアメリカ政府への情報提供に同意し、フランスにいる妻と二人の娘のもとに帰ることを許された。

ＦＢＩがニューヨーク周辺でホワイトカラー層の容疑者を逮捕する際、週末は地方にいる可能性を踏まえて捜査官は火曜から木曜のあいだに行くことが一般的だ。出勤前に身柄を拘束するべく、逮捕は明け方に行われる。スコウロンが逮捕される可能性が出てくると、彼とシェリルは子どもたちに手錠をかけられた父親の姿を見せまいと、母方の実家に移すことにした。

しかし、そのときがやってくる前にスコウロンは自首する道を選んだ。四月十三日、彼は証券詐欺、共同謀議、捜査妨害の共同謀議の容疑で起訴された。懲役二〇年と罰金数百万ドルが求刑された。起訴に関する記者会見で、ニューヨーク南地区担当連邦検事のプリート・バララはスコウロンについて「マーケットと一般投資家の両方をあからさまに欺いた」と非難した。彼の弁護士はメディアに対し次のように述べて、形式的に罪を否認した。「スコウロン博士は医師、投資家、慈善家としての仕事に誇りを抱いています。彼は機密情報を受け取ったことを否定しています」

この姿勢は長続きしなかった。二〇一一年八月十五日、スコウロンは罪を認め、罰金と賠償金、合わせて一三〇〇万ドル以上の支払いに同意したのだ。判決の言い渡しで、検察官は彼を「根本的に欺瞞的かつ不誠実な人間」と呼んだ（のちの民事裁判では、スコウロンはモルガン・スタンレーに対し賠償金として三一〇〇万ドルの支払いを命じられた）。

審理が刑期を計算する段階に差しかかると、スコウロンの友人や家族が情状酌量を求めて判事に手紙を送った。シェリルの手紙には、「夫は懲役の可能性があるなどとは夢にも思っておらず、仮にそう思っていたとしたら事件になるようなことはけっしてしなかったでしょう。わたしは彼を信じています」と書かれていた。審理の最後にスコウロン本人も自身について陳述した。「裁判官、わたしは自分に起こっていた、善悪の境界を曖昧にする変化に気づいていませんでした。その変化は数年の時間をかけてゆっくりと訪れたのです。わたしは結果が手段を正当化するという相対主義の世界に自ら滑り落ちてしまったのです」。彼は懲役五年に処せられた。

最近まで、わたしの故郷がホワイトカラー犯罪の歴史の中で言及されることはほとんどなかった。それだけに、その歴史に名を残すような事件は容易に思い出すことができた。わたしが高校生だったとき、マイク・キングというトレド出身の株式仲買人が通りを挟んで家を二軒購入したことがあった。そしてこの人物は隣人に対し、自分がジンジャーエールを飲みたくなったら使用人がグラスを持ってきてくれるし、二人目が椅子を用意してくれるし、三人目がグラスにドリンクを注いでくれるのだと自慢していた。しかし、キングはマーティン・フランケルという熟練のペテン師であることがわかった。一九九九年に彼は二軒の自宅のうち一軒に火を放ち、九冊のパスポートと一〇〇〇万ドル相当のダイヤモンドを持って海外に高飛びした。彼はドイツで身柄を拘束され、保険関係のスキームで二億ドルを詐取した疑いで起訴された。彼はドイツの監獄で窓から脱獄を試みたこともあったが、その後、詐欺の罪を認め、アメリカの刑務所で懲役一七年の刑に処せられた。

歴史的には、アメリカの刑事司法は富裕層の市民には関わろうとしない傾向があった。一九二二年にジョージ・バーナード・ショーが記したように、ある男が「パン屋のカウンターから」パンを盗めば刑務所行きになるが、彼が「何百人もの寡婦や孤児、騙されやすい者のテーブルからパンを盗めば、議会に駆け込めばよい」のである。二十世紀の大部分で、アメリカの研究者と政治家は犯罪を貧困の副産物ととらえていた。ビジネスマンは州レベルで「ブルースカイ法」――青空を売ろうとするような不適切な投機を防ぐための法律であることからこの名がついた――の緩やかな網によって統制されていた。

次第にアメリカ国民は暴力《ガン》的な犯罪よりも知能《ペン》的な犯罪に対する関心を強めていった。一九二九年に株式市場が暴落すると、連邦議会は何百万もの国民の生活を荒廃に至らしめた市場操作の再発を防ぐべきとの世論の圧力にさらされた。高貴な雰囲気を漂わすニューヨーク証券取引所社長にしてグロトン〔マサチューセッツ州にある全寮制の名門私立高校〕とハーヴァード出身のリチャード・ホイットニーは、排他的な主張をすることでそうした圧力を和らげようとした。ワシントンからの訪問客に対し「あなた方は大きな過ちを犯そうとしておられます。株式取引は完璧な制度なのですから」と語ったのである。ホイットニーには監視されると困る事情があったことがその後判明した。一九三八年、彼はニューヨーク・ヨットクラブやハーヴァード、義父などから金銭を横領していることが発覚したのだ。彼はシンシン刑務所に入所した際もダブルのスーツを着ていたという。ホイットニーのような犯罪者の存在を前に、社会学者のエドウィン・サザランドは、違法行為は主に下層階級で多発するという推測を撤回することにした。一九三九年に彼は「ホワイトカラー犯罪」という新語を発明した。

その後の数十年で好不況の循環が起こるたびに、内部告発者や不満を抱く投資家が詐欺に関する最新の革新的手法を通報していったことで、新たなタイプの不正が白日の下にさらされていった。二〇〇一年には、エンロンをはじめとする企業による不正会計スキャンダルの発覚を受けて、『CFOマガジン』という雑誌は毎年恒例の「優秀賞」の授与をひっそりと取りやめた。最後に同賞を受賞した三人がいずれも刑務所行きとなったことが理由だった（ワールドコムのスコット・サリヴァン、エンロンのアンドリュー・ファストウ、タイコ・インターナショナルのマーク・スワルツは、詐欺、マネーロンダリング、その他の罪で合計懲役一八年の刑を宣告された）。

スコウロンが刑務所に行く頃には、グリニッジはアメリカにおける腐敗の全体像の中で不名誉な位置を占めるようになっていた。潮目がウォールストリートに厳しいかたちに変わったときのことは、わたしの実家の前で実感することができた。ラウンドヒル・ロードの上のほうでも下のほうでも、住民は何かしら厄介な問題を抱えていることで知られるようになった。実家から右に行けば、石造りのコロニアル調の邸宅のそばを通ることになる。所有者はウォルター・ノエルといい、ナッシュヴィルの優雅なアクセントで話す資金マネージャーだったが、クライアントから集めた何十億ドルもの資金をバーニー・マドフというペテン師につぎ込んでいた。裁判ではノエルと共同経営者が得た報酬額は一〇億ドル以上にのぼると推定されたが、彼らは自分たちも騙されたのだと主張した。法廷闘争を経て、ノエルらは被害を受けた投資家に八〇〇〇万ドルを支払うことで合意したが、懲役刑は科せられなかった。

左に行けば、ラージ・ラジャラトナムというヘッジファンドマネージャーの邸宅に行き当たる。彼は一〇〇万ドルを稼ぎ次第リタイアするというプランを胸に一九八〇年代にウォールストリートにやってきた人物だった。その目標は一〇〇〇万ドルに変わり、さらに一〇億ドルに変わっていった。彼はのちに、自分の誕生日祝いで歌手のケニー・ロジャースとともに飛行機で空を飛び、本人がもうやめてほしいと言うまで「ザ・ギャンブラー」を繰り返し歌わせたことがあった。二〇〇九年、ラジャラトナムが経営するヘッジファンドの電話を盗聴した上で、FBIは「パーフェクト・ヘッジ」と名づけた作戦で彼を逮捕した。陪審は証券詐欺や共同謀議に関する一四件の訴因で有罪判決を下し、リチャード・J・ホルウェル判事はインサイダー取引としては史上最長となる懲役一一年の刑を言い渡した。このとき判事は、ラジャラトナムの犯罪について「われわれのビジネス文化に巣くう、取り除くべきウイルスを示すものだ」と指摘した。ラウンドヒル・ロードのほかの住人もトラブルに陥っていた。二〇〇九年、ハンドバッグメーカーのドゥーニー&バークを経営するフレデリック・A・バーク・ジュニアは「プラハの海賊」として知られる男とのエネルギーに関する投機が失敗に終わったのち、海外腐敗行為防止法違反の罪で有罪判決を受けた。そして「わたしたちが建てるのは夢です」というスローガンを掲げたディベロッパーのドミニク・デヴィトは、詐欺と司法妨害の罪で刑務所行きとなった。その後もあまりに多くの住人が金融スキャンダルに巻き込まれていったため、地元のブロガーはこの通りを「ローグズ（ならず者たち）ヒル・ロード」と呼ぶようになったほどだ。

しかし、スティーヴン・コーエンの一件ほど大きな注目を集めた事件はなかった。彼は高さ約二・七メートルの壁に囲まれた邸宅に住む投資家で、かつてスコウロンの上司だったこともあった人物だ。アーサー・アンダーセン事件以来、金融会社が起訴されたものとしては最大級の事件の裁判で、検察側はコーエンのヘッジファンドは「マーケットを欺く者にとって紛れもない磁石」になったと指摘した。このヘッジファンドはインサイダー取引で罪を認め、罰金と返還費用として一八億ドルの支払いを言い渡された後、二〇一三年に閉業した。二年間にわたり、コーエンにはヘッジファンドの経営を禁止する命令も下された（その後、彼は新たなヘッジファンドを立ち上げ、二四億ドルを投じてニューヨーク・メッツを買収した。これは野球チームの買収に支払われたものとしては史上最高額だった）。

SACキャピタルに対する容疑が明らかになった際、『グリニッジ・タイム』でコラムニストを務めるデイヴィッド・ラファーティは、「グリニッジ、ホワイトカラー犯罪へのゲートウェイ」という見出しの記事を寄稿した。そこではこう記されていた。「数年前であれば、あなたは友人に対し自分が『世界のヘッジファンド首都』に住んでいると伝えることに誇りを感じていたのではないだろうか。今はどうだろう？　そういう気持ちにはなかなかなれないだろう」。彼は、「ヘッジファンドが次々と世間の批判にさらされているなかで、一部の界隈で高まりつつある不安」についても触れていた。街ではじわじわと戸惑いが広がっているとして、次のように記している。「彼らはずるをし、そして捕まった。その結果グリニッジはこれから、ヘッジファンドなき後にどこに向かうべきかを決める必要に迫られるだろう」

グリニッジの住民の大半はローグズヒル・ロードでの犯罪に関わりは持っておらず、そうした犯罪によって恥ずかしい思いをさせられていた。だが、軽蔑したからといって、隣人が資本主義に対するアメリカの信頼低下を推し進めるかたちで、ずるをし、賄賂を送り、盗みを働き、人びとの預金を消し去ったという不快な事実をなかったことにできるわけでもなかった。エマーソンの言う「善悪を律する感覚」からも、「勇気と節制」という倫理観からも、「相互利益のための共通の事業」に向けたオーウェン・ヤングの頌歌《オード》からも、ひどくかけ離れていた。わたしは次のような問いに思いを巡らさないわけにはいかなかった――わが故郷がならず者たちを惹きつけたのか、それともわが故郷が彼らをつくり上げてしまったのか？

ヴァンガード・グループを創設し六〇年以上にわたり金融の世界に身を置いた伝説の投資家、故ジョン・C・ボーグルは、二〇一二年にこう記した。「わたしがこの世界に足を踏み入れた頃は、『誰もがやらないことがある』というのがスタンダードだったように思う。それが今では、『ほかのみんながやっているのだから、自分だってやっていい』がスタンダードになっている」。その翌年、法律事務所のラバトン・スチャロウが金融業のプロフェッショナルを対象に行った調査では、四分の一が「気づかれずにいけるのであれば、一〇〇〇万ドルを得るためにインサイダー取引に手を染める」と回答していた。自分の会社の給与とボーナス体系は「従業員が倫理的基準に背いたり、法に反することを行う動機になる」と回答した者も同じ割合にのぼった。一七パーセントが、自分たちのリーダーは「トップの成績を出している部下がインサイダー取引に手を染めていると疑っても、見て見ぬ振りをする」と回答していた。

グリニッジに住むジェフ・グラントという男性が、あるアイデアに着手した。「倫理リハビリ」と彼が呼ぶ、これから収監されるか出所するホワイトカラー犯罪者の支援グループを立ち上げるというものだ。大柄で多弁、なでつけた銀髪と力強さを感じさせる青い目が特徴のグラントは、かつてニューヨーク州ライで高給取りの弁護士をしており、学校の理事会役員や「グッド・ライフ」というレストランの共同オーナーもしていた。膝のけがをした後、彼はオピオイド中毒になり、個人的な費用を賄うためクライアントの口座から預金を盗み出すようになった。その後、ローンの申し込みで虚偽申告を行い、有線通信不正行為とマネーロンダリングの罪を認めた。彼はペンシルヴェニア州アレンウッドの連邦矯正施設で一八カ月を過ごした。出所後は神学校に通い、グリニッジでは彼がアドバイスを必要としている人に自分の経験を共有する用意があるという話が広がっていった。

「真夜中でも電話がかかってくることがありましたね」とグラントは語る。あるケースでは、自分の事件がニュースで取り上げられてしまったウォールストリートの金融業関係者がデスクの下から電話をかけてきたこともあったという。その男性はとてもではないがオフィスから出ていこうという気持ちにはなれなかったそうだ。「『外に出たら、みんなが自分のことに気づくんじゃないかと思って』と話していました」――グラントはそう振り返っている。

その後の数年で、グラントは全米各地の何百人ものホワイトカラー犯罪の被告から寄せられる相談に乗ってきた。彼は実際面のアドバイスに加え、ディートリヒ・ボンヘッファーの『獄中書簡集』やアレクサンドル・ソルジェニーツィンの『収容所群島』といった読むべき本も提案した。刑務所に入る前には、家族や友人の電話番号リストを自分宛に送っておくべしとのアドバイスもした。「いったん入所してしまうと、困惑しすぎて忘れてしまう」からだった。そして、妻に対し面会に来る日の朝には、紙幣には絶対触らないよう念を押しておくことが何より大事だと彼は語る。ほとんどの紙幣にはドラッグの残留物が付着しており、探知機が反応してしまうからだという。

グラントは、グリニッジの支援グループで出会った男性の多くが、成功を追い求めるなかで誠実さを見失ってしまったと感じていた。欲望はモーゼの十戒と同じくらい長い歴史を持っているが、二十一世紀までにアメリカはそれをさらにうまみがあり、許容度の高いものにした。グラントが解説する。「イタリア人が『マレドゥカート（maleducato）』と呼ぶ振る舞いが蔓延しています。わたしたちは、人生で正しいことを大切にしない風潮をもたらす、人格なき社会をつくり上げようとしているのです。一二〇〇年ほど前には、倫理は教育の中心に位置する必須科目でした。しかし、リベラルアーツを中核とする学校は、専門技能を学ぶ学校を前に影響力を失っていきました。ビジネススクールは『ビジネス倫理』なるコンセプトを作り出しましたが、これが本来の倫理に取って代わってしまいました」

シカゴ大学の経営学教授、ルイジ・ジンガレスもこの見方に賛同している。彼は研究を通じて、「道義的な問題を回避するためのあらゆる方法」を見いだしてきたとわたしに語った。ビジネススクールは社会的責任に対して渋々受け入れることしかしないというケースが非常に多いという。フリードマンが利益追求を「唯一の企業の社会的責任」と主張してから半世紀の中で、自分の研究はフリードマンのもう一つの主張――あまり知られてはいないが――を強調してこなかったと認めた。それは、企業は「ごまかしや不正のない、自由で開かれた競争を行う限りにおいて」利益を上げなくてはならないという点だ。ビジネススクールはストックオプションで巨大な利益をもたらす方法についてアカデミックな議論を行う際、役員報酬としてやすやすと利益を得るのを「合法化」したとジンガレスは指摘する。「巨額のオプションの支払いを自身に許すとして、ほかのことはどうなのでしょう？　会社の中であらゆる関係を収益化することがますます許容されるようになっていきました。モラルに反する行いをしたからといって同窓会組織から除名された卒業生がいるとは聞いていません。現在ビジネススクールの理事のなかには、贈収賄やインサイダー取引で有罪判決を受けた人もいますよ。人びとがそれに気づいたり、問題視したりするかどうかは知りませんが」。さらに彼はこう続けた。「チャンスはとてつもなく大きいですし、誰もがグレーゾーンにいることを以前にも増して居心地よく感じています。大きな犯罪を犯した人たちと同じことをしたいという願望は皆無に等しいのです」

ローグズヒル・ロードの恥ずべき事態の背景には、居心地が悪くなる疑問が存在していた。全米でもっとも豊かな地域の一つであるグリニッジは道を見失ってしまったのか、あるいは以前からずっとそうだったにもかかわらず、監視されることがなかっただけなのか、と。ハーヴァード・ビジネススクール教授のユージン・ソルテスは、ホワイトカラーによる違法行為は以前にも増して広がっていると考えている。「厳密に言えば、その問いへの答えは『イエス』です」と彼は言う。「今日、ホワイトカラー犯罪はたしかに増えています。というのも、犯罪とされるものが五〇年前よりも増えたからです」。外国政府関係者への贈賄は一九七七年に海外腐敗行為防止法ができるまでは合法だったし、一九八〇年代までインサイダー取引が捜査対象となることもめったになかった。今では、この二つはもっともよく起きる犯罪となっている。しかし、と言ってソルテスは話を続けた。「おそらく、今の質問をもっと直感的なかたちで訊こうと思っているのではありませんか。同じ法律があったとして、同じ人間の数で見た場合、ホワイトカラー犯罪に手を染める傾向は五〇年前と比べて高くなったのかどうか、と。それは答えるのがかなり難しい問題です」

結局のところ、ホワイトカラー犯罪に関する法律を破ろうとする「傾向」が高まっていることを示すエビデンスはない。確実に変わったと言えるのは、ソルテスが犯人と被害者のあいだの「心理的距離」と呼ぶものだ。「今ではかなりの部分、ビジネスは個人レベルで完結しています。その結果、マネージャーは他人を傷つけているという感覚が小さくなります」とソルテスは語る。研究室の実験シナリオでは、人間は目の前にいる者よりも、会うことがかなり困難な者の人生を犠牲にするほうが胸が痛まないという。ソルテスは何十人ものホワイトカラー犯罪者にインタビューを行ったところ、その多くが価格操作や詐欺によって資産を失うことになった人たちと会う必要はまったくないに等しいと考えていることが明らかになった。

金融犯罪事件に取り組むほかの関係者も、よく似たパターンがあることに気づいていた。それは、現実世界で行われる習慣的な金融活動の結果がもたらす抽象的概念に関わるものだった。元コネティカット地区担当連邦検事のスタンレー・A・トワーディ・ジュニアはデイ・ピトニーという法律事務所のパートナーとなり、グリニッジをはじめ各地でホワイトカラー犯罪の被告の弁護を担当してきた。彼に言わせると、初期の財界の大物は「鉄道の設計と建設を担当した」という。別の言い方をすれば、そうした大物は近代的なマットレスやディクシー・カップを普及させたのである。「こういう人たちは、マネーを使ってトレーディングをしたり、業界で何が起きているかについての情報をやりとりしたりすることで利益を上げてきました。今では、その境界線が曖昧になっています。何が合法で、何が違法か、という境界線です」。彼はこう付け加えた。「この業界にも、ずるをしない人がたくさんいることは間違いありません。結局のところ、人がトラブルを起こすとき、それは往々にして欲望をめぐるものなのです。何億ドルも稼ぐ人がいるけど、その一方で何十億ドルも稼ぐ人がいるじゃないか、というわけです。こうした状況がモラルや倫理を変えているのだと思います。その状況にどっぷり浸かってしまうと、何が何でも勝ちたいという思いからルールを忘れてしまうのでしょうか?」

グリニッジ在住でGE役員だったオーウェン・ヤングは、一九二七年にハーヴァード大学で行った講演で次のように警告を発した。「駄馬を自分のコミュニティの一員に売りつけることは、道徳上の非行だったかもしれない。ぽんこつの車をあまりよく知らない人に売りつけることは、一部ではビジネス上の有能な成果と受け止められていたかもしれない」

この数十年で、道義的な制約が弱まったことを嘆く声は、ウォールストリートに批判的な者からだけ上がっていたわけではなく、当事者の側からも上がっていた。二〇一二年、ゴールドマン・サックスで中間管理職をしていたグレッグ・スミスは「会社の道義的な力強さが低下したこと」に幻滅したとして、退職を発表した。『ニューヨーク・タイムズ』への寄稿で、彼は次のような見方を示した。「過去一二カ月にわたり、五人の常務がクライアントのことを『マペット』〔『セサミストリート』などに登場する操り人形〕と呼ぶのを目の当たりにしてきました。……オフィスの片隅に静かに座り、『マペット』とか『目玉をえぐり出してやれ』とか『カネを稼いでこい』といった言葉に耳をそばだてている若手アナリストが模範的な市民になるわけがないことに気づくのに、頭脳明晰である必要はないでしょう」。二〇一六年、ゴールドマン・サックスは五六億ドルという巨額の罰金を払うことに同意した。これは、主要金融機関が金融危機における責任を担うかたちで支払った二〇〇億ドル以上の罰金の一部をなすものだった。こうした金融機関は広範な被害をもたらした責任を負うべき存在と見なされたが、経営陣が刑務所行きになることはなかった。

近年、非道徳的な行動がコミュニティの中でいかに広がっていくかというテーマについて研究者はよりクリアな理解を持つようになってきた。二〇〇〇年代半ば、連邦政府はストックオプションのバックデーティング（日付の書き換え）をしたアメリカ企業の関係者を刑事および民事裁判にかけるようになった。バックデーティングとは、幹部がストックオプションによって得られる本来の額よりも大きな利益を得るべく、日付の記録を密かに操作する行為のことだ。このスキャンダルの調査が行われた結果、この慣行はシリコンバレーで始まり、その後ビジネス界に広がっていったことがわかった。伝播を媒介したのは、複数の企業で取締役会に名を連ねた特定の個人だと見られる。バックデーティングの慣行は、一つの会社から別の会社へ広がっていったという。

非倫理的な習慣はウイルスのように移動し、隣人や同僚との接触に際し、心理学者が「感情的評価」と呼ぶ、とらえにくい手がかりを経て拡散する。人がある基準（倫理）で過ちを犯しても、別の基準（利益）で成功を収めていたとして、どちらがより重要かの判断は彼らを取り巻く文化、つまりどの価値観が「狭いビジネスのコミュニティのなかでもっとも高く評価されるか」に左右される、とソルテスは指摘する。「ピッキングをする人と一緒にいれば、本人もきっとピッキングの仕方を身につけるでしょうから」

6 みんながやっていることだから（その2）

シカゴの権力の仕組みを理解するためには、市内最大のギャング「ギャングスター・ディサイプルズ」のケースを検討することが有益だ。

ギャングスター・ディサイプルズの誕生は、サウスサイドで路上にたむろするドラッグの売人が結集した一九六〇年代にさかのぼる。クラックの時代が頂点に達した九〇年代半ばには、このグループは推定三万人のメンバーを抱え、イリノイ州のほか七州でほかのギャングを傘下に収めるまでに成長した。リーダーのラリー・フーヴァーは一九七三年に殺人の罪で収監されたが、獄中からグループの活動や方針を指示していた。服役中、彼は『ボス――シカゴ市長R・デイリー』という本を読んだ。シカゴ市長を務めたリチャード・J・デイリーについて書かれたマイク・ロイコによる古典的名著である。「ハンバーグズ」というサウスサイドのアイルランド系ギャングは一九一九年にシカゴ最大の人種暴動を引き起こしたことで知られるが、デイリーはそこで頭角を現し、民主党の権力構造の頂点を極めたのだった。フーヴァーは自身が率いるギャングの政界進出に乗り出した。

ギャングスター・ディサイプルズは「成長と発展（Growth and Development）」というＰＡＣ（政治活動委員会）を立ち上げたが、この名称はグループのイニシャルを表すものでもあった。一九九四年、このＰＡＣの役員が市議選に立候補した。長年ギャングの用心棒をしていたが、暴力的犯罪からは足を洗ったということだった。彼はホワイトハウスで開かれた犯罪についてのグループディスカッションに参加し、ビル・クリントン大統領との対面まで果たした。政治的正当性を獲得しようと、ギャングスター・ディサイプルズとそのフロント組織は、コミュニティの清掃活動や「暴力はやめよう」と銘打った集会、ホームレス向けの炊き出しを展開した。さらに音楽ビジネスやレストラン、アパレル経営に参入したが、その一方で全米最大級のドラッグ販売ネットワークも展開していた。ノースウェスタン大学の社会学者でギャングスター・ディサイプルズについて調査を行ったアンドリュー・パパクリストスによると、構成員は少なくとも八二七件の殺人への関与を疑われているが、これはアル・カポネが全盛期にあった頃に組織犯罪グループが関与したとされる殺人事件よりもおよそ三〇〇件多い数だったという。

二十世紀末、ギャングスター・ディサイプルズは分裂が進んでいた。連邦政府によって主要幹部が逮捕され、公営住宅の取り壊しによって構成員は散り散りになっていった。かつてシカゴには主要グループが六〇あったが、何百もの「分派」に分かれていった。各分派の規模は、構成員が十数人で数ブロックをコントロールする程度というケースが多かった。ギャングスター・ディサイプルズは少なくとも七五の分派に分かれ、グループ間の抗争によって暴力事件が急増した。あるケースでは、「Ｇ‐

ヴィル」と「キッラ・ワードド」という二つの分派がサウスサイドのオーバーン・グレシャム地区で隣接するエリアを支配していた。警察によると、両派は一二カ月間で二七人の殺害に関与したとされる。二〇一六年の晩冬、わたしは犠牲者の一人、フィリップ・デュプリーの葬儀に参列した。二十六歳の彼は四人の子どもを持つ父親で、夕食を終えて祖母が運転する車で帰ろうとしたときに待ち伏せ襲撃を受けたのだった。銃撃から逃れようと、祖母は車を三ブロック走らせた後、ガードレールに衝突した。犯人は車に近づき、銃撃を続けた。デュプリーは車内で死亡した。祖母のほうは銃弾が頭の上をかすめただけだったが、コートのフードには銃弾の穴が五つ開いていたことが後でわかった。救急隊員によってハチの巣状態になった車から引き出された彼女は、娘のアルフレイダ・コブに二通のショートメッセージを送っていた。最初のメッセージは「フィリップ」で、その次は「死んじゃった」だった。

フィリップ・デュプリーは有名になりたがっていた。彼はインスタグラムで、自分のことを「俳優・ラッパー」と紹介していた。銃を持った自分や、現金やマリファナの写真が投稿されていた。しかし、誇示した富は虚像でしかなかった。母親に話を聞かせてもらうことができたが、彼女は「ニュースに出て、『息子は完璧な子でした』と言うつもりはありません」と言っていた。ただ、彼が「人から愛された」ことはみんなに知ってもらいたいと思っていた。「助けてくれる人がどこにもいなかったから殺されてしまったとは誰にも言ってほしくありません」と彼女は言う。葬儀には何百人もの参列者が訪れた。前方には、外は銀色で内側は白のサテン地の棺が置かれ、そこにデュプリーの遺体が納められていた。銃創は見えないようにされていた。彼の頭には新品のグレーのシカゴ・ホワイトソックスのキャップがかぶせられていた。

デュプリーの葬儀が終わった後、わたしは彼が殺害された現場まで車を走らせた。一月のことで、仮設の祭壇がある歩道は友人によって除雪され、掃き清められてあった。そこには白いテディベア、それにコニャックとテキーラの空き瓶が八本置かれていた。奥の壁にはメッセージボードがあり、コメントで埋め尽くされていた。なかには、「このクソみたいなことが起きたなんて信じられない」と書かれたものもあった。わたしがメモを取っていると、自分と同じ年代の男性が通りかかり、何をしているのかと訊いてきた。フィリップ・デュプリー殺人事件について取材をしてるんです、とわたしは答えた。

わたしが『ニューヨーカー』に寄稿していることを知ると、彼はしばし無言になった。「あの、イラストが付いてるやつか?」と訊いてきたので、わたしはうなずいた〔同誌の表紙には毎号イラストが付いている〕。

彼はにこりとしてこう言った。「それなら、ムショで読んだことがあるよ」。彼は自己紹介をして、モーリス・クラークと名乗った。「でもみんなからはリースって呼ばれてるけどね。この辺じゃ、『悪党リース』ってのが通り名でさ」。そう言ってジャケットの中に手を入れ、デュプリーの葬儀の式次第を取り出した。彼も教会を後にしたばかりだったのだ。彼は長年、故人の隣に住んでいたという。「灰は灰に、泥は泥に、だったな」〔旧約聖書「創世記」に基づく共通祈禱文。「土は土に、灰は灰に、塵は塵に」を少し間違えたものと思われる〕と彼は言った。

クラークは四十四歳で、高い頬骨と丁寧に整えられた山羊ひげが印象的だった。寒い日だったのでグレーのニット帽をかぶり、パーカーの上に薄手の黒いウィンドブレーカーを二枚羽織っていた。話をするなかで、彼はスラングを使ったかと思えばおばあちゃんのようなひそひそした話し方をしたりもした（「神は不幸に見えるけど幸福なものを授けてくださるのさ」という言葉も出た）。刑務所に収監されることになった理由を訊いてみると、彼はこともなげに教えてくれた——殺人未遂だよ、と。彼は十代でギャングスター・ディサイプルズに加わり、対立するギャングの構成員を撃ったというのだ。「出所したら三十になってたね。二十代を全部無駄にしちまった」。彼はギャングの縄張りに従う必要はもうなくなっていた。「違う時代から来たんでね」と彼は言う。今のティーンエージャーは彼に関わろうとはしなかった。「おれはあいつらが『トリプルＯＧ』と呼ぶ存在なのさ。オリジナルの、オリジナルの、そのまたオリジナルのギャングスターという意味だってよ」

デュプリーが殺害された日、クラークは近くの店にいた。銃声と車が破壊される音を耳にしたという。外に出ると、デュプリーの祖母が座席から這い出ようとするところだった。銃弾でコートに開いた穴から白い綿の詰め物が飛び出していた。Ｇ－ヴィルとキッラ・ワードの対立が始まった原因について尋ねると、「見せてやるよ」と彼は言った。わたしは彼を車に乗せ、美容室と小切手換金店を通り過ぎて西に数ブロック行くと、交通量の多いアシュランド・アヴェニューの角にたどり着いた。「ここから全部始まったんだよ、このどうしようもないガソリンスタンドでな。すべてはジャケットをめぐって始まったんだ」

ファルコンフューエルは西側にあるキッラ・ワードと東側のＧ－ヴィルの境界をなす、人気のたまり場だった。このガソリンスタンドは中立的な場所のはずだったが、このときは一方の構成員数人が相手側の男から高価な新品のジャケットを盗もうとするという事態が発生した。「連中は男の上に飛び乗ったんだが、彼はプライドがすごく高いやつでね。一度離れてから、連中の一人を撃ったのさ。

そこからは手がつけられないくらいにエスカレートが止まらなくなっちまったんだ」

そこから二時間にわたり、わたしたちは脇道を行き来し、車を降りては乗り、クラークは小さな名もなき抗争の実態を語ってくれた。板でふさがれた店の入口に開いた銃弾の穴や割れてクモの巣状になった雑貨店のガラスに手を走らせ、罵声と発砲の応酬が織りなした複雑な経緯の痕跡をたどっていった。わたしたちの歩いたルートを地図で見れば、どの方向でも一〇ブロックに満たないほどの範囲を行ったり来たりする、巻かれたスパゲティのように見えたかもしれない。ギャングが何キロにも及ぶ広大なテリトリーを支配していた一九八〇年代から九〇年代にかけては、一つの街角が持つ価値はさほど大きくはなかった。しかし、分派の持つテリトリーがそこだけであれば、それを死守するために戦うことになる。シカゴは行政上七七の地域に分かれているが、市の統計によると、典型的な一年では銃撃事件の半分が十数地域に集中していた。「そういう事件は固まったところで起きているんだ」とクラークは言う。

さらに、今では昔よりはるかに多い数の銃があると彼は言う。「昔なら銃は一丁しか持っていなかっただろうし、その一丁を入手するのだってたくさんの手続きを踏んだり、ちゃんとしたルートを通さなくちゃならなかったんだがね」。彼の時代と同じくらい暴力的なものとして、ターゲットの選定とその理由についての不文律があるという。「誰かが『おまえ、誰を撃とうとしてるんだ?』という感じで言ってきたとしようか。『おれの継父を殺してやるんだ。だって、あいつおれの姉ちゃんをレイプしてるんだから』と答えれば、『オーケー、おまえその銃を持っていって、そいつのケツにぶち込んでやれよ。あと、予備の弾丸も持っていけ』という具合だったから」。隣接するインディアナ州の銃規制法は緩いことで悪名高かった。「一五分で向こうに行けちゃうんだよ」と彼は言う。いつだってショッピングで行くという人が誰かしらいた。「まあ、そいつに一五〇ドルくらい渡しておけば、はいガタン！　新品のピストルがお手元に、というわけさ」

クラークとわたしは彼の家に立ち寄った。れんが造りの二階建ての建物で、母とシェアするかたちで住んでいた。リビングでルディという彼のガールフレンドを紹介された。一歳になる息子のジェレミアはリビングに置かれたベビーベッドに立ち、テレビでアニメを見ていた。クラークは部屋が寒くて申し訳ないと言った。「お客さんをお迎えするとは思っておりませんで」と、形式的な詫びの言葉を口にした。節約のため暖房を切っているとのことで、ガスコンロを強火にした。青い炎がコンロの上から伸びるように燃えさかった。安全には見えなかったが、火事よりも寒さをしのぐことのほうが彼らにとって大事だった。

クラークはポケットから葬儀の式次第を取り出し、昔ながらの写真アルバムに丁寧に挟み込んだ。そこには彼の地域で亡くなった若い男たちの葬儀の式次第や死亡記事がいくつも収められていた。それぞれ博物館の史料のように、透明なフィルムのカバーがかけられていた。わたしは数カ月にわたりこの地域に繰り返し来ていたので、名前に見覚えがあった。デュプリーの友人の一人、ショーンデル・ハリスは二〇一二年三月、コンビニエンスストア近くで起きた銃撃戦で命を落とした。彼の葬儀の式次第には母親から一言が添えられていた――「わが息子ショーンデル、子どもを失ったのはあなたで三人目」。こうしてまとめて見ると、誰が存命ではないかを示すという点で、卒業アルバムの逆バージョンのように感じられた。つまり、わたしの曾祖父について言われたような「前途有望」ではない銃撃の犠牲者、ということになる。シカゴでは過去一二カ月で四六八人が殺害されたが、これは全米の都市のなかでもっとも多い数字で、前年比でも一三パーセント増加していた。

アルバムのどのページにも、一人ひとりの犠牲者に深く関わる物語と、その後に起きる物語の序曲があった。クラークにとっては、このドラマは個人的で相互につながっているものだった。時が経つにつれて、一つひとつの殺害事件の影響が増幅し、死そのものを超えた意味を持つようになっていった。生き延びた者はこの場所を去り、安全な地域で家を探すことにした。二〇〇〇年から二〇一〇年にかけて、シカゴでは黒人住民が一八万一〇〇〇人減少したが、その多くはミドルクラス世帯だった。その結果生じたのは、残された者のいびつな孤立状態がさらに悪化するという事態だった。クラークは言う。「ロールモデルになれるのはどんな人間だ？　通りの先にいる泥棒か？　ホームレスになって家族を失い、街角で何をすべきか説教を垂れるようなやつか？」

若い世代は、想像上のコミュニティをもたらしてくれるソーシャルメディアに居場所を見つけた。しかし、彼らは根深いもろもろの人間関係に束縛されていた。クラークは公営住宅棟の取り壊しに関連性を見いだしていた。人びとはコミュニティという感覚、あるいは政治学者が言うところの「社会関係資本」を失ってしまっているということになる。「そうなると犯罪が増えるんだよ。つまりな、一〇〇年前から知っている人間なら、そいつから物をふんだくるということはしない。でも『あいつら』だったらどうだ？　他人なんだよ。だから、あいつらからは物をふんだくるというわけさ」

わたしはベビーベッドにいるジェレミアを見つめていた。ワシントンの自宅では、サラベスがわたしとの最初の子どもを身ごもっていた。男の子であることがわかっていた。ジェレミアはかなり異なる環境のもとで――健康に関するもっとも基本的な諸条件も含め――この世界に入っていくことになる。一例を挙げると、オーバーン・グレシャムはシカゴの最南西部に位置する地域のなかで喘息の罹患率がもっとも高かった。原因は研究者の調査によって特定されていた。人口の九六パーセントが黒人で占められるオーバーン・グレシャムのように、人種による住み分けが明確で低所得の地域は、高速道路や交通量の多い道路の近くにあるケースが多い。住民はカビやほこりの清掃や害虫の駆除に充てる資金の余裕がなく、この地域の大人の喫煙率も高いときている。銃犯罪ですら、喘息発症のリスクを高めることにつながる。治安が悪い地域では親が子どもを室内にいさせたがるが、それによって前述のリスクにさらされてしまうためである。言い方を換えれば、オーバーン・グレシャムで育つということは、それ自体がマイナス要因なのだ。

暴力的犯罪はほかにもさまざまなかたちで子どもの健康に影響を及ぼしている。危険な状況がもたらす環境は、一年間の学校教育に相当する言語発達を阻害するほどのストレスを与え、早い場合は幼稚園の段階でそれが起きていることが研究で示されている。ジェレミアの地域の学校も、優秀な教師の確保に苦労しており、その影響は時とともにはっきりしていった。ハーヴァード大学の経済学者、ラジ・チェティは二〇一四年に行った研究で、きわめて優秀な教師の存在があれば、生徒は卒業後の数十年で収入が五万ドル増えると指摘した。さらに、生徒が住むコミュニティの未来にも影響を与えるという。こうした逸失収入をクラス全体に広げて考えてみると一四〇万ドルにもなり、その分だけ子どもたちは住宅や地域への投資に使うことはできなくなってしまう（学校区は給与やボーナスを成果にリンクさせることできわめて優秀な教師を確保すべしとチェティは提案している）。

クラークにはケイレブという四歳の男の子もおり、息子たちをこの街で育てることに不安を抱いていた。「昔は毎年夏になると、子どもたちをここの地域の外に出してくれるプログラムを市がやっていたものさ。やることがあったわけだよ。でもその後、そういうプログラムはなくなっちまったね」。クラークは州の財政事情を詳しく知っているわけではなかったが、ニュースの見出しを埋め尽くす汚職と関係があるであろうことはわかっていた。「ここには上院の議席を売り飛ばした知事がいたからな。ブラゴジェヴィッチだよ！」


クラークの父、プレストン・モーリス・クラークの先祖はバーミンガム郊外の奴隷主の所有物だった。クラークの祖母リリアンは二十代のときにシカゴに出て、テネシー出身で機械工をしていたフロイド・サンダースと結婚した。フロイドはステート・ストリートに「フロイド・タイヤ」という自動車修理工場を開いた。夫妻はリズとアニータという二人の娘を育て、一家はその後サウスショアにれんが造りのバンガローを購入した。場所は誰もがうらやむミシガン湖近くにあり、黒人が圧倒的に多く、自信を持って暮らせる地域だった。

クラークは四人きょうだいの末っ子として一九七一年に生まれた。継父のロバート・ハウエルは市の道路衛生局所属でごみ収集車の運転手という安定した仕事をしていた。彼とクラークは仲がよかった――あまりに親密だったので、クラークは彼が血のつながった父親ではないかと思ったほどだった。ほどなくして、母からは本当の父親は暴力的で、もうこの世にはいないと聞かされた。のちに彼女はこう打ち明けた。実は父は生きており、数ブロック先のところに住んでいるのだと。クラークは十代のとき、父の家に行きドアをノックした。知らない女性が出てきたので、クラークは自分のことを説明した。彼女は用心深そうな様子で彼を見つめ、あなたのお父さんはいま家にいないのと答えた。以来、もう一度父の家に行ってみようという勇気は出なかった。

彼はサウスサイドのなかでもっとも南側にある、ウェストプルマン地域で育った。そこはかつてプルマン〔鉄道車両の製造会社〕の客車工場周辺に黒人コミュニティが広がったことで知られており、その名残をとどめていた。一九七〇年代には、近くの公営住宅とは対照的に彼の地域は安定しており、住民同士のつながりも強かった。町内会が機能していたし、ソフトボールの試合や世代を超えたパーティーも開かれていた。「親たちは上にいて、子どもたちは地下の部屋にいさせてくれてね。一一時半になるとそこから追い出されていたものさ。平和だったなあ」。夏になると、異父兄で五歳年上のダレンとダリルが毎朝日帰りキャンプに出かけ、郊外の森林保全地域に連れて行ってもらっていた。夜に兄たちは帰ってきて、森の中で見つけた羽根を見せてくれたり、武勇伝を聞かせてくれたりした。

小学校に入学すると、クラークは数字に強いことがわかった。食料雑貨店への買い物で母について行ったときは、カートに入れられた商品の値段を確認して、レジに行く前に合計金額を計算することが楽しみだった。「税金分の加算だってやってたもんだよ」と彼は言う。母は息子が通う地元の学校で、教科書の製本が弱くなってしまったり、ページが破れてしまったりしているのに気づいた。「そうかあ、困ったもんだね」と彼女は息子に言った。「あの学校には行かないほうがいいね」

一九八一年に五年生になると、母はクラークをマウント・グリーンウッド地区にある学校に転校させた。市の最南西部にあるアイルランド系カトリックが居住する地域だ。何十年にもわたり、シカゴでは白人の政治家や保護者は学校での人種融和策に抵抗してきた。しかし八〇年までに、一部の黒人地区では生徒数が増えすぎたため入れ替え制で授業をせざるを得なくなった学校も出る一方、白人地区では郊外に出ていく世帯が増えたことで教室には余裕ができていた。この年、司法省がシカゴの学校を相手取って裁判を起こし、両者はシカゴ市に人種融和策のさらなる強化を義務づける同意判決に署名したのだった。

シカゴでは市内居住が要件となる警官や消防隊員、その他の市職員が、クラークの自宅から六キロあまり離れたマウント・グリーンウッドを選んでいた。この地区は限りなく理想に近い場所だった。アイリッシュパブや窓にカトリック学校の制服を掲げるパパママ商店が軒を連ねていた。圧倒的に白人が多いのも偶然ではなく、人種的により多様な周囲の地区とは、隣接する墓地によって隔てられていた。

マウント・グリーンウッドにはレイシズムをめぐる不名誉な歴史があった。一九六八年に複数の黒人の八年生〔中学二年生に相当〕が初めて地区の学校に入学しようとしたとき、石を投げられたり抗議のプラカードを掲げられたりしたのだ。そのむき出しの敵意に、『シカゴ・ディフェンダー』紙がマウント・グリーンウッドを「シカゴのリトルロック」〔リトルロックはアーカンソー州の州都で、一九五七年に人種差別問題で大きな騒動が発生した〕と呼んだほどだった。それから数十年経っても、恐怖と敵意はやむことはなかった。「あの人たちのことが嫌というわけではないけど、自分の家の隣に住んでほしくはないですね」。マウント・グリーンウッドでウェイトレスをしており、警察官の夫を持つペギー・オコナーは、一九九二年に人種隔離に関する記事でそう語っていた。「あまり近づきたくないんです。あの人たち、ずーっと文句ばかり言っていると思う。そういうのはうんざり」。さらに彼女は「黒人は食料配給券《フードスタンプ》でポーターハウス・ステーキを買っているでしょう。こっちはハンバーガーを食べているというのに」とも言ったが、実際にフードスタンプでステーキを買っているのを見たことは一度もないと認めてはいた。

人種融和策についての合意後、またしても群衆がスクールバスに向かって野次を飛ばす事態が起きたとき、クラークもそのバスに乗っていた。「連中はおれにもバスにも石やリンゴを投げつけてきたよ。バスが学校に向かおうとしてうちのブロックを出るときは、警察に護衛してもらわないといけないくらいだったな。そうすると今度はいきなり、『ニ〇〇は帰れ!』とか『ここはおまえたちの場所じゃない!』なんて書かれたプラカードを見せつけられたり、保護者から同じことを言われたりしたんだ」

こうした抗議行動があったものの、クラークはめげることなく、学校生活を楽しんだ。教科書は新しく、汚れ一つついていなかった。ヒスパニック、黒人、ギリシャ系、アイルランド系と、さまざまな人種の友人をつくった。九年生になるとき、多くのクラスメートが共通テストで高得点を挙げているモーガンパーク高校に進学していった。彼もモーガンパーク高校を見学しに行き、そこに通う自分の姿を想像した。「いい感じでさわやかな学校だったよ。人種的にも統合されていてね。白人も黒人も。何と言うか、高級な雰囲気だったな」。しかしその後、これまで利用してきたスクールバスは八年生で終わりとの報せが彼の両親のもとに届いた。両親には公共バスの費用を出す余裕はなかったため、クラークは代わりに地元のフェンガー高校に入学した。アメリカンフットボールが強いことで知られていたが、暴力の激しさでも有名な高校だった。当時を振り返りながら、クラークは一瞬悲しそうな笑い声を上げて、こう言った。「それがおれの犯罪人生の始まりさ」

クラークが十六歳になった一九八七年、連邦政府教育長官のウィリアム・ベネットは、シカゴの公立校の状況は全米で最悪だと発表した。中退率は四〇パーセントに達していたし、市内の高校の半数は大学入学テストの成績が下位一パーセントに入っていた。フェンガー高校にいたクラークからすれば、この現実を否定する理由はまったくなかった。

入学して彼が最初に気づいたことの一つは、ギャングの構成員になっている上級生の存在だった。彼らは授業には出席していなかったが、学校を活動拠点にしていたのだ。「二、三年授業に出ていないやつがいたけど、そいつが昼飯食ってるんだよ」とクラークは言う。食堂のカオス状態は、管理関連を対象とした予算カットという決定が引き起こしたものだった。シカゴ市の教育政策ではほかでも同様のことが起きていたが、これは予算をめぐる妥協の結果だった。公立校の予算は減額が続き、フェンガー高校は大胆なかたちで支出を切り詰めていた。「授業料の徴収業務、無料もしくは低料金の給食プログラム、ロッカーの管理、避難訓練、卒業式」――これは、事態を憂慮した保護者や教員が一九九一年に教育委員会に宛てた書簡で、直近の数年でカットされた項目として列挙していたものだ。あまりに多くの基本的な活動がストップしてしまったため、学校は機能不全に陥っていた。書簡ではこう記されている。「財政の健全性を保つ必要性は認識しておりますが、こうした予算面の決定を下した方が高校の運営において必要とされるのは何かを本当にご理解いただいているのか、疑問を感じずにはいられません」

名声を得ていたアメリカンフットボール部も、一九九一年には荒廃していた。チームのコーチは過去一二カ月で殺された現役選手と元選手の名前を六人挙げられるほどだった。スポーツ関連の予算は廃止寸前にまでなっていた。前出の保護者による書簡では、同予算は八八パーセント削られ、七五〇ドルにまで落ち込むことになると指摘されていた。この年には教員も大幅に減らされた。取材で同校を訪れた『シカゴ・サンタイムズ』紙の記者に対し、生徒の一人はこう答えている。「卒業アルバムの担当はいなくなったね。校内新聞担当の先生もいなくなった。コンピュータの上級クラスを教える先生もいなくなった。フランス語の先生はスペイン語を教えてるよ」

クラークはこの惨状と機能不全を受け入れようとはしなかった。彼にとって何よりも好きだったのは数学だった。しかし、数学担当の教師は妨害行為を食い止めるのに多くの時間を割かざるを得ず、授業をするエネルギーは残っていないようだった。クラークが回想する。「『みんな、とにかく大人しくしててくれ。そうすれば単位はやるから』って先生は言ってたもんだよ。燃え尽きちゃっていたんだろうね」

学校が生徒の才能を開拓する能力を失うと、その影響は社会全体にじわじわと広がっていくものだ。前出のハーヴァード大学の経済学者、チェティが共同代表者を務めた特許に関する研究によると、成績が上位一パーセントに入る子どもは、貧しい環境出身の比較的優秀な子どもと比べ、発明をする確率が一〇倍高いという。研究グループは、低所得層かつマイノリティの家の出身で才能のある子ども――「失われたアインシュタイン」と彼らは呼んでいる――が白人富裕層の子弟と同様の容易さで独創的な成果を出すための教育を受けることができたとしたら、アメリカのイノベーションの水準は四倍高くなるはずとの推計を示している。

毎朝自分の地区を出て通学することがなくなり、数学のクラスに期待する理由もなくなると、クラークの世界は小さくなっていった。この縮小傾向は、警察との接触によって拍車がかかった。夜になると、九五番通りとウェスタン・アヴェニューの角——そこが黒人地区と白人地区の境界線だった——で警察車両が取り締まりの任務に就いているのを彼は見ていた。警官はバイクで白人地区に入っていこうとする黒人の若者に対し、迂回するよう手振りで指示するのだった。「警察はこっちの車を停めさせて、嫌がらせをしてくるんだよ」とクラークは言う。

自分のブロックで過ごす時間が長くなればなるほど、年上の若者が家の前の階段にたむろしたり、車のことに熱中するさまが頻繁に目に入るようになった。そのうちの一人「ビッグD」はクラークのブロックで最大のドラッグディーラーで、ぴかぴかのコルベットやど派手なリンカーン・マークⅦを乗り回していた。「おれたちは外に行くんだけど、やることもなかったんだよね」とクラークは言う。「そこで、こういう連中がいて、いい車に乗って、クスリを売って、でも警官が何かしてくるわけでもないんだ。警官はこっちを見て、『いいか兄ちゃんたち、おまえらが死んだところで、こっちの知ったことじゃないからな』みたいなことを言うだけだったから」

子どもながらに、クラークは自分のコミュニティを支えた柱が消え去っているのを感じ取っていた。「兄さんたちがもうサマーキャンプはないって言った日のことは覚えてるよ。母さんも父さんも、『いったいこれからどうしろって言うわけ？』って言ってたな」。クラークにとっては、サマーキャンプの終了は決定的な事態に感じられた。「あれはサマーキャンプにおれたちを入れることで、能力を向上させようとしてたんだ。外国語を教わったりもしたよ。スペイン語とかな。路上にたむろするやつらを変えようとして政府が予算を出していたというわけ。だからさ、それがなくなっちまったら、連中は何をすると思う？」

クラークは大きくなるにつれて、儀礼やつながりが失われていくなかでよりどころをなくしているように見えるのはティーンエージャーだけではないことに気づいていった。近所に住む子どもの父親の一人は、夏はネクタイと半袖シャツ、冬はネクタイにコート姿という市バス運転手の制服に身を包み、クラークの家の前をきびきびとした足取りで毎朝歩いていた。その後、彼は職を失い、小口のドラッグディーラーに転身した。クラークに言わせると、「オンス単位で売っていた」という。「シャツとネクタイは変わっていなかったけどね」と、当時の姿をクラークは覚えていた。普段着に切り替える心境にはなれなかったようだ。

クラークの兄たちはギャングスター・ディサイプルズに加わり、その後、彼自身も同じ道をたどった。彼が任された仕事には、一風変わったものもあった。母の日に、ギャング指導者の妻に花を持っていくよう命じられたのだ。しかし、大半の仕事は暴力的で、残酷なものも少なくなかった。古参メンバーの一人は獄中からクラークに電話をかけ、ある家に行き、「あのクソ女のむかつく顔をぶん殴ってこい」との指示を出してきたこともあった。クラークは家の玄関に行き、ドアをノックした。女性が出てきた。「『レジーナはいるかい？』って訊いたよ。すると向こうは『それ、わたし』って言ってきた」。彼は一呼吸おいて、彼女に「あんたの顔をぶん殴ってこいって言われてきたんだけど」と伝えた。「でもね、相手は女性だろ。だからやらなかったよ」。自分が訪問したこと自体で意図は伝わったはずだ、と彼は考えた。「行こうと思えば行けるし、触ろうと思えば触れるぞって向こうにわからせるっていうことだね。そういうのはテレビだけの話じゃないのさ」

十六歳の誕生日を迎える少し前の一九八七年二月、クラークは初めて逮捕され、規制薬物所持の容疑で起訴された。コカインを売っていたのだ。この事件を経ても彼はひるまなかった。十七歳になったときには、ドラッグの密売で、高性能スピーカー付きで内装が白の革張りのマスタング・コンバーチブルを買えるほどのカネを手にするまでになっていた。

ほどなくして、彼はハワイのサプライヤーから直接コカインを買い付けるようになっていた。先方は丸いクッキー缶に入れて何キロものコカインを発送した。「『真珠の母』って呼ばれてたね。純ペルー産のフレーク〔コカインのこと〕だったな」。地元では、クラークは大口のドラッグディーラーとして知られるようになり、二五〇グラムを二万四〇〇〇ドルで売っていた。「みんなおれのことを『クオーター・キー〔麻薬一キロのこと〕の悪党』って呼んでいたね。あのヤクがあっという間になくなっちまうんで、『おい、あのさ、売りに出したいんで、キーを七個持っていないか？』なんて聞き回っていたもんだよ」と彼は振り返る。彼はカネと車が好きだったし、組織も立ち回りも好きだった。家ではコカインを小さい袋に小分けして靴箱に保管し、路上でいつでも売れるようにしていた。自分について、規律があり寛大な人間に見られたいと思っていた。「スタッフには多めに報酬を支払っていたね」

一時期ではあったが、クラークは別の道を歩もうとしたこともあった。姉のディアンナが高校を卒業し、シカゴ・マーカンタイル取引所の手荷物預かり所で、預かったジャケットや荷物の管理をする仕事に就いた。ほどなくして彼女は取引所の一角で電話対応の担当に昇進し、弟のリースに手荷物預かり所で働くチャンスをあげてくれないかと上司に頼んでみた。彼はパートタイムで働くことになったが、ほかの兄弟が持っているような影響力とは大きな開きがあり、自分がドラッグの取引から得る儲けやステータスともほど遠かった。

一九九〇年七月のある夜、十九歳になる直前だったクラークは、ギャングスター・ディサイプルズのメンバー数人（クラークいわく「おれの護衛」）とともに自分のガールフレンドを家まで送っていく途中だった。そこはライバル集団の「フォー・コーナー・ハスラーズ」が支配するエリアで、クラークたちは路地で彼らと鉢合わせすることになった。そこからの数分間で起きた事態を振り返りながら、クラークは「おれの護衛が近寄ってくそったれどもを撃ったんだ」と、形式的なことであるかのような口調で言い放つまでに至る、込み入った挑発の応酬について説明を試みてくれた。二日後、クラークは警察に逮捕され、同じティーンエージャーのナギ・マクグラストンを銃撃した殺人未遂の容疑で起訴された。

クラークは麻薬の密売でかなりのカネを貯め込んでいたため、自腹で保釈金を払うことができた。翌年のかなりの期間で事件の法的手続きは進んでいったが、大人しくしているつもりはさらさらなかった。ゴールドのBMW——映画『ニュー・ジャック・シティ』のアイス-Tが好きな車をまねたものだった——で街中を走り回っていた。

だが、迫っていた裁判はカチカチと音を立てて進む時計のように感じられた。クラークはふと思い立って、ある日の午後に実の父にもう一度会いに行くことにした。クラークは父が公園で多くの時間を過ごしているのを知っており、そこのベンチに独りで座っているのを見つけた。クラークは他人のふりをして近づいた。

「『すみません、いま何時か教えてもらえますか?』っておれは言ってみたんだ。そうしたら、時刻を教えてくれたね。おれは『ありがとう』って言ったよ」。そこで彼は演技をやめにした。「『ちょっとさ、あんたおれが誰かすらわかっちゃいないだろう?』って言ったね」。父は彼を凝視し、どういうことか合点がいったという表情をした。「なんてこった、息子じゃないか!」。父はクラークを赤ん坊だったころのニックネームで呼んだ──「ツー」(「あっちはワンで、おれがツーだったんだ」とクラークは説明する)。「親父をハグして、握手して、遊んで、いいひとときを過ごせたよ」。二人は再会を約束した。

「その後だよ、しくじっちまったのは」とクラークは言う。彼は友人数人と闘犬でのカネ稼ぎのためにピットブルを育てていたが、その夏のある夜、彼らのチームがライバル集団と対決する事態が起きた。「トータルでの取り分は、現金が八万ドル、それにコカインが六キロだったな」──後者は五〇万ドル近い価値がある戦果だった。勝ったのはクラーク側だった。その場にいた全員に、クリスチャン・ディオールのジャンプスーツとナイキ・エアマックスの新作を見せつけながら、「おれも戦いに加わったよ」と彼は言う。しかし、敗者の前で勝ち誇った姿勢を見せつけるのは失敗だったし、彼自身それを悟っていた。数日後、負けた側が「急襲要員」を送り込んできた。クラークは友人宅にいるところを見つかった。そこから起きた接近戦では、クラークは誰が誰を撃ったのかよくわからないほどだったという。それから数日経った一九九二年七月三十日、彼は再逮捕され、監獄に戻されることになった。

容疑が積み重なっていたため、今度は保釈される可能性はなかった。一九九三年五月十九日、彼は殺人未遂の容疑で裁判にかけられ、有罪となり懲役一五年の刑に処せられた。人によっては破滅に感じられる事態だったが、クラークは違ったかたちで受け止めていた。刑務所行きを避けることはほぼ無理だろうと覚悟していた。二人の兄はいずれもすでに塀の中にいた。クラーク自身は具体的な数字は知らなかったが、黒人の収監率は白人よりも六倍高かった。さらに言えば、高校を卒業できなかった黒人男性が三十代前半までに刑務所行きになる確率は、大卒の黒人男性の一〇倍にもなっていた。彼は同時に、自分に注目が集まり続けたとしたら、ギャング人生であとどれだけ生きていけるだろうかとも思った。

「ちょっと落ち着いて考える時間が必要だったんだ」と彼は言う。だが、父と再会することはできなかった。プレストン・モーリス・クラークは四十六歳でこの世を去ったが、そのとき息子はまだ獄中にいたからだ。

7 みなさまがた

それからの一〇年で、リース・クラークはステートヴィル、セントラリア、マウント・スターリングといったイリノイ州内の刑務所を転々とした。かつてわたしの曾祖父を撃った十六歳の少年ウィリアム・ウォジトコウスキが収監されたポンティアック刑務所もその一つだった。クラークはアメリカ史におけるもう一つの重大な人口移動に巻き込まれた格好だった。それは黒人男性の三分の一近くが刑事司法制度の対象になるという、破滅的な影響をもたらすものだった。一九七三年から二〇〇〇年にかけて、アメリカでは受刑者の数は二〇万人から一四〇万人へと、七倍にもなった。彼が塀の中にいるあいだに、アメリカは農民の数よりも囚人のほうが多い状態で二十一世紀に突入したのだった。

入所したときにクラークが覚えたわずかな安心感は、つかの間のことだった。刑務所内では、理不尽としか言いようがない暴虐に戦慄した。彼にとって暴力は身近な存在だったとはいえ、刑務所という閉ざされた空間の中でギャング間の対立が激化するさまを見せつけられることになった。周りの囚人は殴打や刺傷によって外見が変わり果ててしまった。刑務所でのスラングで言うところの「パンプキンヘッド」になったのだが、これはハロウィンのカボチャちょうちんのように切り刻まれたことから来ていた。刑期が二年経ったとき、彼のメンタルは崩壊し始めた。それまで経験したことがない突然のパニックに襲われるようになった。髪の毛もごっそりと抜け落ちていった。「弱い連中は自分で首をつっていったよ」と彼は言う。自分も心の平静を失いつつあるのではと心配になった。「おれは自分の独房にこもったよ。『お助けください』って神に祈りを捧げていたんだ」

次第にクラークは、できる限り適応しようと努めた。刑務所の主要エリアには立ち入らないようにし、牧師と時間を過ごし、所内の仕事を引き受けることで忙しい状態を維持しようとした。所外から毎朝仕事で来る理容師は、ヘアカットの仕方を教えてくれた。「『こうやってカネを稼ぐんだよ』って言ってたよ」。彼にとっては、初めて身につける手技だった。「あの狂ったくそったれどもから逃げるために、床屋のところに行くのが待ちきれなかったよ」。出所できたのは二〇〇一年五月一日のことだった。「自分が生まれ変わった日になったね。成長した人間として出てきた日だった」

現実には、まっとうな手段で生計を立てる方法をほとんど知らずに社会復帰をしなくてはいけなかった。保護観察官が仕事を斡旋してくれたり職業訓練を受けさせてくれるのではと期待したが、クラークの担当になった男性はオーバーワークで、ケアはほとんどしてくれなかった。「向こうは見ているだけなんだよ」と彼は言う。クラークは保護観察中ないしほかのかたちで監視下に置かれているアメリカ国民五〇〇万人の一人だった。人材派遣会社を通じてシカゴ南西の郊外地区、ボーリングブルックの倉庫で働くことになった。仕事は気に入っていた。発送状況の管理は、数字が好きな彼に合っていたのだ。「九〇日すると、会社のほうが正式採用するオプションを行使できるんだ。そうしてもらえれば『正規スタッフ』の肩書きが手に入る」。その日が近づくなか、会社が非正規従業員に集まるように言ってきた。「翌朝七時に全員を正式採用するって言われたんだ。でもおれだけは隅に呼ばれて、『社の上のほうが重罪犯を雇うわけにはいかないと言ってるんで、正式採用はできない』って言ってきやがった」。これは彼の世界ではよくある事態だった。司法省の予算で行われた調査によると、求人に応募する際に犯罪歴の申告が求められる場合、面接に呼ばれる確率は半分に減ってしまうという。

クラークは打ちのめされた気分だったが、同時に若干都合よく利用されている気もしていた。「ちょっと待ってくれよ。この倉庫で非正規で働いて、仕事も全部ちゃんとやって、会社の製品が運ばれるようにして、何日間もミスなしにやれっていうわけか？　無礼に聞こえるかもしれないけど、そういうことなんだよ」。彼はさらにこう続けた。「社員の人たちは気の毒に思ってくれたよ。おれの心が折れるのを見てたからね。だからこう言ってくれたんだ。『部署と仕事を変えてみようかと思ってるんだけど』って」。実際にそうなった——彼は非正規従業員として部署を転々としていったのだ。一時的にはよかったが、そこでは未来はないということを常に思い出させることになった。「ほかのみんなは一八ドルとか一九ドルに昇給していくのに、おれはいつまでもこのクソの中に埋もれたままというわけさ」。その後、彼は仕事を辞めた。「もういいよ、とだけ言ったね」

彼は地元の地区に戻るしかなかった。何日かはそこにある商店で清掃の仕事をして給金をもらうこともあった。そういう仕事がないときは、空き缶を集めてリサイクルに持っていき、わずかな小銭を得た。彼はそれを「おきまりの作業」と呼んでいた。しかし、誘惑はそこここにあった。「仕事は何もなかったよ。ワルの仲間たちのところに戻ってつるむようになったね。そういう連中は状況が同じなんだよ。みんなどうしようもない重罪犯ってわけさ。じゃあほかに何をやれって？　あのどうしようもねえドラッグを売るしかねえじゃねえか！」と彼は言う。「だってな、考えてもみろよ。家賃を払わなくちゃいけない。人を銃で脅すとか、強盗をするなんてわけにはいかないだろ。だから両替所の裏でヤクを売ったんだ。小切手を換金しに来た客はブツをゲットして家に持っていけるだろ。ムショでのお勤めが終わってシャバに出てきたときには、かたぎの仕事に就こうとするもんさ。でも、そううまくはいきやしない。おれたちは社会ののけ者ってことだ。こっちには入れませんよ、ってね。烙印を押されちまってるんだ」

クラークは母と祖母のもとに戻った。彼の受刑期間中、母と祖母は経済的な賭けに出ていた。数キロ離れたオーバーン・グレシャム地区に移り、二階建ての質素な家を購入していたのだ。自分たちは二階に住み、一階を賃貸に出すことで収入を得るという算段だった。

その後、転機が訪れた。具体的には、二〇〇四年夏のある午後、その転機は彼の母の目の前に訪れたのだった。熱意あふれる男性二人が各戸を回り、ローンの申請を検討するよう促していた。彼らは「カントリーワイド・フィナンシャル・コーポレーション」という会社の人間だと言った。

二人はクラーク宅の老朽化した雨樋やモルタルに入ったひびを指し示し、「ローンの借り換えができますよ」と母に言った。修理をすれば賃貸の家賃を高く設定できるので、ローンの返済額を上回る収入を手にできる、というのだ。「気まぐれな都合のいい話」のような感じが少ししたとクラークは言うが、かといって見送るには惜しい気もした。「『けっして気にならない額ですよ。返済額がちょっと増えるだけで、法外なものではありません』ってあいつらは言ってたよな」

今日では、サブプライム・ローンが引き起こした大惨事の概要はよく知られている。二〇〇〇年から二〇〇五年にかけて、シカゴではサブプライム業者によるローンの融資件数は三倍以上になった。ウォールストリートの狂乱の影響を受けるかたちで、こうした状況は全米の低所得地区に広がっていた。金融界の錬金術師たちが編み出した方策は次のようなものだった。ハイリスクのサブプライム・ローンをひとまとめにし、それを「トランシェ」と呼ばれる小分けのかたちにして投資家に販売するというもので、なかにはトリプルAの格付けがなされ、安全で定期的な配当を約束するというばかげたものすらあった。悪用や無謀な金融商品を取り締まるシステムは弱体化しつつあった。クリントン政権以降、規制緩和が進み、ジョージ・W・ブッシュ政権では政府による監督も緩和された。銀行やトレーダーは、デリバティブ、不動産担保証券、債務担保証券、合成債務担保証券といった得体の知れない金融商品からなるピラミッドを築き上げていった。その地盤はサウスサイドの砂地のように緩く、押しの強いセールスマンが顧客を探し回っていたのだ。

カントリーワイドほど積極的に融資を行った会社はほかになかった。同社の広告では全速力で走る黒人のハードル選手の写真が掲載され、その下には気持ちを高揚させるこんなアピールが付されていた――「マイホームの夢をさえぎるものはありますか?」。カントリーワイドは一九六九年創立の企業で、初期の頃はアグレッシブな融資方針はとっていなかった。しかしウォールストリートのメガバンクが住宅ローンビジネスに参入して競争が激化すると、カントリーワイドは営業部隊にやる気を出させようとインセンティブ制を導入するなどして対抗していった。その結果、同社は収入も株価も急上昇した。あり得ないほどの株価の急騰ぶりは、二〇〇三年に『フォーチュン』誌が「二万三〇〇〇パーセント株」と呼んだほどだった。

カントリーワイドの営業社員が訪問してからさほど時を置かずして、アニータとリリアンは、自宅の小さな部屋でささやかな署名式を行い、ローンの借り換えを祝った。二人が契約したのは三〇年の金利変動型住宅ローンで額は一三万三〇〇〇ドル、最初の利率は六・三四パーセントに設定されていた。契約書ではこの利率は倍になり得るとなっていたが、そのリスクはずっと先のことに感じられた。クラークは当時のことをこう振り返っている。「母さんはただただだいい契約が結べたと思ってるんだな。『あの人たちがこれから家を直してくれるんだから』って」

サブプライムという金の卵を産み出し、その恩恵を最大限受けた者のなかには、グリニッジ在住者も含まれていた。一九九〇年代、マイケル・ヴラノスはウォールストリートで不動産担保証券を人気商品にしたチームの責任者だった。その後、彼は会社を設立し、グリニッジのオフィスビルで二フロアを占めたが、同社は不動産担保証券の主要取扱業者の一つだった。サブプライム・ローンという大鉱脈にどっぷり浸かった銀行のトップのなかにもグリニッジ在住者がいた。リーマン・ブラザーズ会長兼CEOのディック・ファルドは、同行が最大の利益を上げた二〇〇〇年から二〇〇七年にかけて、三億五〇〇〇万ドルを稼いだ。シティグループ会長兼CEOのチャック・プリンスは、チューダー様式で夕食会に四〇人のゲストを呼べるほどの広さを持った大邸宅に住んでいた。プリンスはシティグループを「金融サービスのスーパーマーケット」と呼ばれるまでにした立役者だったが、その要因の一つにリスクがきわめて高いサブプライム・ローンを証券に組み込んだことがあった。プリンスは後年のインタビューで、リスクが高まっていながらも、シティグループが利益を得るチャンスを失うことはあってはならないと考えていたという。「音楽の演奏が続いている限り、目を開けて踊り続けなくちゃいけないんですよ」

しかし二〇〇七年後半には、音楽の演奏は止まってしまった――しかも凄惨なかたちで。住宅価格はピークを越え、低所得層の住宅所有者はローンを払うことができず債務不履行に陥っていた。こうした破綻は投資信託や年金基金、それにデリバティブを保有する企業へと波及していった。リーマン・ブラザーズが倒産し、ベアー・スターンズはＪＰモルガンに吸収され、シティグループは四七六〇億ドルというアメリカ史上最大の公的資金注入を受けた。ＣＥＯのプリンスは六八〇〇万ドルの退職金を支給されて会社を去っていった。

シカゴは全米でもっとも多くの高額返済住宅ローンが残った大都市になった。契約書にサインしてからほどなくして、アニータがローン返済請求書を持ってクラークのところに来た。彼女は気が動転していた。

「これを見て」と彼女は言った。

月額九〇〇ドルだった返済額が上がり始めていたのだ。最初は一〇〇〇ドル、さらに一九〇〇ドルにまで上がり、その後一五〇〇ドルに減ったのだが、それでも自分たちが支払える額の一・五倍だった。クラークは請求書に記載された番号に電話をかけてみたが、そこでのやりとりは怒りが強まる結果しかもたらさなかった。「アイダホの人間と話をしていて、次にジミーってやつと話すことになったんだが、こう言ってやったんだ。『あんたはインド人みたいな感じがするぞ』ってね。そうしたら向こうは、『わたしはジミー・トンプソンと申します』って言うわけ。おれもこう言い返したよ。『おいちょっと、あんたの名前がジミー・トンプソンだなんてわけねえだろ』」

しかしその後、クラークは住宅ローンよりも差し迫った問題に突如直面する。二〇〇四年の秋、高純度コカインを密売していたとして覆面警察官に逮捕されたのだ。警察の調書によると、価値は推定でわずか一〇ドルだった。彼は刑務所に逆戻りとなり、そこで三年間過ごすことになった。

金利が上昇するなか、クラークの家族はなんとか返済を続けようとしていた。暖房を切り、ガスコンロをストーブ代わりにすることにした。しかしほどなくして、返済がさらに滞ってしまった。クラークは再出所すると、返済金額を確認してみて、乗り切れる見込みはないという結論に達した。「『ちくしょう、おれたちじゃこのローン払えねえよ』なんて言ってたんだ。でもある日、座ってCNNを見ていたら、一組のカップルが出ていて、訴えてやるって言ってたんだよ。おれは言ったね。『なんだって？ それ、うちの住宅ローンの会社じゃないか！』って。どん底から抜け出せるって思ったよ」

窮地に陥った住宅所有者を対象とした無料のワークショップがクラークの地区で開かれ、彼も出席することにした。そこで初めて、彼は黒人コミュニティに広がる住宅危機の規模がいかに大きいかを思い知らされた。前後左右にご近所さんがいることに気がついた。「『おたくもだったの？』みたいな感じだったよ」。誰もが自分が直面している問題について話すのをためらっていた。「自分が家を失うなんていうこと、他人に知られたくないだろ」とクラークは言う。

二〇一〇年にイリノイ州の司法長官が、人種差別があったとしてカントリーワイドを告訴した。マイノリティの顧客には不当に高い金利のローンに誘導する一方、白人の顧客には優遇金利を案内するという対応を組織的に行っていたというのが訴因とされた。ウェルズ・ファーゴ社も同様の対応をとっていたが、ローンの審査担当者はサブプライム・ローンを「ゲットー・ローン」、黒人の利用者を「泥の人たち」と呼んでいたことが内部文書で判明した。タナハシ・コーツは『アトランティック』誌で、こうした対応を「大規模な富の収奪戦略」と呼び、次のように指摘している。「これはマジックでも偶然でも不運でもない。レイシズムの具現化にほかならないのだ」

しかし、アメリカの多くのテーマと同様に、これは下層の人びとに起きているだけでなく、上層の人びとにも影響が及ぶ問題だった。カントリーワイドが持続不可能なローンに顧客を引き込もうとする一方、CEOのアンジェロ・モジロは特別に金利を引き下げたローンを友人や有力政治家に提供していたのだ。その対象には、コネティカット州選出上院議員で上院銀行委員長も務めるクリス・ドッドも含まれていた。このリストは社内では「FOAs」と呼ばれていた──「フレンズ・オブ・アンジェロ」の頭文字だ。二〇〇七年までにモジロは自社株の売却によって二年間で一億三八〇〇万ドルを手にし、全米でもっとも高い報酬を得ている企業幹部の一人になっていた。

二〇〇九年、アメリカ証券取引委員会はモジロをインサイダー取引と証券詐欺の容疑で起訴した。彼は罰金として数千万ドルを支払うことに同意したほか、上場企業の経営を禁止された。二〇一一年には、その三年前にカントリーワイドを吸収したバンク・オブ・アメリカが問題解決のため示談金として三億三五〇〇万ドルを支払うことに同意したが、これは公正な住宅ローン融資に関わる違約金としてはアメリカ史上最高額だった。

バンク・オブ・アメリカは返済不能になったローンを整理できるとするプログラムを実施しており、クラークはそれに申し込むことにした。高校中退者にとって書類の準備はかなりハードルが高い作業だったが、クラークはそれに挑んだ。弁護士を雇うつもりはなかったので、手続きは自分自身で行った。「あの仕組みをなんとか理解して、あの野郎どもと気が狂いそうになるくらい格闘したもんだよ」と彼は言う。しかし、申し込みは却下された。もう一度やっても結果は同じだった。ほどなくして、彼は一七〇〇ドルの返済を四回分延滞する状況に陥った。一連のプロセスに対する無力感と憤りは募るばかりだった。それは言い換えれば、敵の抽象性ととらえどころのなさへの感情だった。「いったいぜんたい、やつらは何者だって言うんだ？　おれはバンク・オブ・アメリカと一戦交えたというわけさ」

グリニッジとは異なり、サウスサイドでは金融危機は来たかと思えば過ぎ去っていくハリケーンではなかった。その後何年にもわたり日常生活の基本条件を変えたという点で、むしろ気候変動と言うべきものだったのである。クラークがわたしを連れて近所を案内してくれたのは二〇一六年のことだったが、空き家になったり差し押さえられたりした家が何軒もあることを指さして教えてくれた。隣人のなかにはよりよい条件を求めて粘った者もいたが、大多数は何も言わず立ち去っていった。「黒人エリアじゃ、不況は全然終わっていないんだ」と彼は言った。研究と政策提言を行う非営利団体のウッドストック研究所が行った調査によると、二〇〇八年の金融危機から一〇年を経た時点でも、サウスサイドとウェストサイドでは住宅の六軒に一軒は空き家の状態だった。「教育を受けていれば、できることがたくさんあるってわかるんだよ。でもみんなそれを理解できない。だから怖くなって逃げちまうんだな」

クラークは、サブプライム・ローンだけが自分や近所の人たちにのしかかっている問題だと言い張ろうとはしなかった。人生で過ちを犯してきたことを理解していたし、それについて率直に語ってくれた。しかし同時に、自分のコミュニティを破綻に追いやった人間への驚嘆を隠しもしなかった。「ありとあらゆる混乱が引き起こされたんだが、それはただただやつらの強欲のためだったのさ」と彼は言う。「それでな、そういう連中はすでに十分金持ちなんだぞ！ それがカオスの原因で、すべてそういうわけなんだ。強欲だよ」

クラーク一家は援助を頼んで資金を工面しようとしたが、それでも返済額にはほど遠かった。それまで何年にもわたって何万ドルものローン返済を続けてきた。しかし、その資産は吹き飛んでしまった。二〇一六年一月二十九日、クラーク一家は立ち退くことになり、「立入禁止」の紙がドアに貼られた。配送拠点で仕事を見つけたクラークの兄の近くにいようとの考えから、母はシカゴを離れてピオリアに引っ越していった。一緒に暮らそうとクラークに促したが、彼は素直には受け入れなかった。生まれも育ちもシカゴだったからだ。「もう一度、こっちでやってみようと思うんだ」と彼は言い返した。しかし母はきっぱりと言った。「いいかい、おまえのタイヤは全部パンクしてるんだよ。来なさい」

クラークは白旗を揚げた。彼にはのんびりしている時間はなかった。これ以上アパートの家賃を負担する余裕はほとんどなかったからだ。二〇一六年までに、所得がきわめて低い世帯向けのアパートが市の公営住宅に占める割合は六年間で一一パーセントから四パーセントへと低下していた。出発前、神父がクラークにピオリアまでのバス代を払えるだけの現金、それに食事用にとマクドナルドのギフトカードを持たせてくれた。「神父さんはこう言ってたよ。『もう潮時だろう。気持ちを切り替えてくるんだな。シカゴはこれ以上何もしてくれないのだから』」

クラークたちが立ち退いた後、家はすぐに市場に出た。不動産リストには「要リノベーション物件」として掲載され、「収益資産の所有を希望される目の肥えた買主様にとって最適の投資先」との説明が付いていた。物件の歴史を知る者であれば、この説明はクラーク一家がまさに望んだものとして受け止めるはずだ。収益を生み出すためのささやかな投資、子どもたちの世代のための資産の中心、として。しかし実際には、新たな所有者が六万ドルで購入し、各所にリノベーションを施し、二二万五〇〇〇ドルで次の買主に転売していったのだった。

金融危機とそれを受けての大規模な経済下支え策は、政治的な反発の大合唱を引き起こした。二〇〇九年二月十九日、クラークの家から北に約二〇キロ離れているだけだが別世界と言える場所で、こんなことがあった。リック・サンテッリというCNBCの地味なキャスターがシカゴ・マーカンタイル取引所からの中継で一人延々としゃべり続けていた。オバマ大統領の就任からまだ一カ月も経っていない時期のことで、新政権は苦境に陥った住宅所有者の債務整理支援として、七五〇億ドルを拠出するプランに取り組んでいた。サンテッリはイリノイ州ロンバード西側の郊外で育ち、経済学を学んだのちにマーカンタイル取引所に就職した。以来、金や木材、財務省短期証券、家畜やその他の商品の取引業務に携わり、その後一九九九年に金融ニュースを主に扱うＣＮＢＣのコメンテーターに転じた。そしてこの日、彼は怒り心頭に発していた。

サンテッリはトレーダーがひしめく中に立ち、救済案とその対象者への怒りに満ちた軽蔑の言葉を声高に投げかけた。彼は向きを変えてこう叫んだ。「みなさまがたのなかで、ご近所さんの住宅ローン、それもバスルームが追加で付いているような物件のものを、返済ができなくなったからといって肩代わりしてあげようという人はいらっしゃいますか？」。周囲から不満の声が上がった。「オバマ大統領、ちゃんとお耳に入っていますか？」と彼は強く訴えた。差し押さえの危機に瀕している者は「敗者」なのだ――サンテッリはそう言った。ＣＮＢＣのスタジオでは、同僚やゲストからはサンテッリの暴言に冷や冷やしながらも笑いが起こっていた。彼は話を続けた。「シカゴ版の『ティーパーティー』をやろうかと思ってますよ」。周りのトレーダーからは歓声が上がり、サンテッリは彼らをかつてニクソンが左派の伸長に反発する保守派の有権者を指した呼称を用いて、「アメリカのすばらしき代表者たち、つまりサイレント・マジョリティだ」と持ち上げた。億万長者でのちにトランプ政権に入閣したウィルバー・ロスはこのとき番組に出演していたが、彼はスタジオからこう賛辞を贈った。「リック、革命指導者として生まれ変わったきみを祝福するよ」

サンテッリのスピーチはセンセーションを巻き起こした。その日の終わりには、この部分はＣＮＢＣ史上もっとも視聴回数の多い動画になっており、ティーパーティー抗議の呼びかけはフェイスブックを通じて全国に広がっていった。このコンセプトは現象と呼べるほどの規模になり、それを耳にした者のなかには、レトリックから不穏な政治的トーンを感じ取った者もいた。ポール・クルーグマン〔ノーベル経済学賞受賞者〕はのちに「病的とすら言える悪意」と呼び、そうした風潮がアメリカの右派で支持を得つつあると指摘した。彼はこう記している。「あなたがアメリカ国民で、不運に見舞われた状況に陥ったとしよう。こういう人たちは、助けの手を差し伸べてはくれない。傷口に塩を塗り込むようなことをしてくるのだ」

一見した限りでは、サンテッリは革命家のように映った。しかし実際には、彼は点火役にすぎなかった。課税をめぐる反発は長年にわたり構築されてきたものだった。一九七〇年代以来、保守派の活動家や裕福なパトロンは連邦政府の拡大に反撃しようと試みてきた。強い影響力を持つリバタリアンのラジオホスト、ロバート・ルフェーヴルの言葉を借りれば、「政府というものは自らを治療しようと装う病なのだ」というのが彼らの主張だった。ルフェーヴルの主張は、彼の信奉者の支持もあって拡散していった。牧場経営から石油、紙製品（ディクシー・カップの製造も含まれる）にまで及ぶコングロマリットを弟デイヴィッドとともに指揮する億万長者、チャールズ・コークもその一人だった。コーク兄弟は政治における慈善事業家となったが、それはチャールズが『リバタリアン・レビュー』誌で「思考とはそれ自体によって拡散するのではなく、人びとを通してのみ拡散する。われわれが運動を展開するのはまさにそのためだ」と主張した信念に基づいて行われたものだった。彼らはシンクタンク、学術プログラム、ロビイスト、選挙の候補者からなるネットワークに支援を提供していった（サンテッリの暴言から数時間にして彼のメッセージは複数のウェブサイトで拡散されたが、その一つがタックスデイ・ティーパーティー（TaxDayTeaParty.com）だった。このサイトの運営者は、かつてコーク兄弟の政治活動と接点のあったシカゴ在住の男性だった）。

連邦政府の権限を否認する運動は、リバタリアニズムの枠内にとどまったままだったら成果を収めることはまずなかっただろう。一九九〇年代には、ラッシュ・リンボーという有力な代弁者が加わった。ビル・クリントンとヒラリー・クリントンに代表される民主党エリートを軽蔑することで知名度を高めていったラジオトーク番組のスターだ。リンボーに言わせると、リベラル派は「社会を支配するという目標の実現のために貧者の苦境を利用」しようとしているのだそうだ。彼は自分のラジオ番組やテレビショー、それに一連のベストセラー本で、お笑いタレント陣を活用してシニシズムと疑念の主張を展開していった。「リベラル派は差別の根絶なんてことは考えてもいないということをお伝えするためにまいりました」と彼は言う。「リベラル派が言う『差別と戦う』はどういう意味かご存じですか？ 五分五分にするということなんですよ」。環境保護というのは「人びとをパニックに陥れて個人の自由と富を差し出させて、左派がさらに巨大な権力を手にして個人の生活へのコントロールを強化するための新しい手口」にすぎないとも彼は警告する。リンボーの主張によると、学校というものは無駄遣いされた税金の掃きだめなのだという。「今では教員と子どもたち向けに運転手付きリムジンを走らすために、わたしたちの税金がクラスごとに使われているんですよ」

この運動はとてつもない成功を収めた。政府の支出によってアメリカ資本主義でもっとも貴重な成果のいくつか――半導体、ワクチン、原子力、無線通信、航空宇宙、そしてインターネット――に発展がもたらされたが、それにもかかわらず保守運動は概念としての政府を悪者扱いすることに成功した。サンテッリによってティーパーティーの思考が知られるようになった頃には、アメリカ国民の多くはたとえ連邦政府から実際に受けるサービスに満足していたとしても、漠然とした敵意を抱いていることが世論に関する研究で明らかになっていた。二〇一五年にピュー・リサーチ・センターが行った調査では、民主党支持者と共和党支持者の大半が、政府は自然災害対策でいい仕事をしていると回答した（それぞれ八二パーセントと七八パーセント）。職場における公正で安全な基準の策定についていい仕事をしていると回答した者も七九パーセントと七七パーセントにのぼった。各党支持者のざっと半分が、連邦政府は道路や橋、その他のインフラの保守や質の高い教育へのアクセス確保もしっかりやっていると回答した。

もっとも驚くべきことは、アメリカ国民は自分たちが頼っている補助金にすら敵意を抱いているという点だった。二〇〇八年に行った調査で、コーネル大学の政治学者、スザンヌ・メトラーはアメリカ国民に対し、社会保障制度やメディケイド、住宅ローンの利率引き下げといった「政府の社会プログラムをこれまで利用したこと」の有無について尋ねた。半数以上に当たる五七パーセントは、こうしたプログラムを一度も利用したことがないと回答していた。実際には九二パーセントが利用したことがあるにもかかわらず、だ。平均すると、アメリカ国民はメディケアや社会保障制度のような連邦政府による社会プログラムを五種類は利用しているのである。

サンテッリのスピーチから数週間で、何百ものティーパーティー集会が開かれた。そして一年半の間に、運動は二〇〇〇もの地方支部が設置されるというかたちで力を増していった。支持者は「取り戻そう《テイク・イット・バック》」というスローガンを掲げていたが、これは自分たちの地位が脅かされることをめぐる政治という側面を包含していた。言い換えれば、権力が後退することへの恐怖、そしていかに漠然としたものであろうとも、影響力を失いかねないという見通しがそこにはあった。

当初から、ティーパーティー運動はそこに通底する人種的反感の潮流を隠そうとはしなかった。一部の集会では、オバマをアフリカ人の呪術医や『猿の惑星』のキャラクターとして描いたポスターが掲示されたこともあった。二〇〇九年のラジオで、リンボーはリスナーにこう語っていた。「バラク・オバマ政権で昇進するにはどうしたらいいでしょうか? 白人を嫌うか、あるいは実際に嫌いだと口にしてみせるか、あるいは白人はよくないと言うか、何でもいいんです。つまり、白人を新たな抑圧されたマイノリティにするということなのですよ」。オバマの債務整理支援法案を「賠償」と呼んでいたリンボーは、「法案にお付き合いしようとしている」として共和党議員をなじった。「あの人たちはバスの後方に移ろうとしているんですよ。水飲み場を使わせてもらえないと言われれば、はいどうぞ。トイレを使わせてもらえないと言われれば、はいどうぞ。こんな具合にね」。二〇一〇年には、連邦議会議事堂前の広場で次のような一幕があった。オバマの医療保険制度改革案に反対する者たちが、公民権運動の象徴的存在でジョージア州選出の民主党下院議員、ジョン・ルイスに近寄って彼を取り囲んだのだ。ルイスがオフィスに向かってゆっくりと歩いていくなか、デモ隊は彼やその他の黒人下院議員を嘲り、人種に関わる罵《ののし》り言葉を投げつけた。一人は彼らに唾を吐きかけることさえした。

オバマの選挙運動を通じて、こうした人種的敵意は強まりつつあった。あまりに多くの殺害予告が来たことから、オバマにはシークレットサービスの警護が付けられた。党の大統領候補指名を確実にする前の段階ですら、彼は寝室に防弾壁を設置して寝ることを余儀なくされた。ジョン・マケイン陣営の劣勢が明らかになっていくにつれて、共和党副大統領候補のサラ・ペイリンは、憎悪をかき立てる強力な言葉を新たに発することで自らの政治的未来を切り開こうとした。同時多発テロ事件以降の排外主義、それに隠れた裏切り者がいるというマッカーシー的な警告を合体させたのだ。彼女はオバマについて、選挙集会に来た聴衆に向かってこう言い放った。「彼のアメリカに対するとらえ方が、みなさんやわたしのアメリカに対するとらえ方とは違うということが恐ろしくて仕方がありません」

オバマが当選すると、白人優越主義者が集まるウェブフォーラム「ストームフロント」は膨大なアクセスのため数日間にわたってサーバーがダウンした。はっきりとは見えづらい兆候もあった。投票行動に関して何十もの研究が行われたが、政治学者のマイケル・テスラーによると、オバマへの反感は「人種的抵抗、反黒人ステレオタイプ、親密な人種間関係への反感、自民族中心主義、反ムスリム感情、さらにはグーグルで人種差別的なワードが検索されることの多いエリアでの居住」に関連づけられるという。

それからの数年間、オバマがレイシズムについてほんの少し語っただけでも、反応が即座に、そしてはっきりと現れた。二〇〇九年七月、ハーヴァード大学教授のヘンリー・ルイス・ゲイツ・ジュニアが中国旅行を終えてケンブリッジに戻ると、自宅の入口ドアが固定されて開かないことに気づいた。彼と運転手が力ずくで開けようとしたところ、通りがかりの人間が警察に通報した。ゲイツはジェイムズ・クロウレー巡査部長という白人警官に逮捕され、のちに取り下げられたものの、治安紊乱《びんらん》行為の容疑で起訴されてしまった。オバマはこの件について、「彼らが自宅に入っていたという証拠がすでにあったにもかかわらず逮捕したという点で、ケンブリッジ警察は愚かな対応をした」と語った。後日、オバマと世論調査担当者は、このコメントによって白人有権者の支持が政権期間全体を通じて最大の落ち込みを見せたことに気づかされたのだった。

オバマの存在は、荒唐無稽としか言いようがない陰謀論をいくつも生み出していった。初期に出たのは「バーサー」〔オバマは外国生まれだから大統領に立候補する資格がないとする主張、またそれを信じる人びと〕と呼ばれるフィクションだった。これを広めたのは不動産ディベロッパーにしてテレビのリアリティショーのスターだったドナルド・トランプで、オバマは外国生まれだと主張した（二〇一四年の調査からは、バーサーはほぼ全員が白人で、大半が共和党員、そして強い人種的反感を抱いていることがわかっている）。しかし、バーセリズムは反オバマ陰謀論のなかでもっともよく知られたケースにすぎない。作家のタナハシ・コーツは、オバマに反対する者のイマジネーションに端を発する陰謀論のリストを作ってみせた。「オバマはだらしない福祉受給者に無料で携帯電話を支給した。オバマはヨーロッパを訪問し、『一般人はあまりに狭い考え方しかできず、自分のことを管理できない』と不平を口にした。オバマは結婚指輪にアラビア語のことわざを刻印したが、ラマダンを行う際にその指輪を外した。彼は『国民の祈りの日』〔五月の第一木曜に行われる国民が神に祈りを捧げる日〕の出席をキャンセルした。イーグル・スカウト〔最高位のボーイスカウト団員〕の証明書への署名を拒否した。コロンビア大学で授業の出席について不正を行った。小学生のグループ相手にスピーチをする際にプロンプターを使った」——このような具合だ。

民兵組織の活動は全米で一〇年にわたり小康状態が続いていたが、オバマ就任一年目の二〇〇九年末までに反政府「愛国者」組織の数は三倍以上になったと南部貧困法律センターは指摘している。この年、国土安全保障省で国内テロ担当分析官を務めるダリル・ジョンソンは、景気低迷と初の黒人大統領の誕生が反政府感情を刺激したり、「テロ組織や一匹狼型の過激派が登場する可能性を高くしたりするために利用されている」と警告を発していた。しかし、「右派過激主義」と題した彼の報告書は、「正当な不満をアンフェアなかたちで記述している」として共和党議員や保守派のコメンテーターから厳しい批判が寄せられた。報告書の公表後、ジョンソンが在籍していた国土安全保障省の「過激主義・急進化対策室」は解体の憂き目にあった。

新世代の右派活動家のなかには、勇ましい幻想を振りかざしたり物品販売を展開したりする者もいた。「インフォウォーズ」というサイトを主宰するアレックス・ジョーンズは、数々の陰謀論で何百万ものフォロワーを獲得した。九・一一はアメリカ政府が仕組んだ「偽旗」作戦だったとか、二〇一二年にサンディフック小学校で起きた銃乱射事件は「クライシス専門の俳優」が殺害された子ども役や悲嘆に暮れる保護者役をしていたといった具合の説が展開されていた。彼によると、汚染された飲料水をカエルに飲ませるとゲイになり、紙パック入りのジュースを男性が飲むと子どもをつくれなくなるのだという。彼のウェブサイトでは、Tシャツやステッカー、力強さと精力向上のためとされたダイエットサプリメント、災害時の緊急対応用品といった自分たちのグループのエンブレムを付けたグッズや秘薬が販売されていた。

トランプが政界入りする前の時点ですら、極右のあいだで語られていた終末論を説く妄言は、保守派の主流メディアに浸透し始めていた。サンテッリの暴言から五年後に当たる二〇一四年には、トークショーの司会者で白人ナショナリズムと反ユダヤ感情に基づく陰謀論をかき立てていたマイケル・サヴェージが『次の南北戦争を阻止せよ――わたしのむき出しの真実（*Stop the Coming Civil War: My Savage Truth*）』という本を出した。彼は同書で、オバマ政権は「自由の棺に打ち込まれた最後の釘という存在になるだろう」と主張していた。

ティーパーティーはオバマに集中砲火を浴びせていたがゆえに、オバマ退任後の長い期間でも世論を形成し続けていける壮大なテーマを見落としがちだった。サンテッリは暴言スピーチの中で、アメリカの失敗を示す具体的なイメージを持ち出していた。「かつてキューバには、大邸宅もあれば比較的堅実な経済もあったんです。彼らは『個人』から『集団』へと移行してしまったじゃないですか。あの人たちは今でも、五四年製のシボレーに乗ってるんですよ！」

何世紀にもわたり、アメリカ国民は個人の神聖化とコミュニティの称賛、自己利益と社会に対する義務、フロンティアに一人で立つカウボーイと相互扶助に基づく幌馬車隊という想像上の理想のあいだを行ったり来たりしてきた。アレクシ・ド・トクヴィルはこの緊張関係に目を留め、両者の共存をアメリカの資質としてとらえ、「正しく理解された自己利益」と呼んだ。このパターンはその後も続いていった――グリニッジでは、エリートと野心家のせめぎ合いというかたちで展開されたのだった。

両者のバランスをどう取るかは常に課題であり続けてきた。金ぴか時代では、個人主義が急速に前面に出てきた。アメリカの経営者はダーウィンの進化論を持ち出して、貧者の苦しみを説明し、正当化しさえした。社会学者のウィリアム・グラハム・サムナーの言葉を借りれば、脆弱な人びとを守る取り組みは「進化を覆す」試みとされたのだった。彼の見方では、「貧者の苦境を緩和することは非道徳的かつ無分別」とされた。

一九一〇年代までに、シカゴのアプトン・シンクレア〔社会主義者、小説家〕のような人びとによって暴露された搾取は反動を引き起こすようになっていた。革新主義時代になるとバランスはコミュニティを重視する方向に傾いていき、大恐慌のダメージは企業や資本を前にして個人は常に強い存在か弱い存在かという議論を脇に追いやり、コミュニティ重視を確固たるものにした。大恐慌がもっとも深刻だった頃、歴史家のチャールズ・ベアードはこう指摘している。「『自分の身は自分で守れ、悪魔は最後の者を捕まえる』〔アメリカのことわざ〕という個人主義的な信条は、西洋文明そのものの中に存在する苦悩に原因の多くを求めることができるというのが厳正な真実なのだ」。コミュニティへの信頼は、ジョン・スタインベックの『怒りの葡萄』やフランク・キャプラ監督の映画『スミス都に行く』で強固になっていった。

わたしは海外に住んでいたとき、現代中国での個人主義の高まりについて書いた文章の中で、個人への信頼の拡大をもたらした一端は政党や企業、その他の有力な機関に対する不信にあると論じたことがあった。アメリカでは、この潮流をさらに鮮烈なかたちで目の当たりにすることになった——自助努力という幻想と勝ち負けに対する絶対視に基づいたハイパー個人主義だ。これは何十年にもわたり拡大を遂げてきた思考が頂点に達した結果だった。ハーヴァード大学の学者、ロバート・パットナムと共著者のシェイリン・ロムニー・ギャレットは過去二〇〇年間にアメリカで出版された本のデジタル解析を行った。すると、一九七〇年頃から「合意」「団結」「妥協」といった言葉への言及が減少し続けていることがわかった。

二〇一〇年代には、個人の野心と公共善のバランスを取ろうとする社会と政治のイノベーションは後退していた。労働組合は一九五〇年代から凋落傾向が続いていたし、税制は六〇年代から逆進性が強まる一方だった。そして独占禁止関連法制や金融規制は七〇年代以来、解体が進行していた。この流れを押し戻そうとする取り組みもあるにはあった。八〇年代には、さらなる金融危機を回避すべく、銀行の自己資本に関する新たな規定が導入された。二〇〇〇年代に入ると、エンロン事件を受けて、再発防止策として「サーベインス・オクスレー法」の名で知られる会計制度改革が行われた。しかし、こうした規制措置はいざ実施しようとすると困難であることが判明した。加えて、共和党は逆方向に向かうようになり、経済政策を自由というほぼ不可侵の用語にくるみ込んでいった。

金融危機を契機に誕生したポピュリスト的抵抗運動はティーパーティーだけではなかった。二〇一一年後半、左派的なデモ隊がマンハッタンの金融地区にあるズコッティ公園にキャンプを設置した。背景にあったのは、不平等、金権政治、金融不正に対するワシントンの腰の引けた対応へのフラストレーションだった。「ウォールストリートを占拠せよ」運動に触発されて、「わたしたちは九九パーセントだ」のスローガンのもと、何百もの同様のアクションが全米で生まれた。スコウロンや「ラウンドヒルのならず者たち」のような金融業者は法の裁きを受けたが、不正に立ち向かうという点ではほとんど役には立たなかった。実際のところ、こうした事件はウォールストリートの大物ＣＥＯが非難を受けながら網にかかっていない現実をかえって際立たせることになった。オバマはデモ隊への同情を示しはしたものの、参加者のなかには大統領選勝利の際にあった変革の精神に対する幻滅を隠そうとしない者もいた。デモ主催者の一人は、社会主義的雑誌『ジャコバン』の取材にこう語っていた。「最強のリベラルが当選するように動いてきたけど、実際に来たのはこれまでよりもひどい野郎だったわけさ。そうしたらシニカルになるか、まったく別のやつで試してみるかってなるよな」

左右を問わず国民の幻滅がより鮮明になっていくなかで、政治家はその状況に適応しようとしていった。二〇一一年後半にフロリダで開かれた共和党の会議で、保守派の政治コンサルタント、フランク・ルンツは各州の知事に次のようなアドバイスを授けた。「資本主義」というお決まりのワードの代わりに、「経済的自由」とか「自由市場」といった言い方を用いるべしと伝えた。ウォールストリートの「ボーナス」には言及しないようにし、そうした利益は「成果に対する報酬」と言ったほうがよい印象を与えると言った。怒りが高まる時代にあっては、「妥協」というワードは失敗したかのように受け止められるので絶対に使うべきではない、とも。そして何よりも、ワシントンに向けられる怒りを屈折させ、あらゆる政治的相違を目に見える対立というかたちで全米的なドラマに仕立て上げることが大事なのです――彼はそう付け加えた。

ティーパーティーはさまざまな要素から影響を受けていたが、とりわけアイン・ランド〔「保守の女神」と呼ばれるアメリカの小説家〕の業績に誇りを抱いていた。ティーパーティーの集会では、参加者は「ジョン・ガルトって誰だ?」(小説『肩をすくめるアトラス』の主人公への賛意を示すもの)と書かれたプラカードを振りかざし、ランド的な倫理観を根拠にして国民皆保険制度は非道徳的だと主張した。この少し前まで、保守派の主流知識人はランドの信奉者は寮生活を送る学生をはじめとする人びとだと見なしていた。そうした信奉者は「合理的な利己心」というランドの倫理観、それに世界を「生産者」と「略奪者」

に容赦なく分断するという彼女の手法にすっきりとした道徳的な裏づけを見いだしていた。『市場の女神――アイン・ランドとアメリカ右派（*Goddess of the Market: Ayn Rand and the American Right*）』の著者で歴史家のジェニファー・バーンズは、こう記している。ランドは「貧者や弱者、恵まれない者は排除され、対等な状態にある者に囲まれ、成功を手にした努力家からなる夢の世界をつくり出してみせたのだ。この創作的な世界でのみ、彼女の作品に登場するヒーローは運命やチャンスに関する厳しい問いから自由でいることができる。なぜなら、ランドの小説では誰もが各人にふさわしいものを手にすることができるからだ」。

こうした変化がこの上なくはっきりとしたかたちで公共の場に表れたことがあった――相互扶助をきっぱりと軽蔑し、苦痛にあえいでも当然だと言わんばかりに。二〇一二年の大統領選で、CNNによる共和党候補者討論会が行われたときのことだ。司会者が次のような仮定に基づく問いを投げかけた。もし無保険者が病気になったら、社会としては「その人をそのまま死なせるべき」というのは正しい対応でしょうか、と。候補者が答える前に、フロアから一人の男性が「そのとおり！」と大声で叫び、ほかの者からは賛意の声が上がった。会場には笑い声が広がった。

現代における個人主義崇拝は、二〇〇一年九月十一日以降に起きた戦争の文脈でとりわけ鮮明に見られた。というのも、アメリカ国民が紛争の時代の中で奉仕と寛大さに関わる直感をいかに受け止めてきたかが、そこで変わったからだ。第二次世界大戦では、一六〇〇万人のアメリカ国民が軍に入隊し、企業はインフレ抑制のため価格統制を受け入れ、各家庭は戦時国債を購入し、肉から薪からペニシリンまであらゆる物品の配給に従った。幅広い利益のために奉仕を厭わない精神の奨励はきわめて重要と見なされ、具体的な取り組みのなかにはシンボル的存在になったものもあった。あちこちの小さな町で空き缶収集がこれ見よがしに行われたが、それは国民に共通の目的意識を示すためのものだった。もちろん、こうした奉仕には反発もあった。ローズヴェルトに反対する側からは、給与統制は非アメリカ的だと批判の声が上がった。黒人やヒスパニックがズートスーツ〔幅広で腰高のズボン。一九四〇年代に黒人らのあいだで流行した〕を着ていたとして海軍の水兵に襲撃されたことも数件あった。彼らは差別への抗議として、衣料品の戦時規制を意図的に無視していたのだった。だが、総じて奉仕のシステムは維持されていた。

　これが直近の戦争となると、かつての精神がうかがえるものはほとんど残っていなかった。九月十一日以降、ブッシュ大統領は軍に動員をかける一方、テロへの最良の回答は通常どおりの対応を示すことだと考えていた（「わたしはアメリカ国民に対し、いつもどおりの生活をするよう呼びかけている」と彼は言っていた）。その後の歳月の中では、戦争税や配給を求める事態にもならなかった。徴兵の可能性がないことは言うまでもなかったが、それは軍のほうが徴兵制を実施すればプロフェッショナリズムが損なわれかねないと懸念したのが一因だった。対テロ戦争は九月十一日に始まり、アフガニスタン、イラク、パキスタン、ソマリア、シリアにまで拡大し、少なくともこのほか九カ国に米軍が駐留した。二〇一〇年代末までに、この戦争はヴェトナム戦争を一二年上回る、アメリカ史上最長の戦争になっていた。七〇〇〇以上のアメリカ国民の命が失われ、五万人以上が負傷したが、この犠牲が総人口に占める割合は一パーセントにも満たなかった。

　歳月を経るなかで、終わりなき戦争がもたらした損失はアメリカの政治文化に圧力をかけていった。しかしそれは急激に起きたのではなく、慢性的なものだった。ブッシュは再選され、その後を受けた二つの政権は選挙で国民の信を問うことなく戦争を続けていった。イラクとアフガニスタンに派遣された海兵隊員、エリオット・アッカーマンはのちにこう振り返っている。「九・一一の後に徴兵と戦争税をやっていたら、一八年連続で自分の徴兵番号が呼ばれるのを待機するような事態にミレニアル世代が従えるか疑問だね。あるいは、ベビーブーマー世代の親が、たとえばアフガン国軍が米軍の支援を受けてヒンドゥークシュ山脈でもう一シーズン戦えるようにという目的のために、高率の税金の支払いに応じてくれるだろうか」

説明責任を求める手段がないなかで、政治的なバブルに覆われて紛争は進行していった。本来なら、敵は言うに及ばず、アメリカ国民やその家族、地元に被害を及ぼす決断を下す際に生じるさまざまな圧力があるものだが、それからも無縁だった。「アメリカの戦争史――それが『よい戦争』であったとしても――は、指導者が国民の意思という不可欠の要素をなんとかして確保しようとしてきた歴史と言える。なぜなら、アメリカ国民は高くつく、長期化した戦争には従わないからだ」とアッカーマンは記している。しかしこの例について言えば、終わりなき戦争の影響は地理的にも階層的にもあまりに広く及び、この時代特有の注意散漫な風潮によってあまりにとらえどころがなくなっていることから、「あなたの奉仕に感謝します」という空虚な決まり文句以上の結束力のある政治的価値を生み出せていない。戦ってくれた兵士に対して国民は「感謝の気持ち」を表明するだけで、それ以外のことは実質的にほぼ何もしていないのである。

終わりなき戦争の時代があまりに長く続いたため、時としてすべてを意識しなくなってしまうことすらある。その影響がほとんど目に見えないという側面もある。だが、それ以外の部分では、ダメージは否定のしようがないほどはっきりと現れていた。同時多発テロ事件以降の話だが、人口一人当たりで見た場合、小規模の町出身の国民は大都市出身の国民と比べて戦死する確率が倍というデータがある。ウェストヴァージニア州のクラークスバーグでは、何世代にもわたって軍は地元の誇りと言える存在であり続けてきた。川が湾曲した部分には退役軍人病院があり、その外には「自由の対価はここにあり」というメッセージが掲げられていた。ある夏の日の朝、静けさと夜明け前の暗がりの中で見つめると、その対価は想像を絶するほど鮮明に感じられるのである。

8 ヤク漬け

二十歳の誕生日を迎える少し前、シドニー・ミュラーは海兵隊に入隊した。ウェストヴァージニアでは、何世代にもわたって軍は地位向上のための手段であり、外界への出口でもあった。同州は退役軍人がもっとも多い州の一つで、州民はそれを誇りにしていたが、同時に貧しさを思い出させる要素でもあった。クラークスバーグでは、軍の存在はあちこちで実感することができた。戦争記念碑が三つあったし、アメリカ在郷軍人会や退役軍人クラブの支部、そして何よりも、ウェストフォーク川の湾曲部を見下ろす位置に立つルイス・A・ジョンソン・VAメディカルセンター〔VAは退役軍人省の略称〕があった。

ミュラーはクラークスバーグで生まれ育ったが、そこにはさまざまな困難があった。父のアルトゥーロ・ミュラーは息子にアーサーというミドルネームを受け継がせたが、してくれたことはそれくらいだった。ミュラーが四歳のときには、父はもう家にいなかった。母のリンダは地元のサンドイッチチ店を共同経営していた時期もあったが、ドラッグとアルコールに浸ってはやめ、また浸ってを繰り返していた――「わたしを駄目にしたもの」と本人は言う。ミュラーが三年生のとき、母が薬を過剰摂取してしまい、彼が心肺蘇生法を行って命を救ったということがあった。十五歳のときには、母は刑務所にいた。大きくなると、彼は母の人生をめちゃくちゃにしたドラッグを嫌悪するようになったが、当の彼も問題を抱えていた。アルコールに溺れ、殴り合いの喧嘩をしたり盗みをはたらいたりするようになったのである（彼はのちに、こう語っている。「自分の人生にとにかくいら立っていたんだ。その怒りと憎しみをぶちまけていた」）。その結果、彼は教会のバンを盗み、クラークスバーグ近郊にある「セーラム・インダストリアル・ホーム・フォー・ユース」という少年拘置所に送られた。ミュラーはＧＥＤ〔一般教育修了検定。合格すると高卒相当の教育を受けたと認定される〕を取得し、十八歳になった二〇〇四年にはセーラムから出所してウォルマートで働くようになった。仕事はとてつもなく退屈だった。テレビを見ていたとき、イラクで活動する海兵隊の様子が放送された。それがきっかけで、以前海外での任務に参加したことがあったおじのことを思い出した。彼は海兵隊の新兵募集係を訪ね、歩兵部隊に入りたいと伝えた。ガールフレンドのテイラー・ダーストは、彼の軍への関心は気持ちの深いところから来ていると感じ取っていた。「そこがしっくりくるという感じが伝わってきました」と、彼女はわたしに教えてくれた。

二〇〇六年一月、ミュラーはサウスカロライナ州パリス島にあるブートキャンプに参加するべく出発した。身長一八三センチ、体重一一六キロと大柄だったため、機関銃担当になった。通常の装備に加えて兵器や部品を運べるだけの体力がある兵士が担う役割だ。新兵訓練が終わると、海兵隊は彼をまず七カ月イラクに派遣し、いったん戻った後に翌年さらに八カ月再派遣した。三年目にはクウェートに移り、落ち着いた環境で過ごすことができた。その後帰国し、二〇一〇年二月十三日に名誉除隊した。その頃にはすでにテイラーと結婚しており、一歳の息子に加え女の子が生まれる予定になっていた。家族を得て、彼の人生は落ち着くかに見えた。

しかし数カ月すると、ワシントンからお呼びがかかった。二〇一〇年のことで、アフガニスタン戦争の戦況が悪化していたのだ。タリバーンが攻勢をかける一方、オバマは三万人の追加派兵を行うとともに一八カ月後には軍を撤収させる計画を発表していた。ミュラーに対し海兵隊は復帰を要請し、彼はそれに応じることにした。ウェストヴァージニアを後にし、クリスマス直前にアフガニスタンに到着した。派遣されたのはサンギンというアフガニスタン南部の川沿いの町だった。ほどなくして、この地名は悪い意味で有名になる。

どの勢力にとってもサンギンは何としてでも確保したい場所だった。アヘン取引の交差路であるとともに、アフガン第二の都市カンダハールへのゲートウェイでもあったからだ。タリバーンはサンギンを掌握すべく攻勢をかけていた。二〇〇六年以来、イギリス軍はサンギンの防衛で一〇〇人以上の死者を出しており、これは同時多発テロ事件以降にアフガニスタンで戦死したイギリス軍兵士の三分の一近くを占めていた。イギリス軍は第二次世界大戦最大の包囲戦〔スターリングラードの戦い〕にちなんで「サンギングラード」と呼んだほどだった。ミュラーの到着から間もなく、イギリスは同地の防衛という困難な任務をアメリカ海兵隊に代わってもらうことにした。

それからの七カ月で、彼が所属する第五海兵連隊第三大隊には、死者二九人、負傷者一八四人（うち三四人が四肢を失った）という歴史的な規模の損害が出た。これは同時多発テロ事件以降、海兵隊の部隊としてはもっとも死傷率の高い結果だった。損害の甚大さゆえに、ロバート・ゲイツ国防長官は異例の現地訪問を行うことにした。彼はワシントンから砂ぼこりが舞うサンギンの前哨基地に飛び、直々に決意を伝えた。「国は諸君が払ってくれた犠牲に計り知れない恩義がある」と彼は海兵隊に言った。「諸君が必要なものがあったり、こちらが支援できることがあったりすれば、遠慮なく言ってほしい」

所属する大隊の派遣期間が四月に満了を迎えると、ミュラーは別の部隊に転属してサンギンにとどまりたいと申し出た。過酷な任務ではあったが、彼は人生で初めて仕事をしっかりとこなしているという実感があった。部隊長は彼に勲章が授与されるよう推薦したが、そのときの書類には「戦闘において率先して取り組む姿勢、戦術面の習熟、勇気は戦士としての模範例である」と記されていた。別の士官はミュラーについて「部隊に残留させ、昇進させるべきだ」と記した。ミュラーは、同じウェストヴァージニア出身で、自分の部隊に近く加わる予定のハーマン・ルッベという海兵隊軍曹にサンギンからメールを送った。ミュラーはルッベに、しっかりと覚悟した上で来るよう伝えた。「イラクのことは忘れちゃいないよな？　イラクで最悪だったときのことがあっただろう。あれがもっとひどくなると思ってくれ。ここはまさにそういう状況だ」。ルッベは一月に到着すると、不安定な状況がどれだけ深刻かを見せつけられた。海兵隊は来る日も来る日も、わだちのついた小道からなる、狭く入り組んだ迷路を同じルートでパトロールし、自分たちを殺傷するべく敵が埋設したばかりの爆弾を掘り起こしていった。パトロールに出たときは、また爆発が起こるかもしれないという恐怖から不吉な想像を巡らすようになった。「アリみたいに一列になって行軍するのだけど、先頭にいるやつが踏んじまうかもしれないなって思うんだよ」と彼は言う。

危険はほかにもあった。二〇一一年五月、ある日の早朝のことだった。迫撃砲が来る音がはっきりと聞こえたとき、ルッベは大きな帆布のテントにいた。「テントを貫通してスイスチーズみたいに穴が開いたよ」と彼は言う。爆発が起きたとき、外で立っていたのはミュラーともう一人の海兵隊員だけだった。「シドニーには当たらなかったんだけど、もう一人の顔に命中しちまったんだ」と、ルッベはそのときの様子を振り返る。「バットマンシリーズの『ジョーカー』を見たことがあるなら、あいつは映画みたいになったって言えばわかるんじゃないかな。口の端から入って、顔の片方を引き裂いたんだよ」

その迫撃砲攻撃は、その後数時間にわたって続いた銃撃戦の開始を告げるものだった。その最中、ルッベとミュラーは戦闘の最前線となっていた前哨基地の端までたどり着くと、階段の下に身を寄せ合って姿が見えないようにした。新たに発射された迫撃砲の音が聞こえた。それが着弾すると、ミュラーが立っていた壁に破片や泥が飛び散った。ルッベが言う。「身体を起こして、『シドニー！ シドニー！ シドニー！』って叫んだんだ。でも何も返ってこなかった。その後、あいつが階段の下から自力で歩いてきた。幽霊みたいに真っ白になっていたね」。ミュラーは崩れるようにルッベの隣に倒れ込み、こう言った。

「あれでなんで死ななかったか、わけがわかんねえ」

三週間後、ルッベがパトロールに出ていたとき、近くにいた海兵隊員が爆弾を踏んでしまい、腿から下の両足が引き裂かれてしまった。爆発後の混乱の中で、ルッベは負傷した兵士に覆いかぶさり、支援に来てくれるヘリコプターに場所を知らせるべく発煙弾に着火した。まさにそのとき、別の海兵隊員も即席爆弾を踏んでしまった。この二回目の爆発で、ルッベの身体は空中に吹き飛ばされた。地面に叩きつけられると、毛布で覆われるように顔面に痛みと熱を感じた。爆発の衝撃で顎がぱっくりと割れ、右耳がほとんど聞こえなくなった。下半身はと言えば、両足は折れた骨と肉が飛び出してぐちゃぐちゃになっていた。少尉が来て、彼に覆いかぶさった。ルッベはモルヒネを打ってくれと言い、その後意識を失った。彼はそれからの二年間、ウォルター・リード・メディカル・センターで入院生活を送ることになった。医師団は彼の顔面と耳を治療し、両足を修復した。彼はリハビリによってふたたび歩けるようになった。自分は運がよかった、彼はそう感じた。ほかの患者は、大半が足を失っていたからだ。

ルッベは同時多発テロ事件以降の一〇年あまりの中で、自分と多くのアメリカ国民の間に途方に暮れるほどの距離があることを感じるようになっていた。しかし彼は、「おれの場合は、ヴェトナム帰りの退役軍人が経験したようなことはまったくなかったよ。ほとんどの人が助けの手を差し伸べてくれたし、軍人だったことに感謝してくれた。だからすごく嬉しく思ってるよ」と言っている。ただ、国民の圧倒的多数にとって、対テロ戦争はつかみどころのないものだった。誰もが感謝の気持ちを口にしてくれはしたが、何か具体的なことをしてほしいと頼まれたわけではなかった。ルッベはこう語っている。「これは言っておかなきゃっていう質問や会話をみんな同じようにしてくるんだよ。五分後には意味を知ろうともしないし、気にかけもしないっていうのはこっちもわかっちゃいるんだけどね」

二〇一一年九月、ミュラーはアフガニスタンでの勤務を終えて帰国すると、ウォルター・リードに行き、ルッベの見舞いをした。彼は一カ月間、ルッベのベッドの脇にある椅子で寝泊まりして過ごした。日中は、二人は自分たちが戦地で見てきたこと、それにこれからのことについて話し合った。ミュラーは楽観的だった。「もう一度学校で勉強したいと思っている」。彼はオンラインでいくつか授業を受けることもしていた。警官になって、かつて自分がそうだったような問題を抱える若者の更生に関わりたいと思っていたのだ。ルッベはそういうミュラーの姿勢を快く感じていた。「ああいうすばらしい夢がね」と彼は言った。

ミュラーはクラークスバーグまで車で帰ったが、その後も電話やメールでルッベと連絡をとり合い続けた。ところが時が経つにつれて、ミュラーのメッセージはめったに来なくなった。電話も回数が減った。実際に話をしたときには、ミュラーは生返事をするばかりで、落ち着きがないように感じられた。何が起きているのかルッベは詳しく知らなかったが、いいことでないのはわかっていた。「こっちから訊きはしなかったし、向こうも言おうとしなかったんだ」とルッベは言う。「ゆっくり動く雪崩みたいな感じだったよ」

こうした年月の中で、九月十一日以降の戦争がもたらした長期的な影響がわかってきた。それはクラークスバーグのように戦地から遠く離れた場所も例外ではなく、『エクスポネント・テレグラム』の紙面からも見て取れた。同紙はウェストヴァージニア出身者がアフガニスタンに向けて出発する際には空港での見送り式について報じ、そのなかから戦死者が出れば詳細な追悼記事を掲載した。しかし、時が過ぎていくにつれて、同紙は負担が増す一方の州兵の状況について報じるようになっていった。州兵は本来の仕事をなんとか続けようとしていたが、軍は彼らのようなパートタイム兵士への依存を強めていた。圧迫感が募る一方で、記事には諦観がにじみ出るようになった。ミュラーがイラクにいたとき、飛行機一機分のウェストヴァージニア州兵が出発したが、その様子を伝える記事では冷ややかにこう記されていた。

「彼らの多くにとって、これは一度きりの派遣にはならないだろう」

クラークスバーグに戻ってから数週間後、ミュラーは丘の上にあるＶＡが運営する病院に診察を受けに行った。この病院は地域でも最大の雇用を提供する施設の一つで、ざっと一〇〇〇人が働いていた。およそ七万人の退役軍人が患者としており、なかにはオハイオ州から来る者もいた。医師のメモによると、彼は診察で「怒りのコントロールができないことと不眠症に悩まされている」と訴えた。酒を飲み過ぎていることをミュラーは正直に伝えた。担当した医師は、心的外傷後ストレス傷害（ＰＴＳＤ）の「閾値下の症状」が認められるものの、正式に該当するだけの基準は満たしてはいないとの診断を下した。医師は不眠の改善策としてミルタザピンを、抗不安薬としてヒドロキシジンを処方し、帰宅させた。

ミュラーの病状は悪化していった。症状がひどくなったため、その後の一〇カ月で彼はＶＡ病院をさらに二度受診した。二〇一一年九月七日、医師はミュラーについてこう記録している。「自分が床の上にいることに気づくが、そこまでどうやって来たのか覚えていない」「悪夢と怒りの感情が悪化している」。ミュラーはミルタザピンの服用をやめた。飲むと戦争の夢を見てしまうと考えたからだった。

カルテにはほかの症状についても記載されていた。ミュラーは「孤立を感じており」自分から友人を「遠ざけようとしている」「待たなくてはいけないときには不安が強まり、すぐに気が動転し、切迫感を覚えている様子や気分変動、興奮性がある」との記述がある。彼は常にトラウマがよみがえってくると訴えていた。ミュラーは新たに二種類の薬――フルオキセチン（抗うつ剤）とプラゾシン（悪夢の改善）――を処方されたほか、ＰＴＳＤのチェックリストで確認が行われた。結果は「五二点」で、彼の症状は「深刻」に分類された。ＶＡは障害者給付金として月額一八八九ドルの支払いを開始した。

二十九歳にして、ミュラーの人生は破綻に向かっていた。妻とは別居するようになっていた。「彼は家にいることがめったになくて」とテイラーは語っている。「彼自身は父親に会うことができなかったけど、自分が父親になるということを本当に楽しみにしていた。でも、いざなってみるとどうしていいのかわからなかったのね」。九月にＶＡ病院を受診してから一カ月も経たないうちに、彼は事故で車を壊し、飲酒運転で逮捕されてしまった。運転免許は没収された。それから数週間後、今度は無免許運転で逮捕された。警官になるという目標にとって、それが持つ意味はあまりに大きかった。逮捕歴があることで、何年にもわたって門が閉ざされてしまうからだ。加えて、妄想は手がつけられないほど大きくなっていた。彼は医師に、「友人は全員信頼しないことにした」と話している。

ミュラーがアフガニスタンから帰還したのは、まさにクラークスバーグがアメリカのオピオイド汚染の震源地になっていった時と重なっていた。町では抗不安薬のザナックス、パーコセットのようなオピオイド、さらにスブテックスやサボキソンといった本来はオピオイド依存症治療に用いられる薬を入手するのは簡単だった。処方薬の咳止めシロップも何杯も飲んだ。

ほどなくして、自分の薬の費用を賄うべく彼自身が小口のディーラーになり、デトロイトの供給業者から鎮痛剤を仕入れてクラークスバーグで売りさばくようになった。医師から日々何をして過ごしているかと訊かれると、彼は生活の実態を隠そうともせず、こう言った――「ヤク漬けですよ」。元妻のテイラーは子どもたちとの次の面会を調整するため彼のもとを訪ねたとき、彼の姿に戦慄を覚えた。「ゾッとしました。視線が定まっていなくて。別世界にいるようでした。子どもたちの誕生日も覚えていなかったんです」

二〇一三年七月二十五日の朝、ミュラーはルーティンの作業を始めた。処方薬を服用して、それからビールとウォッカを飲み始めた。さらにザナックスとパーコセットを服用し、マリファナも吸って、日が暮れるのを待った。夜はバーに行き、本人の記憶では一〇杯飲んだ。一二時を過ぎた後も、エヴァークリア――アルコール度数七五パーセントのグレイン（穀物）アルコール――のボトルを半分空けた。それからセダンタイプのビュイックに乗り込み、ローカスト〔ニセアカシア。北米原産の落葉樹〕通りに向かった――木の名前にちなんで命名された通りの一つで、わたしがかつて住んでいたアパートの近くだ。のちに、この時点でどの程度酔っ払っていたか訊かれると、彼は最高が一〇としたら「八から九」と答えていた。

わたしがクラークスバーグを去ってからの年月で、この地域はウェストヴァージニアにのしかかる重圧によって大きな変化を遂げていた。わたしがかつて出会ったリタイア組は、亡くなるかほかの場所に引っ越していた。ローカスト通りにある彼らの家は、家族によって一軒また一軒と賃貸物件に変わっていった。それに伴って周りの雰囲気も違ったものになった。入居者は長く住むわけではなく、隣近所のことはよく知らなかったし、修繕のために費用を出すことにも消極的だった。崩壊を予感させる要素が積み重なっていった。ある家では風で屋根板が剝がれ落ちてしまったし、別の家ではプラスチック製の外壁にカビがびっしりと広がっていた。壊れた窓がベニヤ板で補修されている家もあった。シドニー・ミュラーが路肩に車を停めた頃には、地元の弁護士がのちに「暗くなってからはもちろん、日中でも歩く気にはなれない通り」と呼ぶほどの状態と化していた。

ローカスト通り七四三番地には、水色に塗られた二階建ての木造住宅があった。ミュラーはそこに住む友人のクリストファー・ハート——誰からも「ボディ」というニックネームで通っていた——を訪ねたのだった。二十六歳のハートは元ボディビルダーで、体重は一三〇キロ以上あった。そのとき彼は寝室にいた。そこには、グリーンベイ・パッカーズ〔NFLのチーム〕やプロレス、『ウォーキング・デッド』のゾンビなど、子どもの頃の思い出の品々が飾られていた。ボディはミュラーとの共通の友人、トッド・アモスと一緒にいた。二人はクスリやヘロインを売っていることで知られていた。シドニー・ミュラーは顧客側になることもあれば、供給側になることもあった。このときは不機嫌な供給側だった。彼はかなりの量のクスリを「前渡し」し、自分の利益を欲しがっていた。議論はヒートアップし、ボディは九ミリのベレッタ——グリップがパールでできていて、父の日に母からプレゼントでもらったものだった――を取り出した。

ミュラーは丸腰だったが、「元海兵隊」などという言葉はないと海兵隊員が好んで言うのを覚えていた。銃が目に入ったことで彼は酩酊状態から我に返り、ボディの手からベレッタを叩き落とした。三人は床に落ちた銃に突進した。のちに医師に語ったところでは、ミュラーはこの瞬間、「本能」に基づいて動いていたという。「あいつらは敵になったんだ」。ミュラーは銃を手に取り、ボディの顔に発砲した。次にアモスにも発砲し、彼は絶命してソファの上に崩れ落ちた。頭が胸に向かって下がった状態で、昼寝をしているかのようだった。廊下のほうからは、ボディと同じ家に住む者たちが発砲音で目覚めて、一斉に駆けつけた。ボディは四つん這いの状態で虫の息だったが、まだしゃべることができた――「シドニーがやった」（彼は病院に搬送される途中で死亡した）。

その頃にはミュラーは正面のドアから飛び出して、通りに出ていた。手にはグリップがパールでできた九ミリのベレッタが握られていた。時間は午前四時三〇分だった。夜明け前の暗がりの中で、ミュラーは視界の片隅に二つの人影が近づいているのに気づいた。彼らは街灯の間におり、ミュラーは顔を確認することができなかった。ボディの家の人間か、「自分を攻撃する」何者かに違いないと彼は考えた。彼は二人にも銃を撃ち込み、家に向かって車で走り去った。

暗がりにいた二人はボディの家から来たわけではなかった。何の関わりもない、『エクスポネント・テレグラム』の新聞配達員だったのだ。父と息子で、配達ルートを回っている途中だった。父のフレッド・スウィガーは七十歳で、四十七歳の息子フレディー・ジュニアは発達障害を抱えていた。父子は今なお徒歩で配達をしていた最後のチームの一組だった。三〇年にわたりこれを続けており、暑さを避けるため常に夜明け前に配達することにしていた。配達ルートでは、昔からの購読客が「スウィガー・ボーイズへ」と父子の通称宛で記されたメモを残し、ペンキ塗りや芝刈り機の修理、生け垣の手入れといった雑用をしに来てくれないかと頼んでいたものだった。

ミュラーが発砲したその瞬間、ミニー・スウィガーは長男と元夫を同時に失った。ミニーとフレッドは十八歳で結婚し、八人の子ども——男の子七人、女の子一人——を育てた。フレッドはカトリック学校の用務員として働いていたが、ほとんどの時間をフレディー・ジュニアの世話に費やした。「あの子は動物が大好きで。代金の一部を動物保護施設に寄付するリサイクルショップがあって、毎日そこに通ってはちょっとしたものを買っていました」とミニーは教えてくれた。「あるとき、ジュニアと父さんが犬を五匹連れて帰ってきたことがあってね。ほとんどは引き取り手が見つかったんだけど、目の見えない犬が一匹いて、誰も欲しがらなかった。だからうちで何年も飼うことにしたんです」。夫妻の結婚は長くは続かず、子どもが成人するとミニーはオハイオに引っ越し、フレッドはジュニアとともにクラークスバーグに残ることにした。配達ルートにある家は、年を経るごとに荒廃が進んでいった。新聞の購読者もどんどん減っていった。ミニーは配達に出る父子のことを心配していたが、スウィガー・ボーイズは徒歩での配達を続けていた。「雨降りのときも、晴れのときも、雪のときも、どんなときも、でした。二人は一緒に暮らし、一緒に死んでいったのです」と彼女は振り返る。二人の遺体はゆがんだ状態でローカスト通りのアスファルトの上に横たわっていた。犯行現場を写した写真では、ジュニアはそれでもなお右手に『エクスポネント・テレグラム』をつかんでいた。

夜明け前にミュラーは逮捕された。彼はボディやアモスと口論になったこと、銃を確保しようと突進したこと、二人に発砲したことを自供した。ボディとアモスの生死はわからないし、路上で発砲した相手が誰なのかは見当もつかないと言った。「できるだけ低い位置をねらったんだ。ただ、『おい、ちょっと止まれよ。おれに近づくなって言っててんだろ』という感じに」と警察に説明した。

検察はミュラーを四件の第一級殺人の容疑で起訴した。弁護人のサム・ハロルドは起訴事実を否認しなかった。「彼がやりましたから。そのことについては争う余地はありません」とのちに語ってくれた。ただ、海軍退役軍人でもあるハロルドは、ミュラーの犯罪を戦闘経験から切り離して考えるわけにはいかないと受け止めていた。「彼は治療を受けようとしていたんですよ。自分の人生に起きているとについて、ただ助けを必要としていました。ところが、システムが彼に道を誤らせてしまったのです」

二〇一五年八月、ミュラーは罪を認めた。クラークスバーグで四半世紀にわたり法廷で過ごしてきたトマス・ベデル判事は、「これまで担当したなかでもっとも難しかった事件」と呼んでいる。彼はさらに「ここの郡でこれほどの人命が失われたことは過去にありませんでした」とも付け加えている。量刑言い渡しの中で、保護観察所からミュラーの人生について詳しい説明があった。両親のこと、犯罪歴、受けてきた教育、ドラッグやアルコールの問題、そしてアフガニスタンでの経験。保護観察所の担当者は評価の部分で、被告は「積極的に犯罪を犯そうという姿勢」はなかったと結論づけた。つまり、「事件が起きないでほしかったと願っていたのであり、状況を変えられたとしたら、そうしていたはずだ」と説明した。判事はミュラーに終身刑を言い渡した。仮釈放の権利が生じるのは、二五年後のことだ。

ある日の午後、デスクで保護観察所の報告書に目を通しながら、わたしは長い時間をかけて書かれた内容を反芻していた。犠牲になったもろもろのこと――ミュラーが奪った命、彼が台無しにした家族、彼が開けたクラークスバーグの穴に思いを馳せていた。この犯罪に責任があるのはミュラーであることは言うまでもない。だが、それで全体像を説明したことになるだろうか？　これだけの大火事に至らしめた燃料について、社会の側はいかに責任を負うべきだろうか？　国防長官がサンギン訪問時にした、「諸君が必要なものがあったり、こちらが支援できることがあったりすれば、遠慮なく言ってほしい」という約束はどうなったのだろうか？　ミュラーが支援を必要としていたとき、処方薬が提供された。小切手も支給されたが、それ以前の戦争に参加した多くの退役軍人が受け取る額よりも多かった。しかしそれでも、彼はこの時代を象徴する「貢献に感謝します」というスローガンと同じくらいに意味と尊厳を欠いた生活に戻るしかなかった。

わたしはミュラーの友人、ハーマン・ルッべに事件について話を聞きに行った。彼は犠牲者に対して罪の意識を感じることがあると語った。もっと連絡を密にしていればよかったと悔やんでいたのだ。事件の詳細がわかってくると、彼は一連の出来事を、誰も介入しようとしなかったグロテスクな流れとしてとらえた。対照的に、アフガニスタンから帰還後のルッべの人生は回復の軌道に乗っていた。母がウォルター・リードで何カ月も彼のそばにいてくれた。さらにミュラーとは異なり、社会が見て見ぬ振りはできないほどはっきりとわかる重傷を負っていた。外科医によって両足の再建手術が行われ、他人から何があったのか訊かれることはときどきしかなくなるほどに顔面の傷もきれいにしてもらえた。ルッベは国防総省で背広組として職を得た。彼はドイツ勤務となり、そこで女性との出会いもあった。

しかし、彼はアフガニスタンでの経験は何の影響もなかったと装うことはしなかった。わたしと電話で話をしたとき、彼はドイツからこう語った。「こっちは早春になってるよ。すぐに夏が来るね。アフガニスタンで激戦が始まったのもまさにこの時期だったなあ。ガールフレンドからは、『ハーマンはこの時期になるといつも怒りっぽくなるね』って言われてる」。とはいえこの時点では、自分自身を理解することは十分な進展と言えた。過去に起きたことをなかったことにはできなかった。それを謙虚に受け止めるのが唯一できる対応だったのである。「それをやめるわけにはいかないからね」と彼は言っていた。

ミュラーはクラークスバーグから南に数時間行った場所にあるマウントオリーヴ刑務所で、厳重な監視下に置かれた。リース・クラークがそうだったように、彼も理容師の仕事を覚え、聖書学校が運営する学士課程の履修も許された。ほぼいつも、五時間から六時間を読書に費やした。「今はようやく落ち着いた気持ちになっているよ。何年もかかったけどね」と彼は言う。自分が犯した過ちは海兵隊に入隊したことではなく、海兵隊を除隊したことだと悟るようになっていた。「海兵隊員として自分はよくやっていたと思うよ。いざ除隊して何も計画がないってのは、時速一六〇キロで動いていたのにいきなりストップしちまうようなものさ」。彼は自分の脳をオンになったままのスイッチのようなものととらえていた。「オフにしなくちゃいけないんだけど、それができないんだよな」。事件について話すなかで、彼はこう言った。「自分がやったことなんだから、責任は自分にあるのは間違いない。ただ、やろうとしてやったわけじゃないんだ。それで何かが変わるってわけじゃないかもしれないが」。戦争が人を殺すことや死のリスクに関する自分の感覚を麻痺させた、彼は繰り返しそう語った。「死なんて、物珍しくはないさ。最初に派遣されたファルージャの後の頃だったら、何かしら意味があったかもしれないけどね。でも三度目の派遣の後は、何人殺したか覚えてすらいないよ。たくさん、ということくらいしかわからないよ」

同時多発テロ事件以降の戦争がもたらしたものの全体像について理解しようとする際、わたしがいつも心に留めているのは、『愉しみながら死んでいく』の著者、ニール・ポストマンがずっと前に言ったコメントだ。彼はアメリカの歴史を「われわれの文化の中身を生み出す」メタファーの連続ととらえていた。西部フロンティアであったり、アプトン・シンクレアが言う「都市の食肉処理場」であったり、後にはラスベガスのきらきらした幻想だったりと、いつの時代にも、象徴的なメタファーがあったのである。ポストマンは二〇〇三年にこの世を去った。もし彼が生きていたら、明確な地理的範囲も勝利もないなかでのアメリカの戦争という意味で、「とらえどころのない戦争」を現代アメリカの文化の中核的メタファーと評していたかもしれない。

同時多発テロ事件発生から最初の数年は、アメリカ国民は突然もたらされた不安感によってまだ心が揺さぶられていた。こうした状況のもと、ヴェトナム戦争時代のような分断はなんとかして回避しようという風潮があった。戦争そのものへの反対と戦地に赴いた兵士への反発を区別しようとしていたのだ。しかしアメリカがイラク攻撃に向けた準備を進めていくにつれて、連帯のかけ声は、巨大な軍事力の行使について当然持たれるべき疑問に対する無言の敵意というかたちに変わっていった。イラク戦争の開戦前には、作家のノーマン・メイラーは「アメリカにおけるファシズム前夜的な雰囲気」と呼んだ状況を危惧するまでになっていた。二〇〇三年初めのスピーチで彼は将来を予見するかのように、民主主義とは「これからはわれわれが擁護していかなくてはならなくなる条件なのだ」という見方を示していた。

戦争がいたずらに長期化していくなかで、紛争をめぐる表現はエンターテインメントと混ざり合い、屈折し矮小化されたかたちで政治に跳ね返っていった。二〇〇六年には保守派コメンテーターのローラ・イングラハムが、拷問のシーンが頻繁に描かれていたテレビドラマ「24」を引き合いに出して次のように話していた。「普通のアメリカ国民なら、『24』が大好きですよね。わたしが思うに、それは国民投票でアル・カーイダの上級工作員に対して過酷な手段を用いても構わないと決したのに近い意味を持っているのです」

ときには、「頓挫した攻撃計画」や「過激なホームグローン型テロリスト」といった見出しで国内でも戦争を実感するときはあった。しかし大半の国民にとって、戦争とは「国土《ホームランド》」と呼ばれるようになったはるかかなたで行われる抽象的なものでしかなかった。この「とらえどころのない戦争」でアメリカ国民が向き合うことになった敵は、目には見えないがずっと居座り、どこにでもいるはずだがどこにも見つからず、いかなる措置をとっても構わないと容認されてしまうほどに恐ろしげな存在として受け止められたのだった。イラク戦争から三年以上が経った時点で『ナショナルジオグラフィック』が行った世論調査によると、大学教育を受けたアメリカ国民のうち、イラク、イラン、サウジアラビア、イスラエルの場所を示すことができたのは四分の一にも満たなかった。元海兵隊員のフィル・クレイが書いた戦争小説『伝道者たち（*Missionaries*）』では、登場人物の一人が拡大するアメリカの軍事行動についてこう語っている。「同じ戦争の延長であり、『テロ』との終わりなき戦いなどではなく、もっと漠然として、特定困難で、アメリカという疑似帝国のニーズに関わるもの」なのだ、と。

「疑似帝国」の欲望は、強さと弱さをめぐるアメリカの感覚を変えつつあった。戦争が長引く一方で徴兵制や戦争税をめぐる政治的圧力にさらされることはないという状況のもと、アメリカは十分な数の兵士を確保するという、現実的かつ拡大する課題に直面することになった。以前であれば優先度が低いとされた応募者でも採用できるようにと、入隊基準が年を経るごとに引き下げられていった。まず、高校卒業資格のない者を受け入れるようになった。次いで、入隊することで市民権が得られるならぜひやりたいという新移民にも対象を拡大した。独立戦争以来、アメリカは自国民以外の者が自軍に加わることを許容してきた。そしてこの頃、連邦政府がなんとかして不足分を埋めようとするなか、ブッシュ大統領はある規定に変更を加えた。それまで移民の軍人が市民権を申請するためには入隊から三年待つ必要があったのを、初日に申請可能にしたのだ。ほどなくして、現役兵もしくは予備役に属する移民出身者は四万人以上にのぼった。そして彼らは、イラクでの米兵戦死者のうち三パーセントを占めるまでになったのである。

だが新兵補充の必要性は、同時多発テロ事件がもたらしたもう一つの側面と衝突することになった。移民の受け入れ範囲と利点をめぐり共和党内で生じた見解の深い隔たりだ。政府は新兵獲得のためさらなる移民の受け入れを欲していた一方で、外国人嫌いの保守派が突飛なアイデアをメジャーなトピックにしつつあった。たとえば、アメリカで生まれた不法移民の子どもへの生得市民権付与の中止や、南部国境での壁の建設要求だ。トランプが政界入りする一〇年以上前、二〇〇四年には右派ポピュリストとして知られていたコロラド州選出下院議員のトム・タンクレドが、不法移民は「あなたやわたし、そして家族を殺しにやってきているのです」と警告を発したことがあった。タンクレドらは連邦政府機関に対する影響力を行使して、軍に所属する移民が市民権を取得する際のハードルを上げさせた。二〇〇五年にケンデル・フレデリックというイラク駐留の陸軍予備役兵に起きた事件について記そう。トリニダード・トバゴからの移民だった彼は、帰化申請に際して指紋を再登録する必要があると言われた。市民権・移民局から、陸軍のファイルに登録済みの指紋を使うことは禁じられていると指摘されたためだった。その彼は再登録に向かう途中、路肩に仕掛けられた爆弾で命を落としてしまったのである。

タンクレドのような政治家は例外的な存在ではないことが明らかになっていった。むしろ、その後の政治状況のさきがけだったのである。彼らはイスラム教や人口構成の変化に対する恐怖感の高まりが政治的パワーの源泉になることに気づいたのだった。アメリカは自国史上指折りのスピードで多様化が進む時期に入っていた。一九七〇年代には、海外生まれのアメリカ国民はおよそ五パーセントだった。この数字は二〇一八年には一四パーセントにまで上昇し、一五パーセントが海外生まれという一八九〇年の記録に迫るレベルになっていた。さらに、アメリカの白人はこうした変化を世代的な退潮と感じることが多くなっていた。というのも、新たにアメリカ国民となったより多様なグループと比べてはるかに年齢層が高かったからだ。二〇一八年には、白人の年齢の中央値は五十八歳になっていたのに対し、アジア系アメリカ人は二十九歳、ヒスパニックは十一歳だったのである。

　タンクレドはこうした不安をチャンスととらえた。二〇〇八年に短期間ながら大統領選に出馬した際、彼は候補者討論会をボイコットしたが、スペイン語で放送されているというのが理由だった。彼の陣営が流したテレビ広告では、「凶暴な中米のギャングが今ではアメリカの地にはびこり、ドラッグを売り、子どもたちをレイプし、生活を破壊しているのです」といった言及がされていた。ティーパーティーの大会では、移民、イスラム教、オバマに対する憎悪を関連づけて、聴衆にこう訴えた。『ｖｏｔｅ（投票）』と書くことや英語で言うことすらできない人間が、ホワイトハウスに徹底した社会主義的イデオローグを送り込んだのです。その名はバラク・フセイン・オバマといいます」。下院でタンクレドは「ジハード防止法案」を提出したが、これは移民に対しアメリカでシャリーア〔イスラム法〕を推進しないとの宣誓を義務づけるというものだった。

　タンクレドは二〇〇九年に議会を去り、その後は表舞台に出ることもなくなっていった。だが彼の存在は、アメリカで新たに広がっていた恐怖の強力な結合を白日の下にさらした。カリフォルニア大学ロサンゼルス校の人類学者、ジェイソン・デ＝レオンはこの変化に関し、政府機関「移民・関税執行局（ＩＣＥ）」の創設に着目した。彼は、国に侵入しようとするテロリストを阻むのだという思いを抱いて入局した国境管理担当官に会って話を聞いた。彼らによると、時とともにそのイメージはさらに広がり、移民問題の全般に及ぶようになったという。「巧みな誘導の結果起きたのは、われわれはテロと南部国境での不法移民を同一視するようになってしまったということなのだ」とデ＝レオンは指摘している。

クラークスバーグでは、ミュラーが起こした殺人事件はかつてこの地を結束させてきた価値そのものを揺さぶったように見えた。兵役に対する誇り、VA病院による支援、そして「ウェストヴァージニア人による、ウェストヴァージニア人のための」を社是に掲げる小さな地方紙が事件から影響を受けたのだった。あらゆる点で、この事件は地元の基盤としての健全さに疑問を投げかけたという意味で道徳的な暴力の発生だと言え、かつてクー・クラックス・クランが裁判所の前に集結したときと同じくらいに衝撃的だった。今回の事件については、社会の末端で起きた例外的なケースとしてそう簡単に払いのけられるものではなかった。ミュラーの心がばらばらになってしまったとき、彼に寄り添おうとした者は誰もいなかった。家族も、地元も、あるいは国もだ。それぞれの無関心が重なった結果だったのである。

このように複数の説明を重ね合わせて対象をとらえようとすることは、ウェストヴァージニアの多くの場所で起きている危機を理解する際の唯一の方法になっていった。州人口は二〇一二年にピークに達し、それ以降は減少が続いている。人口の九四パーセントが白人で、全米でもっとも平均年齢が高く、そして教育水準が低い州となっている。給食の無償化もしくは減額の対象となった子どもは全体の半数以上にのぼっていた。

クラークスバーグでは、ハリソン郡の郡史編纂担当を務めるクリスタル・ワイマーが、ドラッグの蔓延や地元のガラス製造業時代の終焉だけでなく、もっと深い部分に目を向けるよう市民に促していた。「工場の閉鎖は全体の一側面を表しているにすぎません」。ある日の午後、メイン通りを見渡すことができるオフィスで彼女はそう言った。「単に給料払いのいい製造業がいくつも撤収したからという話ではないんです。ほかに課題がたくさんあるんです。世代間の格差を解決する必要があります。頭脳流出も解決する必要があります。わたしが卒業したときのクラスからは、ウェストヴァージニアから出ていった人はほとんどいません。わたしは地元にできる限り密着することを選んできたのですが、それは地元の人たちと一緒にいることが大切だと思ったからです。でも率直に言って、ウォルマートがわたしたちを救ってくれるわけではないのです」

当然のことだが、『エクスポネント・テレグラム』では事件を自分事として受け止めていた。スウィガー父子は毎朝、裏口の荷物搬送口で配達する新聞を受け取っていた。「あの二人はたまたま現場に居合わせただけだったんだ。配達ルートにいただけでね。みんなに愛されていたよ」。編集長のジョン・ミラーはそう振り返る。ミラーは自分の街について優れた部分に目を向けようとする姿勢を誇りに思っていたが、その彼でも今回の事件は明るい側面を見いだすのはとても無理だった。そこで彼がよくやるように、ここでも統計データからロジックを求めようとした。

「一九〇〇年代に産業革命が進行していた頃、クラークスバーグには人口が五万人いたんだ」。ある日、オフィスで話をしていたときに彼はそう言った。「列車で本当に多くの人が来たし、町は活況を呈していた。ダウンタウンにはホテルが六軒だか八軒だかあった。ガラス工場や石炭、石油、ガス。こういうビジネスや商売があったからね。で、そういうのは全部なくなってしまった」

大判のバインダーで綴じられた同紙の古いアーカイブをひもとくと、街が絶頂期にあった時代をとらえたセピア色の写真が出てきた。一九二四年の大統領選で民主党の候補指名獲得をめざしていたジョン・W・デイヴィスが紙吹雪が舞うなかをパレード行進する写真があった。その背景には、ワルド・ホテルが岩壁のようにそびえ立っていた。「とにかく豪華なホテルだったんだよ」とミラーが言う。ワルド・ホテルはクラークスバーグと権力とのつながりを象徴する場所だった。一九二〇年代にはオーナーの一人、ガイ・ゴフが上院議員を務め、四階のスイートルームを居所とした。その後、共和党保守派の上院議員がワルド・ホテルで会議を開き、党の指名候補であるハーバート・フーヴァーの代わりにゴフを大統領選に出馬させようという企てを起こそうとしたこともあった。

しかし、クラークスバーグの権力とのつながりは、ダウンタウンのひびが入ったビルのように、はっきりと弱体化していった。何年もの間、ミラーは廃墟となったビルの暗闇に足を踏み入れていった。そうした建物は、床はイタリア製の大理石、天井は豪華な金属張りだった。視線を上に向ければ、消え去ったものの痕跡が今でもわかるという。「繰形や天井の高さがわかるからね」と彼は言った。

数年ごとに――多くの場合、化石燃料ビジネスが急成長する時期の前後――誰かしらがこうした古いビルの一つについて改装プランを発表していた。比較的最近では、クラシックなバーやレストラン、細部にわたるまでエレガントに設計されたパーソンズ・ホテルの例があった。『エクスポネント・テレグラム』はこのホテルで祝賀夕食会を開いたことがあったほどだ。だが、どのブームも一時期盛り上がっただけだった。ミラーが言う。「それで、また消え去っちゃうんだよ。しばらくいたかと思えば、また悪くなっていく」。彼は感情を抑え込んでいるようだった。「高値と安値っていうわけさ」

ミラーが子どもの頃に通った教会は、事件現場から九〇メートルしか離れていないところにあった。彼はよく車で周りを見に行き、うまくやっていけている地域と状況が悪化している地域を把握しようとしていた。「これが興味深くてね。こっちの地域はかなりよくやっているし、あっちの地域もかなりよくやっている。だけど、その間にあるところはとんでもなく荒れた地域なんだよ」。人が住んではいるが中は崩壊が進んでいるような家が目に入ると、そこで止まった。「ああいう家は取り壊されてはいないんだよ。ボロボロになってしまったような感じに見えるよな」

彼は大規模かつ大胆な展開が起きることを夢見ており、その期待の中での数字を数え上げてみせた。「これまでに一〇〇軒か二〇〇軒は取り壊されてるんじゃないかな。それで、さらに五〇〇軒くらいが控えているんだ。ちゃんと進められるんだったら変化が好ましいのは明らかだよ。でもその列車を運転する人間が誰もいなくて、結局減速していくだけだったら……」。彼の声は小さくなっていった。

オフィスの上階では、ミラーのボスに当たるブライアン・ジャーヴィスがなんとかして平静を保とうとしていた。彼は亡くなった父のために『エクスポネント・テレグラム』を買い取った若き弁護士だ。全米規模のメディアから事件についてコメントを求められたとき、ジャーヴィスは自分が適切だと考えたフォーマルな声明を発表した。「彼らは本当にすばらしく、仕事熱心で、購読客のことを非常に大切にしていました。購読客のほうも、彼らを非常に大切にしていました」

しかし、内心では心が揺さぶられていた。『エクスポネント・テレグラム』のオーナーになってからまだ一年しか経っていなかったのだ。「この新聞の存在とはいったい何なのか、今でも理解しようとしているところなのです」と彼はわたしに言った。「その最中に配達員が殺されてしまった。『いったい何が起きているんだ？』と考えるようになっています」

9 購買力

二〇一二年一月、チップ・スコウロンはペンシルヴェニア州スクールキル郡の連邦刑務所に出頭する準備をしていた。グリニッジの自宅を発つ前、彼は四人の子どもを座らせ、自分が起こした事件、罪を認めたこと、下された量刑といった本当のことを説明した。「長い旅でいなくなる」といった、ありがちな婉曲表現は使わないようにした。その数日後、グリニッジ昼間学校では、六歳の末娘が手を挙げてこう言った。「パパはこれから刑務所に行きます」

不正が発覚してからの数カ月の中で、彼は自分が起こした犯罪やついた嘘、不倫、ウォールストリートでの成功について考えを深めていくようになった。彼はこう語っている。「カネはあまりに魅力的だったから、そこから離れようとはまったく思わなかったんです。妻や子どもたちを捨てて新しい生活を始めようなんていう飛躍した考えはまったくありませんでした。実際には紙一重だったわけですが」。ただ、そうした気持ちの下に、「人生にものすごく大きなむなしさと寂しさを感じていました」と彼は言う。

　職業的な意味でも社会的な意味でも、彼の世界は驚くほどの速さで崩壊していった。「自分が希望や信頼を置いたものが全部、突然吹き飛んでしまったんです。資産はなくなり、評判もなくなり、ビジネスもなくなり、妻はわたしが何者なのかすら知らないのですから」。こうした時期のある晩、彼は驚くほど鮮明な夢を見た。「しょっちゅう夢を見るようなタイプではないんですけどね」と彼は言う。その夢では、顔の半分が青く塗られた大柄な男性が出てきて、「レビ記を読むんだ！」と告げたという。「それで目が覚めたんです」。スコウロンは子どもの頃から熱心というわけではなかったが、定期的に教会には行っていた。彼はベッドから這い出て、下の階までよろよろと下りていき、本棚から母が残してくれた聖書を探した。妻が寝ている間、彼は主寝室の隣にある更衣室で椅子に腰かけ、聖書に目を通した。「夢の世界から抜け出して、『ああ、今ではイエスが本当にいらっしゃるように感じられる』などという話ではないのです。完全に自分を超越した何かに対する驚嘆と畏《おそ》れのような感覚でした」

　スコウロンは、キリスト教青年会のメンバーとより多くの時間を過ごすようにした。ヴァージニアまで行ってリトリート〔日常生活から離れて自分を見つめ直す機会〕に参加し、「覚醒」を経験した。帰宅した彼は、「三週間、基本的に床の上で横になって、泣いていたよ。周りの人たちは、ぼくが正気を失ってしまったんじゃないかと思ったみたいだったね」と話していた。彼はさらにこう続けた。「修道院で言う『魂の暗闇』だったと思う。あの涙のために修道士が祈りを捧げるんだよ。神のそばにいるというあの感覚だね。人間の脆さ、とくに自分自身の脆さとの一体感という以上にいい言い方が見当たらないよ」

その後の数カ月、彼は罪の意識を感じてこなかったことについての原点を掘り下げて考えた。「どんな小さな嘘であっても、何百万ドルものカネを注ぎ込まれると真実として扱うようになっていたんです。ウォールストリートではこういう言葉があるんですよ。『カネが人間を駄目にするわけではない。カネが駄目さを暴くのだ』って。成果を出せばルールにとらわれることなどないと考えて、実際に何百万ドルものカネを手にして成果を出していたとしたら、どうなると思います？ 自分はルールの適用外だってことになりますよ」。知性を成功のために駆使すればするほど、自分が作り出しているモラルの残骸に気づきにくくなるものだ。スコウロンは次のように語る。「理性では善悪を見極めることなんてけっしてできないんですよ。理性は道徳をねじ曲げるだけです」

スコウロン、それに「ラウンドヒルのならず者たち」は、金融危機によって生じた数々の事件で法の裁きを受けることになった。四年間で少なくとも七五人がインサイダー取引や関連犯罪で有罪判決を受け、捜査の圧力の下で、数十億ドル規模の資金を扱うヘッジファンドが四つ破綻した。だが、ウォールストリートの人間のなかでこうした訴追を説明責任の新時代の到来と受け止めた者はほとんどいなかった。というのも、処罰の対象となった範囲は狭く、こうした文化の中枢にいる者までには及ばなかったからである。

スコウロンが理解できる範囲では、刑務所行きになる要因とグリニッジやワシントンで高い地位に上り詰めるための要因の境界は、かなりの部分が、誰がルールを作ったのかという点に左右されていた。つまり、自由、公正、個人の責任といった概念はどうやって定義されるか、そして何よりも実際の処罰を回避するための手段やコネクションを持っているのは誰か、ということだ。煎じ詰めて言えば、内部情報に基づいて金銭を得ることとは、ワシントンで毎日起きている利益供与や利益誘導の文化と比べてそんなにも悪いことなのだろうか？　彼はこう語っている。「今じゃ、ほとんどの関係は取引ということなんです。こちらが何かをして差し上げましょう。そちらも何かをしていただけますよね、という具合に。自分はただそれを大っぴらにやってしまったというだけなんです」

金融危機とその影響に襲われた年月の中で否定できないほどはっきりしたのは、一部のアメリカ国民が自分たちの優位性を経済面だけでなく政治的にも徹底的に発揮しているということだった。彼らは洗練された利益創出ツールを生み出したのとまさに同じように、洗練された政治ツールをも活用して、有権者や候補者に影響力を発揮したり、ワシントンで自分たちの意向を反映してくれるオーソドックスなタイプの候補者を支援したりしたのだった。グリニッジがとてつもない繁栄を手にしていた頃、現地の共和党系献金者や活動家は規格外の富を用いて、税制や規制、平等、そして最終的には政府そのものの正当性に対する国民の意識に変革をもたらそうとした。この変革こそがのちにトランプの政治的主導権獲得に道を開くことになるのだが、それがどのようにして起きたのかを理解するためには、時をさかのぼって考える必要がある。

二十世紀の豊かだった時代で、グリニッジの人たちに地元政治の理想的存在、民主主義のイメージを象徴する存在を選んでもらうとしたら、競争らしい競争はまずなかっただろう。有力な住民が類を見ないほど多いグリニッジのような町であっても、プレスコット・ブッシュは支配者的な存在だった。

プレスコットの息子と孫はそれぞれ大統領になり、彼自身は投資銀行家であり、代表制タウンミーティング（ニューイングランド版の地方議会）のモデレーターであり、一九五二年から一九六三年にかけては連邦上院議員も務めた。ラウンドヒル・クラブと言えば町に八つあるカントリークラブの一つだが、そこのゴルフ場のコンペで八回の優勝経験があった。道徳規範の熱心な信奉者で、自宅で夕食をとる際も息子たちにはジャケットとネクタイを着用させるほどだった。プレスコットは長身で控えめ、正しいことを重んじる性格だった。友人からは「十戒の男」と呼ばれた。あるときラウンドヒル・クラブのロッカールームで誰かが当時十四歳だった息子のジョージ・H・W・ブッシュの前で下品なジョークを言ったことがあった。するとプレスコットが駆けつけて、「ここでそのような言葉は二度と聞きたいとは思いませんね」と言い放ったという。

ワシントンでは、プレスコットはアイゼンハワー大統領のゴルフ仲間で、アイクが「現代的な共和党主義」と呼んだ思想を体現する存在だった。アイゼンハワーは選挙ではイデオロギー的な意味で保守派であることを前面に出したが、統治のスタイルは穏健派的だった。彼は党派主義をなんとかして回避したいと強く思っていたことから、「中道《ミドルウェイ》」というグループを立ち上げ、共和・民主の間に共通の基盤を見いだすアイデアを内輪で話し合ったほどだ。同様に、プレスコットもスリムで効率的な政府を支持していた。しかし、中道主義ゆえに「ロックフェラー・リパブリカン」という呼称が作られたニューヨーク州知事のネルソン・ロックフェラーがそうだったように、プレスコットも公民権や産児制限、福祉をめぐっては党の方針以上にリベラルな考えを持っていた。同じ共和党のジョセフ・マッカーシーに対しては、「アメリカ国民の間に危険な分断」をもたらそうとしており、「いかなる疑念や反対意見も表明することすらせずに、盲目的に」自分に従うよう議会に要求しているとして糾弾した。彼は滑稽なほどに貴族的で、孫からは「上院議員」と呼ばれていた。しかし根本的なところでは、政府には自分のようなかなり恵まれた環境を享受できない人びとを助けるという任務があることを確信していた。連邦最低賃金や移民割り当ての引き上げを支持したし、ほかの上院議員に対しては、科学や教育、国防のために「必要とあらばいかなるレベルの課税でも承認することで財源を確保する勇気を持とう」とも呼びかけた。

プレスコットは一九七二年に亡くなったが、彼の家族はその後もずっとグリニッジ・リパブリカンのコミュニティで中心的な存在であり続けた。「プレッシー」の名で知られた息子のプレスコット・ジュニアは共和党町委員会の委員長を務めたし、ブッシュ政権の関係者は退任から数十年経ってもこの地域に住み続けている。コネティカット州の共和党委員会が毎年授与する最高の賞は、「プレスコット・ブッシュ賞」となっている。

しかし、プレスコットが体現した共和党穏健派のコンセンサスは想像以上に不安定な状態が続いており、一九六〇年代半ばには崩壊が始まっていた。一九五五年にはウィリアム・F・バックリー・ジュニアが『ナショナル・レビュー』という雑誌を創刊したが、そのよって立つところは「政府は市民の生命、自由、財産を守るためにのみ存在するのであり、それ以外の活動はすべて自由を抑圧し、進歩を阻むものになりがちだ」という原則だった。これは現代保守運動の幕開けを告げるものだったが、概してリベラル派知識人は差し迫った挑戦とは受け止めなかった。一九六三年、リベラル派の経済学者でケネディ兄弟のアドバイザーでもあったジョン・ケネス・ガルブレイスは、次のように指摘して現代保守主義者を嘲笑した。彼らは「人類最古で、潤沢な資金があり、手厚く称賛されるが、全体として見ればもっとも成果の少ない道徳哲学上の行動の一つ」に取り組んでいるのであり、「それは利己心の道徳的正当化を傲慢にも試みようとする行為なのである」と。

だがグリニッジでは、新たな保守主義に取り込まれる者も出てきた。J・ウィリアム・ミッデンドーフ二世はハーヴァード出身の投資銀行家で、プレスコットや友人、隣人とともに町議会の議員を務めていた。「うちの地所の麓《ふもと》を一区画、彼に売ったものだよ」とミッデンドーフはわたしに教えてくれた。夕方になって玄関ポーチに行くと、ブッシュ家が自宅の裏庭でイェール大学の歌を歌っているのが聞こえてきたという。しかし、そうした類似点を一皮めくると、ミッデンドーフは驚くほど真逆のイデオロギーを抱いていたのだった。本人の言葉を借りれば、フリードリヒ・ハイエクやヨーゼフ・シュンペーターが説いたリバタリアン運動の「弟子」になったのである。彼はアイゼンハワーの穏健主義について、政府を「社会の形成のために用いられるべき作業ツール」と見なすものだとして糾弾した。その代わりに、「社会は個人によって形成されるものだと確信している」と彼は記していた。

ミッデンドーフはリバタリアニズムを政治の主流に押し上げたいと考え、激しい気性で知られていたアリゾナ州選出上院議員、バリー・ゴールドウォーターがそのための役割を担ってくれると期待を寄せた。フェニックスのデパート経営者の御曹司だったゴールドウォーターは、彼自身が「ニューディールへの反抗」と呼んだ主張に後押しされて、一九六四年の大統領選挙に名乗りを上げた。ゴールドウォーターはローズヴェルトの代表的成果について論じる際、社会保障制度や地方の電化、復員軍人援護法がもたらした利益には目もくれなかった。ゴールドウォーターの選挙運動は、リベラリズム

――公民権、福祉、公的プログラムの範囲拡大――に対する異議申し立てであると同時に、共和党穏健派への反発でもあった。ミッデンドーフはネルソン・ロックフェラーについて、「中身のない候補だった」と振り返る。「あの人は一時間しゃべり続けることはできたけど、その中で印象に残る言葉は一つもなかったね」。彼はゴールドウォーター陣営の財務責任者を買って出て、東海岸エスタブリッシュメントの裕福だが不満を抱える層から資金を調達した。「彼は明らかに非主流派だったから、苦しい選挙戦だったよ」とミッデンドーフは語る。

その年の夏、サンフランシスコで開かれた共和党大会で彼らは勝利を手にした。ロックフェラーは存在感を示そうと、必死になって最後の訴えを行った。穏健派が立ち上がって抵抗してくれるはずとの期待を込めて、党内で「急進的」右派分子が出現していることへの批判を演台から展開したのだ。ところが、会場はブーイングの大合唱だった。黒人の野球スター選手で、共和党の人種融合支持を象徴する存在でもあったジャッキー・ロビンソンはこのときの野次について、「ナチスドイツでのユダヤ人」のような感じにさせられたと後年振り返っている。ミッデンドーフも党大会に出席していたが、彼はロックフェラーの糾弾を自分たちに対する攻撃と受け止めていた。政治的回顧録『ポトマックの熱（*Potomac Fever*）』では、「彼はわたしや友人のことについて言っていたのだ」と記している。

本選では、ゴールドウォーターはリンドン・ジョンソンに大敗した。しかしその後、彼の徹底したリバタリアン的な課税反対は、頭の痛い転換に直面していたアメリカの企業幹部のなかから熱心な支持を受けていく。四半世紀にわたりずっと続いた成長が終わり、アメリカの利益は縮小しつつあった。日本と西欧は第二次世界大戦からの復興を遂げ、手強い競争相手になっていた。一九七三年のオイルショックによって、一九三〇年代以来最長となる景気後退が始まった。さらに、環境保護や消費者保護を求める運動は、可燃性繊維から煙草、銀行ローンに至るまで幅広い分野の製品に新たな規制を課す動きを加速した。

企業幹部は厳しい状況に追い込まれた。歴史家のリック・パールスタインは著書『レーガンランド——アメリカの右傾化、一九七六-一九八〇（*Reaganland: America's Right Time, 1976-1980*）』で、「彼らは責任の大半は規制にあると断定した」と記している。パールスタインはさらにこう説明している。「かつてであればイデオロギー的上流階級の人間として振る舞っていたアメリカの優れた役員室の住人が、フランス革命の伝説的指導者ジャコバンのように振る舞い始めた。妥協することなしに宣戦布告をしたのである」

ビジネス界の保守派が求める関係者たちによって、アメリカ政治はビジネス優遇と減税の実現に向けて展開していくようになる。アメリカ商工会議所の戦略資料の中で、弁護士でのちに最高裁判事になるルイス・パウエルは「アメリカの経済システムは広範囲な攻撃にさらされているのです」と警告を発した。国防について言えば、広報、シンクタンク、メディア、多数のロビイストが必要になってくる。「力とは組織によってつくり出されるのです」とパウエルは指摘していた。

一九七一年には、ワシントンで活動するロビイストの数は二〇〇にも満たなかった。それが八二年には二五〇〇人近くにまで増えた。さらに八〇年代後半になると、企業によるＰＡＣが連邦議会選で投じた資金は一〇年間で五倍近くにまで増加し、労組によるＰＡＣからの献金額を上回った。この成果はすぐに表れた。「消費者代表局」の新設を断念に追い込んだほか、独占状態が出現するリスクを特定するために活用されてきた企業の利益や集中度に関するデータ収集が、連邦取引委員会によって八一年に停止された。多額の選挙資金の流入は、大統領選の結果にも影響を及ぼすようになった。政治学者のラリー・バーテルズが行った分析によると、七〇年代には投票総数の平均三パーセントが、そして八〇年代には七パーセント近くが動いたという。

企業献金の獲得競争の中で、民主党は市場を優遇する公共政策を支持することでなんとかして食らいついていくようになった。労組は力を失っていったことで集票能力が低下し、民主党は税や規制に対して懐疑的な姿勢を強めていった。一九七八年にキャピタルゲイン課税を四八パーセントから二八パーセントに引き下げたのは、民主党が多数を占める議会とジミー・カーター大統領だった。グラス・スティーガル法の廃止やデリバティブ規制の撤廃といった、金融危機の遠因となったきわめて重要な変化の一部は、クリントンが署名したことで実現したのだった。規制緩和のロジックは政党の枠を超えて勢いを得ていった。

グリニッジではミッデンドーフ――彼はニクソン、フォード、レーガン大統領のもとで政権入りした――が、穏健派を圧倒したことで誇らしい気持ちでいた。彼は次のように記している。「『カントリークラブ・リパブリカン』と呼ばれていたリベラルな東部エスタブリッシュメントによる三〇年以上の支配を経て、われわれは共和党保守派が権力を取り戻すための環境を整備したのだ」

プレスコット・ブッシュの遺産が薄らいでいくにつれて、グリニッジ共和党の後継世代は「中道」への関心を低下させていた。別のプライオリティのほうが大事になっていたのである。

ラウンドヒル・クラブから車で少し行ったところに、湖が見渡せるジョージ王朝様式の邸宅がある。そこに住むリー・ハンレーとアリー・ハンレーは、早い段階で保守運動に転じた人たちだ。リーはセントポール大学とイェール大学の出身で、在学中にはポロやスカッシュ、サッカーを楽しんだ。その後、家業のれんがと石油ビジネスを手がけるハンレー・カンパニーの経営を受け継いだ。彼はサーモンピンクのスラックスを好んではく美食家で、新たな政治的事業にはすぐさま資金を提供してくれる存在だった。グリニッジ在住の友人の一人はこう語っている。「すごく温和で魅力的な人ですよ。好奇心旺盛で、表面的なレベルではルネサンス的な教養人。ゲームの中にいたがる行動派と言うべきタイプですね」

アリーのほうは、政治に強い関心を持つ敬虔なクリスチャンだ。一九八〇年大統領選挙の共和党予備選は、古い共和党と新しい共和党の対決だった。前者はジョージ・H・W・ブッシュで、町では「ポピー」と呼ばれていたワシントンのインサイダー。後者は「市場のマジック」を称賛する保守派で、元カリフォルニア州知事のロナルド・レーガンだった。この問題をめぐり、ハンレー夫妻はグリニッジで近隣の人びとと見解を異にした。「わたしたちにとっては、ここはブッシュの町であったことは一度もなかったんです」とアリーはわたしに語った。「ずっとレーガンの町だったのですから」

レーガン陣営で北東部州の責任者を務めた右派アドバイザー、ロジャー・ストーンの回想によると、大半のグリニッジの人たちはレーガンを嫌っていたという。「みんなこう考えていたんです。レーガンなんてとんでもない、第二のゴールドウォーターでしょう。本選で勝てる見込みなんてあるわけがない。カウボーイ役をやってた映画俳優じゃないですか、って。そのなかで、ハンレーはこっちを支持してくれた唯一の有名なＷＡＳＰでした。『正統派』の人たちはみんなポピー支持だったんです」

ハンレー夫妻はレーガン支持の情熱をグリニッジで広げたいとの思いから、自宅でレセプションを開くことにした。ところが、ピエール・ホテルで昼食をとりながら打ち合わせをしたとき、アリーは問題を発見した。「彼が茶色のネクタイをしていて、ゾッとしてしまったの」と彼女は言う。「同じ国でも違う土地に行くときは、いちばん大事なのは現地の人と同じような服装をすることでしょう。そうすることで、地元の人たちは心を開いて話をしてくれますから。それでブルーミングデールズ〔アメリカの高級デパート〕に駆け込んで、ネクタイを四本買ってきたんです」。レーガン夫妻がパーティーに来たとき、アリーはこう伝えた。「プレゼントをご用意してあります！　上の階に行っていただいて、気分を変えてみてください」。数分後にレーガンが戻ってくると、問題のネクタイはアリーがプレゼントしたものに替わっていた。「その後のポスターで、彼はいつもあのネクタイでした」

ストーンとリー・ハンレーがとったアプローチは、数十年後にトランプがとった選挙戦略を不思議なほど先取りするものだった。保守派エリート層と白人の労働者階級の連合を構築したのである。ハンレーはストーンをグリニッジの小規模企業経営者に紹介していった。その多くはイタリア系アメリカ人で、ストーンは「カトリック票の鉱脈だったね」と言っている。「リーは食料雑貨店とか精肉業といった、町の商業関係者とすごくつながりが深くてね。誰とも話ができたんだ。ＷＡＳＰにありがちな、とっつきにくさがなかったんだよ」。あるとき、ストーンが来る前にハンレーが言った。「エスプレッソを飲まなきゃいけないんだけど、ちゃんと用意しておけるから」。こうした戦略が功を奏した。コネティカット州予備選でレーガンは、ブッシュ家の地盤だった南部の細長く延びる地域でブッシュに勝利したのだから。一九八四年、レーガンはハンレーを公共放送協会の理事に指名することで、彼の貢献に報いた。それから二年後、ハンレーは協会の会長に昇格した。

その後の三〇年でハンレーやほかの裕福な保守派――リチャード・スカイフ、ロバート・マーサー、コーク兄弟――は、新世代の共和党議員が正統派のイデオロギーを信奉するよう導いていった。ハンレーは歴史的な意義のある政治的投資をいくつもしていった。アメリカでもっとも有名な保守系出版社のレグナリーに資金注入を行い、経営の危機から救った。「ヤンキー公共政策研究所」の立ち上げも支援した。この組織は、減税と小さな政府の実現を掲げるシンクタンクのネットワークのコネティカット支部だ。ストーン、それにチャーリー・ブラックとポール・マナフォートという二人の若きレーガン支持者が政治コンサルティング会社を立ち上げたときは、中心的な支援者になった。「こちらには実績もあったし、取り組むべきビジネスもあったし、何でもあったのだけど、資金だけがなかったんです」とブラックは語る。「リーはいい友人でしたから、相談してみたんです」。会社は「ブラック・マナフォート・アンド・ストーン」と名づけられ、マナフォートが言う「利益誘導」を臆面もなく実行に移した先駆的なロビイスト集団になった。クライアントにはルパート・マードックのニューズ・コーポレーション、それにドナルド・トランプという若手不動産ディベロッパーもいた。

二十世紀末までにプレスコット・ブッシュの上品な政治は影を潜め、この変化は息子のジョージ・H・W・ブッシュの決断によって加速していくことになる。ジョージは父の控えめな姿勢を受け継いでおり、グリニッジの学校ではシェアする姿勢から「ハヴ・ハーフ（半分どうぞ）」というニックネームで呼ばれていたほどだった。公共への奉仕という一家の伝統も同様だった。しかし彼は一九八八年の大統領選に出馬した際、好戦的な選対責任者のリー・アトウォーターを対抗馬のマサチューセッツ州知事、マイケル・デュカキスに向けて解き放った。アトウォーターは「あのちびを丸裸にしてやる」と誓った。選挙戦がもっともヒートアップした頃、ブッシュ陣営とつながりのあるPACがあるテレビ広告に資金を拠出した。マサチューセッツ州の刑務所から一時帰宅中だったウィリー・ホートン受刑囚がレイプ事件を起こしたとして、デュカキスを非難する内容だった。広告はアフリカ系アメリカ人だったホートンの写真を示すことで、白人の恐怖をダイレクトにかき立てるとともに、ナレーターが誘拐やレイプ、殺人について語っていた。アトウォーターはこの広告への関与をいっさい否定したが、ブッシュはこの主張の破壊力を認識しており、ほぼ毎日演説でホートンについて言及していた。アトウォーターは、ホートンを「デュカキスの副大統領候補《ランニングメイト》」に仕立ててやると息巻いていた。

　アトウォーターは一九九一年に亡くなるが、その少し前に選挙戦での「むき出しの非道な行為」についてデュカキスに謝罪した。だが、ウィリー・ホートン戦略はアメリカ政治に到来する残忍な時代のさきがけにすぎなかった。戦争の英雄に対するスウィフトボート攻撃〔二〇〇四年大統領選での民主党のケリー候補に対する兵役をめぐる攻撃〕や、初の黒人大統領に対する人種差別的なバーセリズムのフィクションが持ち出されていったように。さらに、これによって候補者は犯罪に対する厳しい政策を掲げることで、弱い存在には見られまいという意識を強めていった。たとえ両党ともそうした政策が低所得層やマイノリティにとって甚大な影響をもたらすことをわかっていても、だ。

　結局のところ、ブッシュは「紳士だったが、政治家でもあった」――彼の伝記を書いたジョン・

ミーチャムはそう記している。ブッシュは良識派でありはしたものの、大統領として仕事をするためには、まず勝たなくてはいけないと早い段階で決意していた。一九八八年の大統領選終盤にカセットテープに録音された口述日記で、ブッシュは自分にこう言い聞かせていた。「こういうことは国民の記憶からすぐになくなるものだ。謝罪するつもりもないし、後悔の念も抱いていない。メディアに弱虫とか敗者と呼ばせたままにしていたら、今の立場にはいなかっただろう」

もちろんブッシュは大統領の座を射止めたわけだが、党のほうは彼から離れつつあり、極度に専制主義的な姿勢を強めていった。当選から二年後、ブッシュは自身の公約に反し増税に同意した。それによって一世代後に登場するティーパーティーの先駆けと言える、当時勢力を拡大していた反政府保守派の支持を失ってしまったのだが。二〇一〇年にティーパーティー運動が最高潮に達した後、共和党は過去六〇年に行われた連邦議会選挙のなかで最大の議席を獲得した。住民が当然のようにプラカードを掲げることをしないグリニッジでさえも、町役場の前でティーパーティーの活動家による抗議活動が行われ、選挙で選ばれた町の最高位の官吏を務めていたピーター・テセイ筆頭理事も加わった。彼は群衆にこう語りかけた。「今日、自由は矛盾を来しています。なぜなら、政府の役割が拡大したからです」

こうした感情はけっして新しいものではなかった。古代ローマですら税への反対があったのである。グリニッジはこのテーマについて、以前からずっと強硬な姿勢をとってきたわけではなかった。グリニッジ町役場で筆頭理事を務め、その後、連邦上院議員となった共和党のローウェル・ウェイカーは、一九八〇年代にレーガンが保健と教育の歳出削減をしようとした際にそれを阻止したことで知られるようになった。その後ウェイカーはコネティカット州知事になり、一九九一年には州税として個人所得税を導入するのだが、あまりの不評さに抗議デモ参加者が彼を罵り、唾を吐きかけたほどだった。その年の秋に行ったスピーチで、彼はこう語っている。「再選《リエレクション》は別にして、敬意《リスペクト》は真実を語ることによって得られるのです」

しかし、グリニッジで形成されたリバタリアンの一団にとっては、税や政府に対する激しい抵抗は道徳的な原則の問題だった。AQRキャピタル・マネジメントのクリフ・アズネスは、そうした活動のなかでもっとも態度を鮮明にした一人だった。ニューヨークのアンドリュー・クオモ州知事がヘッジファンド課税の引き上げに言及した際、アズネスはツイッターで彼のことを「国家ではなく強制収容所《グラーグ》」を管理しようと試みる「嘘つきデマゴーグ以外の何ものでもない」と呼んだ。町では、多額の資産を持っている者は多額の税を納めるべしとの意識はもはや支持されなくなっていた。この風潮は、二〇一三年にグリニッジで未公開株式投資業をしていたトマス・フォーリーが州知事選に立候補した際にとりわけ鮮明になった。彼はヨットを一艘、何台ものヴィンテージカー、イギリス製戦闘機二機、それに『グリニッジ・タイム』が「ホグワーツ城」〔『ハリー・ポッター』に登場する城〕に喩えたほどの豪邸を所有していた。しかし、納税申告の際に記者団に対し、投資による損失と扶養料の支払いが高額にのぼったため、その年の連邦税額は六七三ドルだったと説明した（なお、フォーリーは落選した）。

チャールズ・ロソッティは共和党支持のビジネスマンで、一九九七年から二〇〇二年にかけて内国歳入庁長官を務めたことがある。彼の試算では、巧妙な節税策と課税回避によって、一般市民が納める税金は毎年一五パーセント高くなっているという。ある包括的な研究では、企業や富裕層が課税回避や脱税策として資産を海外のタックスヘイブンに移していることで、アメリカ政府に約九〇〇億ドルの損失を毎年もたらしているとの結果が示されている。ダートマス大学の経済社会学者、ブルック・ハリントンは「インフラ整備はいつまでたっても手つかずのままということが多いのです。道路はよくならない、公共交通は整備されない、学校の修繕は行われない、といった具合です」とわたしに語った。コネティカットは上位一パーセントの富裕層がもっとも多い州だが、インフラの老朽化に関する複数の調査によると、同州の道路は全米で最低レベルにあるという。

課税回避をする人たちは、当然払うべき税についてですら、自分たちは法の定めに則ってやっているにすぎないと反論を試みることがよくある。だが、そうした説明は、該当する法律がどうやって今のようになったかという経緯を完全に無視している。言い換えれば、自らの利益を最大化すべく、手間とコストを投じて法を書き換えてきたということなのだ。このことでわたしが思い出したのは、スティーヴン・ストールの「過去に目を向けずに世界を見る」という指摘、つまり惨状には目を向けるが、それをもたらしたハリケーンは無視するというアメリカの風潮だった。前出のハリントンはこう指摘する。「一つ前の世代だと、たとえ内心そうは思っていなくても、『自分の資産に見合った貢献ができるよう、地元の慈善活動委員会に入らなくてはね』といった言葉を口にはしていたものです」。それが今の世代となると、地元の慈善活動委員会ではなく、支援対象を絞った民間の慈善団体を選ぶようになっていて、誰をどうやって助けるのかについて、コミュニティの決定を経なくなっているのだという。「いま進行中の巨大な変化とは、もはや富を正当化する必要などなくなったということなのです――富自体が正当なものになっているのですから。振り返ってみると、あれが『わたしたち』であることをやめたときなのだと思います」

政治哲学者のマイケル・J・サンデルは『実力も運のうち――能力主義は正義か?』で、こうした変化をもたらした一因は、能力主義が悪いかたちではびこったことにあると主張している。「能力主義《メリトクラシー》」という用語は、一九五八年に左派的な主張をするイギリスの社会学者、マイケル・ヤングによって作り出されたものだ。以来、すでに個人主義を信奉する方向に傾いていたアメリカ国民は能力主義について、あからさまな成功を道義的な善と同一視する考え方と受け止めるようになった。経済的なものであれ政治的なものであれ、成功を自らを正当化する手段にすることは「傲慢さと反抗の有害な混合」をもたらし、「勝者を褒め称え、敗者を侮辱するもの」だとサンデルは記している。富と勝利は、担うべき責任から解放されたのである。

グリニッジでは、この潮流に気づいた者の一人にラウンドヒル・コミュニティ教会で牧師を務めるエド・ホーストマンがいた。一四年にわたって彼と妻のスーザンはハートフォードに住み、低所得層の信徒団とともに活動していた。二〇一三年になってラウンドヒルに引っ越すと、若干の変化が生じた。ランチタイムになると、ホーストマンは町を通って非営利団体の資金調達イベントに出席した。低所得層の黒人とヒスパニックの生徒が私立校に通えるよう支援するというのが資金調達の目的だった。飲み物は使い捨てカップで出すとか帽子にお金を入れていくといった、見慣れた光景を彼は予想していた。ところが、基調講演者として登壇したのはスパイク・リーで、このランチだけで三九万ドルが集まった。「この町で二時間で調達できる資金は、ほかではあり得ない規模なんです」とホーストマンは語る。当時、ラウンドヒルのコミュニティには依然として逮捕歴のある者が集まり続けていた。「『越してきたこの場所はなかなか面白そうだな』と突如として思うようになったのです。こういう現状を見て、そういう面を剝ぎ取っていくには長い時間がかかりそうだなと覚悟しましたよ」

ホーストマンは五十代半ばだったが、十歳は若く見えた。おでこが広く、髪の毛は薄茶色で、縁なし眼鏡の奥には注意深そうな緑の瞳があった。教会にいないときは、アトリエで木炭画やパステル画の制作をしていることが多かった。芸術家としての側面があることで、彼は町並みやそこに現れる住民の特徴にも高い関心を抱いていた。「周りのことがわかるまで何カ月もかかりましたよ。迷路みたいに入り組んだ道を通っていくと、突如として門の前に出るんです。そこからは邸宅のルーフラインが見えます。不思議な感覚なんですよ。だって対象物の一部はわかるけど、全体像はけっしてつかめないのですから」。彼はよく、新しくできた高い壁が見えるところでたたずむのだという。「隣人に囲まれてはいるけれど、お互いに行き来することはないという感覚にさせられるんですよね。ここの人たちは『そういう門とか壁ができたのは最近のことなんですよ』ってわざわざ補足してくれはします。コミュニティを渇望しているのだと思います」。これを聞いてわたしは、かつてウィンストン・チャーチルが言った言葉を思い出した――「人が建物をつくり、その建物が人をつくる」。

ホーストマンは平等と正義の問題について語るとき、慎重な姿勢に徹していた。「グリニッジに引っ越してきたとき、ここの人たちは慈善活動にすごく積極的だとアドバイスを受けました。必要な助けをしなくてはという深い人間的な欲求がある、と。ところが『正義』についてだと、話しにくそうだと教えられました」。それが本当であることを彼は身をもって感じた。「牧師が『正義』について話し出すと、聞いている人たちはちょっと落ち着かない気持ちになるんですよね。というのは、いきなり話のテーマが『必要性』についてではなく、その必要性をもたらしたシステムをどう変えるかになるからだと思います。聴衆が頭の中で、こう自問しているのがわかるんですよ。『行進でも始めようっていうわけ？ どの側につくか決めないといけないの？』って」

ティーパーティーと反オバマ運動によって進められた「政治的発酵」と呼ぶべき状況のもとで、保守派の献金者は影響力を拡大していった。ハンレー夫妻は考えをともにする富裕層の家が集まる非公式のコミュニティに参加するようになった。アデルソン家、コーク兄弟、マーサー家といった面々で、経営する企業の富を共通の目標に注いでいた。著書『ダーク・マネー――巧妙に洗脳される米国民』で彼らの活動について取り上げたジャーナリストのジェイン・メイヤーはこう記している。「匿名性が担保されるなかでの慈善活動は、彼らが好んで用いる手段になった。だが、彼らの目標は明らかに政治的である。リンドン・ジョンソンの『偉大な社会』やフランクリン・ローズヴェルトのニューディールはおろか、セオドア・ローズヴェルトの革新主義時代をも覆そうとしているのだ」

世界のかなりの部分を征服した者たちにとって、まだ支配下に置けていない数少ない存在が政府だった。コーク・インダストリーズから社史の執筆を依頼された、クレイトン・A・コッピンというジョージ・メイソン大学の研究者がいる。彼は結論で、コーク兄弟の政治目標は単なる市場経済政策の推進よりも広範囲かつラディカルなものだと指摘している。それが本当に目標なのだとすれば、彼らにはそれを支援してくれる主流の候補者と組織がついているということになる。それとは反対に、コッピンはチャールズ・コークについて次のような見方を示している。「彼は自分に制約を課すことができる、世界でただ一つ残された組織を潰すという強い気持ちに突き動かされていた――その組織とは、政府そのものだ」

ハンレー夫妻は「ターニングポイントUSA」の資金提供者になった。高校や大学で保守主義の推進に取り組む、二〇一二年設立の非営利組織だ。さらに重要なことに、アリー・ハンレーは創設者のチャーリー・カークをほかの資金提供者と引き合わせることもした。「ハンレーが南側の回廊をすべて開け放ってくれたんです」とカークはのちに記している。彼は保守派のセレブ的存在となり、大学の政治ネットワーク「スチューデント・フォー・トランプ」の代表にも就任した。

リー・ハンレーは自らの富を用いて共和党右派の候補者を前面に押し出そうとした。二〇一四年の献金額はおよそ三五万七〇〇〇ドルにものぼった。献金先はテッド・クルーズのようなスター政治家だけでなく、クリス・マクダニエルのような挑発的な姿勢で知られるアウトサイダーにも及んだ。ミシシッピー州議会議員で以前はトークラジオ番組のホストをしていたマクダニエルは、現職のタッド・コクラン上院議員に取って代わるべく活動を展開していた。彼は二〇〇〇年代半ばのラジオショーで、ヒップホップ音楽に対して怒りをぶちまけ、メキシコ人を「おネエちゃん《ママシータ》」と呼び、ゲイの人たちをあざ笑った。候補者になったマクダニエルは、反移民の闘士トム・タンクレドが一〇年前に切り開いた道を歩んでいくことにし、居住許可証や労働ビザの発行増加を阻止すると公約した。

マクダニエルは遠回しなかたちながら、白人有権者へのアピールも行った。「南部連合軍退役軍人の息子たち」の会合に姿を現し、隔離主義者がかつて「わが南部式の生活」の擁護を主張したのと同じように、疎外感と喪失の意識をかき立てた。「この国では何百万人もの人びとがこの地でよそ者のような感覚を抱いているのです。おわかりでしょう？」。二〇一四年三月に農民を相手に行った演説で、彼はそう語りかけた。「古いアメリカは過ぎ去っていき、その代わりに新しいアメリカがやってきています。みなさん、わたしたちはそういう文化にはついていけません。見慣れないものですし、わたしたちの気持ちを害するものなのです」。その年、季節が春から夏に変わっていくなかで、移民問題は右派メディアでおどろおどろしく取り上げられる定番のトピックだった。ローラ・イングラハムは、「これは文字どおり、越境してテキサスに入ってくる人たちによる侵略です」と発言した。テキサス州選出下院議員のルイ・ゴーマートは、「この侵略」は「すでにノルマンディー上陸作戦の二倍以上の規模で、さらに二倍の数が押し寄せてくる」と主張した。その年の秋、マクダニエルは落選した。しかし、彼が選挙戦で掲げたテーマは、来たるべき移民反対運動の予告編と言えた。

右派候補者のなかには当選できなかった者もいたとはいえ、テッド・クルーズは議会でビジネス保守層の利益を代表し、政府の活動を停止することも厭わない強力な新世代の象徴的存在だった。多くの政策課題で、企業は改革のペースを鈍化させることで利益の最大化を図ろうとした。議会が金融危機をもたらした制度の濫用に鑑み、ウォールストリートに対し厳しい取り締まりを行う姿勢を示すと、金融業界は二〇〇九年を通じて、ほかのどの業界をも上回る政治献金を提供した。議会が大規模な健康保険改革に取り組むと、製薬会社や保険会社、その他の有力利益団体が五億ドルを投じて改革反対のロビー活動を展開した。ロビー活動が失敗に終わっても、ミッチ・マコネルがフィリバスターをする用意を整えてくれていた。政治学者のジェイコブ・ハッカーとポール・ピアソンは著書『勝者総取り政治――ワシントンはいかにして富める者をさらに豊かにし、ミドルクラスに背を向けてきたか（*Winner-Take-All Politics: How Washington Made the Rich Richer and — Turned Its Back on the Middle Class*）』で、この事態について「ほとんどと言っていいほど歓迎されていないが、政党間の深刻な非対称性」と記している。「勝利を手にするためには、共和党は膠着状態に持ち込めさえすればいいと考えることが多い。連邦政府によるミドルクラスへの支援を改革するためには、民主党は中身の濃い、大胆な内容の法案をいくつも通さなくてはならないのである」

二〇一二年に穏健派で元マサチューセッツ州知事のミット・ロムニーがオバマに敗れて以来、共和党は今後の方向性を見いだそうと躍起になっていた。共和党エスタブリッシュメントの指導者は「検屍《オートプシー》」として知られるようになる報告書を発表した。そこでは、党は軸足を左に移し、マイノリティの支持を獲得する必要があると指摘されていた。これはマルコ・ルビオのような大統領をめざす者にとっては明るい展望だった。ルビオはキューバ移民の息子で、アメリカの多様性を称賛する一方で移民には制限をつけるべきとの考えを持っていた。右派的な傾向を強めていたトーク番組のホスト、ショーン・ハニティですら、国内で一一〇〇万人にのぼる未登録の移民の合法化に向けた取り組みを支持した。福音派指導者のラルフ・リードは移民問題を宗教的観点から論じ、「ダビデの宮殿もソロモンの寺院も、レバノンをはじめ各地からの熟練工によって造られたのです」と聴衆に語っていた。

ところが、「検屍」報告書が提言するルートとは別に、かなり方向性の異なる道もかたちを現しつつあった。共和党エスタブリッシュメントが移民の受容を呼びかけている最中のことだ。ハンレーはパトリック・カデルという世論調査専門家に対して、従来型の共和党候補者の選挙結果がなぜ振るわないかを調査するよう依頼した。当初カデルはジミー・カーターのアドバイザーを務めたことで名を馳せたが、その後は民主党と手を切り、FOXニュースに頻繁に出演するようになった。彼とハンレーは調査プロジェクトについて議論を交わすなかで、ロムニーの敗北は現状に対する強い不満を示しているのではないかと考えた。カデルが言う。「『この国では何か新しいことが起きているんじゃないかと思う』と言ったんです。するとリーはこう応じました。『そうだよな、わたしも何かがあると思っている。ぜひそれを調べてもらいたいんだ』」

二〇一三年、「リアルクリア・ポリティクス」で選挙アナリストを務めるショーン・トレンデが「失われた白人有権者問題再考」というエッセイを発表した。トレンデは人口推計に基づき、ロムニーの最大の過ちはマイノリティの支持を獲得できなかったことではなく、その逆に、選挙への関心が薄い六五〇〇万人の白人有権者の票を手にできなかったことが敗因なのだと主張した。この層は棄権に回ったというのである。彼はこう記している。「この『失われた白人』を投票所に向かわせられれば、次の共和党候補は僅差で勝利することができるだろう」

ハンレーのプロジェクトは重要な洞察と重なり合っていた。カデルに委託した調査では、「この国における不満は計り知れないレベルになっている」ことが示されていた。主流派の企業利益重視や減税といったお題目では、もはや労働者階級の共和党支持者を動かすことはできていなかった。広がる一方の不平等や産業の衰退という状況下では、「雇用の創出」のような聞こえのいい公約やロムニーが言う「みなさん、企業とはつまり人なのです」といった堅苦しい信念で彼らを駆り立てることは日増しに困難になっていたのだ。

ハンレーはカデルに対し、調査結果を保守派メディア「ブライトバート・ニュース」会長のスティーヴ・バノン、それにもう一人のパトロンで政治への投資を拡大していたヘッジファンドの億万長者、ロバート・マーサーにも見せてほしいと頼んだ。二〇一三年には、パームビーチで行われた保守派の会議の最中に、データについて検討を行った。カデルはこの取り組みを「スミス候補プロジェクト」と名づけたが、そこには映画『スミス都へ行く』にちなんで政治的救世主を発掘しようという意味が込められていた。カデルはハンレーたちにこう説明した。データによると、国民が求めているのは従来型の共和党政治家とは異なるポピュリスト的挑戦者であり、アウトサイダーとして選挙戦に臨み、エリートや腐敗、政府そのものの価値に対決を挑もうとする人物なのです、と。

一点だけはっきりしていたことがあった。アウトサイダー候補への資金とメッセージはパームビーチとグリニッジから提供されるが、大衆はほかの場所で集める必要がある。ハンレー、カデル、マーサーは、全米各地で自分たちを信じてくれるほどの怒りを抱いた国民に接していくことが次の任務となった。

10
タマなし野郎

三〇年に一度か二度、アメリカ国民がアパラチアを再発見する機会が訪れる。時にそれは、パロディーというかたちで表れる――リル・アブナー〔南部を舞台とした漫画の主人公〕やハニーブーブー〔リアリティショーの主人公〕、あるいはMTVが字幕付きで放送したウェストヴァージニアのティーンエージャーをめぐるリアリティーショー「バックワイルド」のように。まれに、そうした遭遇がより同情を誘うこともある。一九六二年には、社会批評家のマイケル・ハリントンが『もう一つのアメリカ――合衆国の貧困』を発表し、「精神をゆがめたり潰したりする貧困の非情なサイクル」に目を向けるよう促した。

今世紀に入る頃には、グリニッジやマンハッタンをはじめ各地のヘッジファンドが炭鉱への関心を強めていった。それまで石炭に強く惹かれるウォールストリートの投資家はまずいなかった。炭鉱は汚く、旧態依然としており、買収も売却もハードルを高くする労組との契約に拘束されたからだ。しかし、一九九〇年代後半になるとアジアの新興経済国がエネルギー消費を急増させ、投資家はこれによって地球の反対側にあるアパラチアで需要が跳ね上がると予測した。一九九七年には、クラークスバーグから南に数時間行ったところにある操業一二五年のホベット鉱山がアーチ・コールに買収された。同鉱山が公開会社に買収されるのはこれが初めてだった。このプロジェクトを主導したＣＥＯは報酬の大部分が株価に左右される形態になっていた。そこで彼は大規模な拡張に乗り出し、山頂をダイナマイトで爆破し、がれきは河川に投棄した。ホベット鉱山の拡大に伴い、周辺の尾根やコミュニティがのみ込まれていった。上空からは、鉱山は周辺の山々にまで広がり、巨大な灰色のアメーバ――端から端までは三五キロにも及んだ――のように見えた。

近くで見ると、その影響ははるかに密接に感じられた。ウォールストリートが炭鉱地域に進出すると、外の世界からは総じて見えないが、付近に住む人びとにとってははっきりとわかる反響をいくつも引き起こした。ホベット鉱山から丘を下ったところでは、コーディル家が一世紀にわたって住み、狩りや農業を営んでいた。彼らが「家庭《ホームプレイス》」と呼ぶその地は、森と水が豊かで広さは三〇ヘクタールにも及んだ。コーディル家は石炭採掘に批判的というわけではまったくなかった。というのも、彼らの多くが炭鉱で働いていたからである。ジョン・コーディルは爆発物のエキスパートだったが、一九三〇年代のある日、ダイナマイトが早く爆発し、失明してしまった。ジョンの炭鉱労働者としての日々は幕を閉じたが、土地は豊富にあり、彼と妻はその後一〇人の子どもをもうけた。一家はジャガイモ、トウモロコシ、レタス、トマト、ビーツ、豆を栽培した。森では狩りをし、ベリーやアメリカニンジンを採集した。家の後ろ側に広がる丘には、アメリカツガやシダ、モモの木が生い茂っていた。ジョン・コーディルの目は物の形を認識することはまだ可能だった。そこで妻は、夫が歩きやすいようにと白いシーツを使って土地に仕切りを作った。「じいちゃんは鎌を手にして、シーツがはためいているところまで草を刈っていたものだったよ」と、孫のジェリー・トンプソンは語る。ジョンは子どもたちに庭の草むしりをさせた。「一つの区画で一本草を取り忘れただけでも、どういうわけかじいちゃんは気づいていたんだよな」。現金こそほとんど持っていなかったが、彼ら自身からすれば恵まれた世界の中で日々を送ることができていた。半地下の貯蔵室は「床から天井までいつもいっぱいだったなあ」とジェリーは振り返る。

コーディル家の子どもたちは成長し、一人また一人と学校へ、さらに仕事へと出ていくようになった。彼らは近隣の町に居を構えたが、週末には実家に帰ることができるくらいの距離の場所にした。たとえばジェリーの場合、育ったのは山道を三〇分下ったところにある家だった。「日曜日に実家に帰らなかった回数は、片手で数えられるくらいじゃないかな」と彼は言う。祖母手作りの食事はいつも決まっていた——フライドチキン、マッシュポテト、サヤインゲン、トウモロコシ、そしてケーキというメニューだった。「敷地を何時間もひたすら歩き回るんです。いとこがいっぱいいましたから、納屋の辺りをぶらぶらしたり、山に登ったり、小川を歩いて渡ったり、ザリガニを捕まえたりしてましたね」

そうしているうちに一家の土地はホベット鉱山によって三方から取り囲まれるようになり、アーチ・コールは地上げをねらっていた。コーディル家のなかにも、売却に応じるべきだという意見の者もいた。「うちは金持ちではないし、家族のなかには暮らし向きがいい人もいますからね」とジェリーは言う。いとこの一人は彼にこう説得を試みた。「うちには大学に行かせたい男の子が二人いるんだ。このチャンスを見送るわけにはいかないよ。だって、五万ドルもらえるなんて話、二度とないだろう」。ジェリーは「彼は彼で正しいよな。彼にとってはいい決断なんだろう」と思った。

最終的に家族のうち九人が売却に賛成したが六人が反対し、ジェリーは後者の一人だった。アーチ・コールは一家を訴え、法的観点からすると炭鉱のがれきをため込むことは「資産を最高かつ最良のかたちで利用する行為」に当たると主張した。この訴訟はウェストヴァージニア州最高裁まで行ったが、そこで判事はこう懐疑的に質《ただ》した。「土地を最高かつ最良のかたちで利用する行為ががれきの投棄だと言うのかね?」

「そのようになったのです」と、アーチ側の弁護士、フィル・メリックは答えた。「時代によって土地の利用は変わります。時代によって土地の価値も変わります」

とはいっても、この土地に対して一家が持つ価値は経済的なものだけではないのでは? 判事が尋ねた。いいえ、とメリックは自分の主張を貫いた。「経済的な観点から評価されなくてはなりません。それ以外にはまったく評価のしようがありません」

驚くべきことに、コーディル家はこの裁判に勝訴した――曲がりなりにも、という但し書き付きではあったが。一家は一〇ヘクタールの土地を維持することが認められたとはいえ、その勝利はつかの間のものでしかなかったのだ。麓のほうでは、同じ場所とは思えないほど景色が一変しつつあった。山頂の鉱山から排出される化学物質によって、一帯では異様な光景が広がっていた。小川の周囲では、木の葉や枝によって炭酸塩が堆積し、銅を含む分厚い地殻を形成していたが、マンガン鉱床からの採掘の影響で岩が真っ黒になった。コーディル家の土地のそばを流れるマッド川では、農務省森林局の生物学者が調査したところ、頭の片側に目が二つある稚魚が採集された。奇形の要因は採掘の過程で生じるセレニウムであることを突き止め、生態系について「大規模な汚染が今にも発生しかねない状況にある」と報告書で警告を発した（二〇一〇年に『サイエンス』誌で発表された研究では、ウェストヴァージニア州を流れ、山頂採掘を行う鉱山付近の七八の河川のほぼすべてで、セレニウムの含有量が増加していることが報告された）。

これはよくある利益と汚染のトレードオフ、産業と汚染除去というサイクルの節目の一つというだけにとどまるものではなかった。わたしの上司だったビル・セディヴィーが何年も前に『エクスポネント・テレグラム』で警鐘を鳴らしていたように、山頂採掘はそもそも破壊的な技術なのだ。一九九〇年代まではほとんど実践されておらず、土壌や人間に対する影響を科学者が評価できるようになるには一定の時間を要した。生態学者にとっては、アパラチア南部は単独の研究対象だった。というのも、地球上でもっとも繁殖力があり、多様性の豊かな温帯広葉樹林の一つだからだ。長い年月にわたり、この丘陵地帯にはほかのどこよりも多い種類のサンショウウオが棲息していた。ぎっしりと生い茂った林冠は、新熱帯〔中南米を指す動物地理区〕から何千キロもの距離を飛んできた渡り鳥が卵を産み雛《ひな》をかえす絶好の場所だった。しかし、山頂採掘によってこの地は上から下に至るまで変貌を遂げた。山頂のことを炭鉱労働者は「表土」と呼んでいたが、この部分を吹き飛ばした後、そこで出たがれきをブルドーザーで丘の斜面に向けて落としていき、河川を覆っていった。雨水は金属、黄鉄鉱、硫黄、シリカ、塩、石炭からなる奇妙な人造フィルターを通り、初めて大気中に放出された。化学物質と混ざり合い丘で濾過された雨は、まず小川に、そして最終的にウェストヴァージニア南部の住民の生活を支える谷底の河川へと流れ込んでいったのである。

長年にわたりホベット鉱山による影響を追跡してきたデューク大学の生物学者、エミリー・バーンハートは次のように指摘している。「こうした小川から発生する水生昆虫からはセレニウムが検出されています。その昆虫を食べるクモからもセレニウムが検出されています。こうして、魚や鳥の奇形が生じるのです。ホベット鉱山の下流に位置するマッド川は、ブルーギルの奇形発生率がこれまで自然水域で計測されたなかで最高レベルになっています。この地勢の八〇パーセントは、こういう化学的に見て明確に異なる状態に変わってしまっているのです。完全に違った地勢になっていると言えます」。影響は食物連鎖にも及んだ。通常、水中で孵化した小規模な昆虫は森に飛んでいき、ヒキガエルやカメ、鳥に食べられていく。ところが下流では、一部の種が通常なら廃水処理場で見られるようなハエに取って代わられていることが科学者の調査で判明した。古来より続く生命の網の中に、生物の減少という穴が生じていることをうかがわせていたのだ。二〇〇九年までに、被害は無視できないほど拡大していた。代表的な研究を挙げると、ミズイロアメリカムシクイという渡り鳥を研究する複数の生物学者は、この鳥の棲息数が四〇年で八二パーセント減少したと報告した。二〇一〇年には『サイエンス』誌に発表された科学者チームの研究で、山頂採掘が水、生物多様性、森林生産性に与える影響は「広範囲に及ぶとともに取り返しがつかなくなっている」との結論が示された。山頂採掘の結果として減少した小川の総延長はアパラチア山脈全体で一六〇〇キロ以上にもなった。環境保護庁によると、これにより五七〇〇平方キロメートル――デラウェア州の面積に近い規模――の土地に変化が生じたという。

人体にも影響が及んでいることを科学者が明らかにするのには、時間がかからなかった。山頂を爆破するたびに、鉛やヒ素、セレニウム、マンガンといった通常は地下に存在する物質が外に放出される。こうした粉塵は飛散して飲料水や裏庭の家具に付着するほか、開いた窓を通って屋内にも入っていく。ウェストヴァージニア大学教授で公衆衛生が専門のマイケル・ヘンドリックスが率いる研究グループは、山頂採掘と現場付近の住民の健康問題――がんや心血管疾患、出生異常など――に見逃せない関連があると発表した。一九七九年から二〇〇五年にかけて、炭鉱採掘に依存するアパラチア山脈の七〇の郡では、平均で毎年二〇〇〇人以上の超過死亡数を記録した。見方によっては、こうした死亡は発展のためのコストであり、石炭がもたらす繁栄の対価ということになる。だが、ヘンドリックスはそうした主張に対しても反駁した。死亡によって生じる費用と収入の損失は一年間で四一〇億ドルにものぼり、これは該当の郡が炭鉱採掘で得られる給与や税収、その他の経済的利益の総額を一八〇億ドル上回ると指摘したのだ。対象を企業が用いる純経済的な意味に限っても、山頂採掘は付近の住民にしてみればあまりにひどい取引になっているとヘンドリックスは指摘している。

ある日の午後、わたしはコーディル家の自宅裏の森を上り、土地の変化を自分で見に行ってみた。法律上は、鉱山側は土地を「修復」する義務があるとなっていた。つまり、元の状態に近づけなくてはならない、ということだ。ところが、人の目が行き届かないところでは、その基準は滑稽なほどに緩んでしまう。木々の間をしばらく上っていくと、直射日光が降り注ぐ、石と土砂がたまっているすり鉢状の場所が姿を現した。大きさはちょっとしたスタジアムほどにもなる。中央には人工の池があり、ゴム製のチューブが周りを囲み、淀んだ濁水でいっぱいになっていた。池の上に視線を向けると砂利道があり、山頂が吹き飛ばされてテーブル状になった台地につながっていた。厳密に言えば、この砂利道は「小川」ということになる。人類史の大半にわたり、この地域は密林だった。それが今では奇怪な月面のごとき場所になっており、邸宅が次々に建てられているグリニッジの渓谷を思い起こさせた。

道を下に向かって進んでいくと、やはりかつて山頂があったであろう平らな台地に出た。法律では、採掘企業は肥料と早生植物の種をまくことが定められていた。背の高い草やメリケンカルカヤが伸びて風にたなびくようにするためだ。そのさまは、アパラチアの山と言うよりモンゴルの草原と呼んだほうがふさわしいように見えた。この比喩をバーンハートに言ってみたところ、その近似性は外見以上のものがあるのですと彼女は返してきた。「アジアの草やロシアのオリーブの木で覆われた、アパラチア『平原』が新たに広がっているのです。岩自体がアルカリ性なので、そこで育つアパラチアの種はあまり多くありません」。そして、この地は外来種が棲息するようになっていった。大平原地帯〔ロッキー山脈以東の地域〕の鳥が古い鉱山の跡地に棲《す》みつくようになったのはその一例だ。「こういう珍しく、奇怪な棲息環境が形成されていったのです」

巨額の資金を投じて行われた炭鉱採掘による影響は各家庭や広い意味での文化にも及ぶようになったが、当時その実態についてはまだ認識され始めた段階でしかなかった。ジェリー・トンプソンは住宅建設用資材を製造する会社の副社長になった。「おれはビジネス側の人間だからね。利益のことはわかっているし、マージンのことだってわかっている」と彼は言う。「だけどその自分からしても、あの環境破壊はとんでもないよ。あまりに多くの人間にあまりにひどい被害が出ているからね。うちだけじゃないよ。ほかにも家庭があって、住む家があって、子どもがいて、そこには生活ってもんがあったんだ。でも、みんななくなっちまった」。炭鉱拡張をめぐる市場経済的議論について、ジェリーは十分に理解していた。結局のところ、一家に対して土地を売るよう物理的な意味で強制した者は誰もいなかったのだ。だが彼はこうも思っていた――現実には、本当に自分たちは主体的に経済的選択をしているのだろうか？「山頂採掘をやってる場所で家族を育てたいって思うかい？まずそうはならないよね。選択肢はあったのでしょう、って言われるかもしれない。でも、そんなものあったのだろうか？」

山頂採掘が始まってからの三〇年で、コーディル家の「家庭《ホームプレイス》」は破滅に向かっていった。長期的な影響は空洞化と呼ぶべきもので、それまで家族を一つにまとめていた場所と記憶が抜き取られていったのである。裁判所の判決は一家に不和をもたらし、週末にわざわざ実家に戻るだけの理由もなくなっていた。ジェリーのいとこに当たるロンダ・ハーパーは、ぶっきらぼうな口調でこう言った。「結局ね、うちの家族はばらばらになっちゃったんだよ」。一家は毎年夏に一度、集まる機会を設けている。しかし、以前のような日々が戻ることはけっしてなかった。

鉱山労働者の娘として生まれ、ウェストヴァージニアの環境保護活動家となったジュディ・ボンズは「あの山はわたしたちの魂の中にあるんです」と何年も前に語ったことがあった。わたしはコーディル家と話をして、その意味がようやくわかった気がした。あの土地に行くことはできても、以前とは変わってしまっている――ハーパーはそう言う。「あの風景を見ると、途方に暮れてしまって。野生生物はいなくなったし、小川も昆虫も。野草ならエンレイソウとか、ほかにもきれいな花がたくさんあって。家の裏側を歩けば、そういうものが見えててね」。土地についての彼女の語り口から、わたしはラルフ・ワルド・エマーソンの一節を思い出していた。「わたしたちは世界を一つひとつに分けて見ている――太陽、月、動物、木といったように。しかし輝けるこれらの要素からなる全体として見れば、それは魂なのである」

現地で環境保護活動に取り組むヴィヴィアン・ストックマンは、長年にわたりコーディル家のようなケース、つまり土地を鉱山会社に奪われ汚染されてしまうという事態を何十件も扱ってきた。「『おれたちは貧しいなかで大きくなったけど、そんなことは意識しなかったな』という話をいつも耳にします」と彼女は語る。貧困とは、所有に左右されるのと同じくらい、支配する力によっても左右されると言うことができる。実際、誰かがやってきて、実のところ自分たちにはほとんど支配する力がないことを思い知らされるまでは、彼らは貧しいとは感じていなかったのだから。

山頂採掘の増加は、石炭の産出量が減少しているという大きな現実を覆い隠すことはできなかった。古い炭鉱は枯渇しつつあったし、天然ガスやその他のエネルギー源との競争も激しくなっていた。業界では機械化が進む一方だったため、仕事の数は徐々に減っていった。ところが二〇一〇年代になると、ウォールストリートの投資家は新たなチャンスを見逃さず、石炭業を有望な投資先として位置づけようとした。

金融投機家は、中国が鉄鋼製造に用いられる冶金《やきん》用石炭の需要を増加させ続けていくと確信し、アメリカ企業はそれに応えることで成長が見込めると考えた。銀行は鉱山会社に対し、事業拡張のために何十億ドルもの融資を行うとともに不採算鉱山の整理や履行義務の破棄を行わせる一方、あらゆる案件で一定割合の利益が得られるようにした。

二〇〇七年、世界最大の石炭会社であるピーボディ・エナジーはコスト削減の方策として、不採算部門を切り離して別会社を設立するという措置を講じた。そこに含まれたのは、労働組合設置済みでウェストヴァージニアとケンタッキーにある炭鉱一〇拠点のほか、五億五七〇〇万ドルの規模を持つ退職者向け医療事業だった。パトリオット・コールと名づけられた新会社は設立時から不利な状態に置かれていた。ピーボディの医療事業では債務の四〇パーセントを負う一方、生産力の高い炭鉱は一三パーセントしか所有していなかったのである。こうしたコストという重荷を下ろすことに成功した幹部は歓喜を隠そうともしなかった。投資家との電話で、ピーボディCFOのリック・ナヴァレはこう言っていた。「積年の負債や経費、キャッシュフローは半分近くにまで減ることになるのです」

新会社のパトリオット・コールは新たにいくつか事業を取得し、コーディル家近くのホベット鉱山もその一つだった。だが数年のうちに、パトリオット・コールは不振にあえぐようになった。ウォールストリートによるアジアへの賭けは失敗したのである。中国の経済成長は鈍化し、アメリカ企業はオーストラリアという思わぬ競合相手と相対することになった。冶金用石炭の供給過剰の結果、価格は五年で半分にまで下落した。アパラチアの炭鉱会社は何十億ドルもの負債を抱え、崩壊が始まっていた。パトリオット・コールの場合、医療事業の対象となる退職者の数は現従業員の三倍近くになり、二〇一二年上半期の損失額は四億三〇〇〇万ドルにものぼった。二〇一六年までに石炭大手のうち六社が破産申請を行った。これによりアパラチアで三万三五〇〇もの雇用はもちろん、学校や病院、道路、その他のインフラ整備に投じられたであろう税収までもが失われてしまったのである。

パトリオット・コールも破産申請を行った。これに対し炭鉱側の労組はピーボディ・エナジーを告訴した。パトリオット・コールの設立は年金や医療サービスの提供から逃れるための財務上の作戦――労組側は「負債の投棄」と呼んでいた――にほかならないというのが請求原因だった（ピーボディ側はこれを否定）。労組は炭鉱労働者やその家族に対し、自分たちへのサービスを維持するべく裁判所に手紙を送るよう求めた。その結果送られた手紙の数は一〇〇〇通以上にもなった。大半は手書きで、家族写真、あるいは疾病や服用している薬のリストを同封したものもあった。こうした手紙は、法律文書を収めた裁判所のファイルに挟み込まれていた。いま手紙に目を通してみると、アメリカで高まりつつある不満の予兆のように感じられた。言い換えれば、屈辱、不正義、そして絶望の証言なのだ。夫がイリノイ州キンケイドのパトリオット・コールの炭鉱で働いていたドナ・J・ベッチェッリは、こう記している。「お願いです、どうかお願いです。また別の大企業にわたしたちの歴史を逆に戻すようなことをさせないでください。わたしたちのすばらしい大地で、これ以上企業にカネを追求させるわけにはいきません。わたしたちはこの地に住んでいるのです。この大地を苦心して整備してきたのはわたしたちなのです。わたしたちはただ、これまでずっと関わってきたもの、そして法的に認められたものを求めているにすぎません」

破産件数の増加を受けて、ウォールストリートの投資家のなかにはさらに別のチャンスに目を留めた者もいた。潤沢な資金と破産裁判所での適切な作戦によって、対象企業からうまみのある部分を摘み取り、経費を削減し、収益をわがものにしたのだ。ウォールストリートでは、このように「行き詰まった」投資案件を専門に扱う人間のなかには「ハゲタカ」と呼ばれた者もいた。この名称はさまざまな評価を含むものだった。「ターミネーター」の異名を取ったマーク・ブロドスキーという有名ハゲタカ投資家がいるが、ブルームバーグに掲載された記事では、彼は批判的な者から「ごろつき」「ゆすり屋」「坐薬」と呼ばれていると伝えられていた。

ブロドスキーが経営するアウレリウス・キャピタル・マネジメントはパトリオット・コールに投資していた。別のハゲタカ投資会社で、アラ・D・コーエンというベテラン投資家が共同設立者になっているナイトヘッド・キャピタル・マネジメントも同様だった。ほかの同業者と同様に、コーエンもアパラチアからは遠く離れた場所に住んでいた。グリニッジのなかでも富裕層がもっとも集まっている一角、ゴールデン・トライアングルだ。ハンレー夫妻のように、彼もジョージ王朝ふうの邸宅を所有していた。敷地面積は一六〇〇平方メートルに及び、一七の部屋、プールが二つ（屋内と屋外）、ホームシアター、ビリヤード室、エレベーター、等身大のチェスセットを備えていた。

ナイトヘッドはパトリオット・コールに資金注入を行った。これは表向きには同社の財務状況を上向かせるためとされたが、実質的には支配強化をねらったものだった。汚染除去費用をめぐる交渉でウェストヴァージニア州の代理人を務めた弁護士のケヴィン・バレットは、「先方の手法は、これぞヘッジファンドというものでした。ずかずかとやってきて、役員会に出席し、経営を掌握するのです」と語っている。ハゲタカ投資家には定番の作戦があった。別の関係者はこう説明する。「経営を強引な手口で握り、資産を売却し、やりたい放題やる。で、再生策について政府と話し合い、多少値引きした価格で交渉をまとめる、というわけです」

二〇一三年二月、パトリオット・コールは破産裁判所に対し、管理職に残留特別手当として七〇〇万ドルを支払う許可を求めた。破産手続き期間中に管理職が逃げ出すのを防ぐことが目的とされた。このタイミングは絶妙だった。というのも、わずか一カ月後に同社はなかなかお目にかかれないほどの大胆なコストカットに乗り出したからである。具体的には、破産裁判所に対し、二万三〇〇〇人の退職した炭鉱労働者とその扶養家族向けに健康保険を提供する労働組合との契約を破棄する申し立てを行ったのである。これによって同社が節約できる額は少なくとも一三億ドルになると見積もられた。そして、裁判所はこれを認めた。炭鉱労働者や退職者からすれば、これは悲惨な事態だった。石炭会社が廃業に伴って年金や医療サービスを廃止するというケースは過去にあったが、パトリオット・コールの場合、こうした義務から逃れると同時に事業は継続するというのだから。

アメリカ鉱山労働者組合（UMWA）の会長を長年務めたセシル・ロバーツは、わたしにこう語った。「破産裁判所の判事は小槌を打って、『これで医療保険は終了です』と宣告するだけです。ウォールストリートや全米各地で多くの人間が、『いい状況に違いない。これでバランスシートは改善される。投資家には魅力が増すことになるね』などと言うでしょうね。でも、あの一三億ドルは本来ならわたしとともに大きくなり、これまでずっと一緒にやってきた人たちに使われるべきものだったのです。キャビン川やペイント川の上流と下流、ブーン郡やアレゲニー郡、ミンゴー郡全体、インディアナ州やイリノイ州各地の人たちですよ。みんな巨額の医療費請求書に直面しているのです」

ロバーツは労働運動の歴戦の勇士と呼ぶべき存在で、三〇年にわたって、ストや経営陣と対峙してきた実績があった。だが、そうした経験はウォールストリートの用語や戦略と戦うにあたっては何の役にも立たなかった。「こんなふうに考えるわけですよ。『つなぎ融資っていったい何なんだ？ 第一抵当権？』ってね。ほかのことも全部同じだった。ナイトヘッドの連中はここに乗り込んできて、会社を仕切り、こんなふうに言うんですよ。『こんな会社は処分してしまえ！ 丸ごと売るか、ばら売りにするか、そうすりゃおれたちはカネを回収できるんだから』」。彼はさらにこう続けた。「普通の人間ならそんなことできやしないけど、どでかい会社だったらできてしまう。それがいいこととは思えません。巨大であればあるほど、付いてくる権利も多くなるというわけでしょうか？……こういう会社のなかには、『ウェストヴァージニア州ブーン郡』が地図のどこにあるかわからないのに、そこに住む人を使って金儲けをしているところだってあるんです。問われるべきは、こういうことです。こんなことが起きるわたしたちの国とは、どのようなものなのか？」

ロバーツの役目は、法廷の審理の内容を、その影響を被る炭鉱労働者に伝えることだった。「今まさに話している、三、四〇年勤め上げた末に福利厚生を手にした人たちですよ。自分たちが生涯で一日たりとも働いたわけではない会社が破産したがために、彼らは医療サービスを失ってしまったのです」

ラリー・ニセルは一九七五年からピーボディで地下炭鉱夫として働いていた。勤務の多くは、クラークスバーグから北に一時間の場所にある大規模な「連邦第二鉱山」だった。炭鉱の世界では、これは名誉ある任務だった。ジョージ・H・W・ブッシュ政権で労働長官を務めたエリザベス・ドールが一九八九年に現地を視察したが、彼はそのときのことをずっと覚えていた。「みんな一緒に座ってボローニャサンドイッチを食べている写真がありますよ」。ニセルはパトリオット・コールという新会社について知ったとき、「ごまかし」のように感じたという。「車からタイヤを三本抜き取って、それで道に出したらどうなる？ うまくいくはずがないよ」。七〇〇万ドルを充てた管理職対象の残留特別手当にはとくに苦々しい思いを抱いていた。「数字だけしか頭にない連中だよ」と彼は言った。

ニセルはセントルイスまで行き、ピーボディ本社前で行われた労組の抗議集会に参加した。会社側が武装警備員を配置しているのが目に入った。「そっちを見渡して、『おれたちはアメリカ国民だっていうこと、あんたらわかってるか？』って言ってやったよ。どうしようもなくむかついたね」。三カ月後には、はるばるワイオミング州ジレットにまで移動し、ピーボディの株主会合を傍聴した。彼は会場の後方に陣取り、コストカットの進捗状況に関する役員報告の様子を見ていた。「そいつが『わたしは二六〇〇万ドルの節約に成功しました』なんて偉そうに話し始めるわけさ。もう何と言うのか、おれの心臓に剣を刺して、あれ以上に傷つけることはほかになかったね。『このクソ野郎めが。あいつらがおれと話をする機会があったら、盛り上げてやるぞ』って思ったよ」

質疑応答の時間に入ると、ニセルは出番が来たと考えた。「みなさんのお耳に入れたいことがあります」と彼は言った。「後ろのほうにいるのは、あなた方ご自慢の何百万ドルもの利益を生み出してくれた人たちです。ここに集まった人たちは石炭会社の背骨だったんです。そういう人たちへの扱いについて、恥じていただきたい。あなた方が節約したという二六〇〇万ドルは、年金から奪ったカネなのですよ」。ニセルは反駁が来るだろうと身構えていた――何かしらの防御策、もしかするとマイクを切ることだってしてくるかもしれない、と。ところが何も起こりはしなかった。実のところ、役員たちはおしなべて無言だった。そもそも回答する義務もなかったのだ。ニセルは有力株主やヘッジファンドマネージャーでもなく、アクティビスト投資家でもなかった。彼らにしてみれば、ニセルは変人でしかなかった。発言は宙に浮き、そのままにされた。あたかも聞くことすらしなかったかに見えた。その状況に、ニセルの怒りはさらに高まった。「あのタマなし野郎どもは一人としてこっちを向かず、どういうかたちであれ反論してきやしなかったんだ」

その後、ニセルは会場を飛び出していった。「そこは駐車場までキャノピーがあり、屋根が延びていて、おれの後ろから誰かの話し声が聞こえてきたんだ。それで振り返ってみたら、警備員でね。こう言ってやった。『おれたちは大人しくここに来てるんだ。支払われるべきものを支払ってくれと頼んでいるだけなんだ』」

それまで築いた地位が着実に失われていくさま――研究者はこれを「階級に対する見えざる攻撃」と呼んだ――は、アパラチア各地でおなじみの光景になっていった。ジョーン・C・ウィリアムズは著書『アメリカを動かす「ホワイト・ワーキング・クラス」という人々』で、ポップカルチャーでの取り上げられ方を通じて敬意の幅が狭まっていることを明らかにした。一九三〇年代、労働者階級の男性は郵便局の壁に貼られた雇用促進局のポスターで勇ましいポーズで描かれていたし、ジョン・スタインベックの『怒りの葡萄』でも激賞されていた。それが七〇年代になると、進歩から取り残され愚痴を言ってばかりのレイシスト、アーチー・バンカー〔シチュエーション・コメディ『オール・イン・ザ・ファミリー』の登場人物〕が発する嘆きの中で登場するようになっていた。そして九〇年代には、この原型はホーマー・シンプソン〔テレビアニメ『ザ・シンプソンズ』の主人公〕というかたちで劣化していった。無能なアルコール中毒患者で、原発での勤務中に居眠りをしたり、自分のミスを妻や娘の目立たないサポートでカバーしてもらったりしているようなキャラクターだ。

カリフォルニア大学サンフランシスコ法科大学院教授を務めるウィリアムズはこう記している。「豊かなアメリカ白人が貧困層、有色人種、LGBTQの人びとの生活にシンパシーを抱いて思いを馳せるようになった一方で、白人の労働者階級は彼らの将来が経済面でお先真っ暗になったまさにそのときから、侮辱されたり無視されたりするようになったのである」。カンザス州出身のジャーナリスト兼作家、サラ・スマーシュはアメリカのポップカルチャーについて、あからさまなレイシスト的あるいは性差別的ジョークは姿を消す一方で、「見え透いた階級差別主義はほとんどの場合、ノーチェックで出回っている」ことが目につくと指摘する。人気ウェブサイト「ウォルマートの人びと」では、全米各地の店舗で撮影された買い物客の赤裸々な写真が掲載されている。スマーシュはそれを「現代アメリカの貧困」のポートレートだとして、「極度の肥満で糖尿病になった患者が着けるゴムタイプのウエストバンドと突き出たお腹、車椅子、痛風と肺気腫患者のための酸素ボンベ」といった例に言及していた。

今世紀になって、アメリカのエリートは雇用に際して、女性や有色人種に対する計画的な差別——多くの場合、名前だけに基づいて判断されていた——があることを示す研究結果に注意を払うようになった。だが、エリートたちは階級に基づいた差別については、なかなか認識しようとしてこなかった。『アメリカ社会学レビュー（*American Sociological Review*）』に掲載された二〇一六年の研究では、次のような結果が示された。架空の候補者が三一六の法律事務所に応募したところ、セーリングやクラシック音楽といった上流階級が好む趣味を記載した男性は、カントリーミュージックが好きだと記載した者と比べて折り返し連絡が来る確率が一二倍以上にもなったという。

パトリオット・コール裁判のファイルにはけっして忘れることのできない手紙が収められていたが、それは炭鉱労働者たちから寄せられたもので、医療サービスの廃止が家族にもたらす意味がつづられていた。クラークスバーグから北に一時間行った場所に住む退職者、デイヴィッド・エフォーは判事に宛てた懇願をタイプした。「わたしがこの手紙を書いているのは自分自身のためと言うよりは、妻ルース・アンのためなのです。わたしたちは結婚から三三年以上をともに過ごしており、彼女はわたしにとって真に天の恵みと言える存在なのです」。ルース・アンは五十三歳のとき、関節リウマチと線維筋痛症（全身に痛みをもたらす神経症候群）と診断された。定期的な注射治療が必要な疾病であり、「健康保険なしには費用を工面することができないのです」とデイヴィッドは記している。「妻の主治医はこう伝えたそうです。この注射を受けられなければ、四肢を動かすことが非常に困難になり、痛みとダメージのため日常生活の大半をこなすことが不可能になってしまいます、と」

デイヴィッドとルース・アンは十九世紀に造られたファームハウスに住んでいた。家は曲がりくねった道沿いにあったが、その曲がり方があまりに急なため、ルース・アンは「勘弁してくれカーブ」

と呼んでいた。彼女はわたしに家までの行き方を説明してくれたとき、「うちの家は丘の上に立っていて、塗り直しをしなくちゃいけない納屋の近くですよ」と言っていた。わたしが立ち寄ったとき、デイヴィッドは包帯と添え木を巻かれた状態で、リビングのリクライニングチェアに寝かせられていた。「一九回目の手術だよ」と彼は言い、弱々しく笑顔を向けた。このときは肩の腱板だったが、長年にわたる炭鉱内での勤務の結果、身体のどこかしらを常に痛めているようだった。

デイヴィッド・エフォーはウェストヴァージニアで生まれ育ち、衛生兵として三回にわたりヴェトナム戦争に派遣された。復員軍人援護法の適用を受けて数学と工学を学び、炭鉱で電気技師として三五年にわたり勤続した。社内政治に関心を示すようなことはまったくなかったが、ピーボディ・コールの社長が現地視察に来た際、直接話をする機会があった。エフォーは技術的問題について率直かつ厳密な物言いをするタイプで、社長はそんな彼を有用だと感じた。「あの人は現場に来るたびに、おれを探して一緒に話をしたもんさ」と彼は振り返る。社長は「きみは電話のそばに待機していてくれ。わたしや会社に何か起きたとき、すぐに連絡をとれるようにしておきたいからね」と伝えたという。エフォーは彼と友人同士だといった幻想は抱いていなかった。だとしても、会社がうまくいけば自分にとっても彼にとってもいいことだと思っていた。「社長も会社の一部だし、おれも会社の一部っていうことだね」とエフォーは言う。経営陣との関係はけっして良好というわけではなかった——ストや交渉で厳しく向き合ったこともあったという——が、それでもエフォーは当時のことをこう回想している。「あの人たちはこっちのことをわかっていたから、敬意を払ってくれたんだよ。そんなに昔の話じゃないんだけど、今とはまったく違った感覚だったね」

彼はこう言った。「今じゃ連中は何百万ドルものボーナスをもらっているのに、こっちは数百ドルの年金のために闘っているというわけだ。もう同じ家族だなんて呼べはしないね。欲望丸出しの官僚ってやつさ。普通のアメリカ人が稼ぐ額の四〇〇倍だか五〇〇倍だかをCEOは手にしてるんだから。ほかの人間より四〇〇倍も五〇〇倍も価値がある人間っているんだろうか？　そんなやつ、おれは会ったことがない。あんたはどうだ？」。エフォーはさらに続けた。「連中は権力を手にして、その権力を濫用しているんだ。でも、それをどうやって止められる？　状況は日ごとに悪くなっているよ」

一時期、パトリオット・コールは破産寸前の状態から息を吹き返し、なんとか事業を進めようとしたこともあった。しかし二〇一五年にはふたたび経営状態が悪化し、このときは幹部もナイトヘッドのような投資家も会社の再生には取り組もうとしなかった。彼らは鉱山や機器を競売にかけて、できる限り資金を回収しようとしただけだった。採掘によって荒廃したホベット鉱山や各地の炭鉱の「修復」のために資金を出そうという者は誰一人としていないかのように見えた。

二〇一五年の秋、ウェストヴァージニア州の弁護人を務めるバレットは、ナイトヘッドをはじめとする投資家を痛烈に批判する訴訟を提起した。「土地再生や汚水処理を行わないことによって、ウェストヴァージニアの州民が深刻な公衆衛生および安全上のリスクにさらされようとしている」というのが請求原因だった。きわめて高い価値を持つ資産を「数億ドル」で売却することで、「放置された惨状の対策のためには一セントたりとも残さない」と彼は主張した。「その代わりに、パトリオット・コールの計画を支持する銀行やヘッジファンドはあらゆる資産や報酬を抱えて立ち去り、後に残るのはがれきだけになる」

数週間後、この訴訟によってむごたらしい計画が明らかとなり、とどめを刺すような衝撃をもたらした。経営陣は健康保険基金から一八〇〇万ドルを引き出し、破産弁護士や債権者、会計士、その他の費用の支払いに流用しようとしていることが提出書類から明らかになったのだ。プロパブリカ〔アメリカのオンライン調査報道機関〕の調査によると、基金はインディアナ州に住む退職者とその妻および寡婦の計二〇八人のために割り当てられたものだったが、それを経営陣が法律事務所のカークランド・アンド・エリスとコンサルティング会社のアルバレス・アンド・マーサルへの支払いに振り向けようと動き出したという。ちょうど大統領選に向けた動きが活発化していたときでもあり、ヒラリー・クリントンはこの計画について「もってのほかであり、中止されなくてはなりません」と主張した。

パトリオット・コールは計画を撤回したが、結果的には一時的な猶予でしかなかった。二〇一五年十月二十八日、パトリオット・コールはついに倒産した。鉱山はアパラチア各地のさまざまな買い手に売却されていった。当初は医療サービスの提供が引き続き行われたが、やがて基金が枯渇した。二〇一六年十月には労組から一万二五〇〇人の退職者に手紙が送られ、九〇日後に健康保険が終了するとの通告が行われた。「深刻な資金不足」というのが理由だった。

その後の年月で、パトリオット・コールの解体は先例として受け止められていった。「あれはテストケースだったのでしょう」と労組の広報担当、フィル・スミスは言う。アルファ・ナチュラル・リソーシズ、ウォルター・エナジー、ウェストモアランド・コールといった石炭業大手が破産していったが、そこでもヘッジファンドは大きな役割を担っていった。スミスによると、すべてのケースでヘッジファンドは破産裁判所に対し、年金と医療サービスの費用負担義務を免除するよう申し立てたという。「ヘッジファンドは、買い手がつかないような会社の所有権を、はるかに低い金額だったり、債務を肩代わりしてまで買い上げるんです」。パトリオット・コールのケースは、アパラチアの破産企業から価値のあるものを吸い上げるための「ロードマップを作り上げた」のだという（二〇一七年、炭鉱労働者や労組からの要求に応えるかたちで、連邦議会は炭鉱労働者およびその扶養家族二万二〇〇〇人の医療サービスを維持するための基金を設置した）。

「会社は利益《プロフィット》を得れば、炭鉱夫には竪坑《シャフト》がもたらされる」――炭鉱業界に伝わる古い格言だ。しかし破産の影響を被った者からすれば、パトリオット・コールや同様の経緯をたどった他社のケースは、高まる一方の危機をこの上なく鮮明に突きつけるものにほかならなかった。すでに巨大な権力を手にしている者の立場をさらに強化するべく――つまり勝者が勝ち続けられるようにするということだ――、ロビイストや政治献金提供者によって現代資本主義の原則や価値観に磨きがかけられていた。その結果、パトリオット・コールに対する略奪行為は違法ではなかった。ただ、よく言われるように、それが合法だということ自体がスキャンダルだったのである。

アパラチアの炭鉱労働者にとって、炭鉱の衰退から利益を得ようとするウォールストリートのやり方はこの上ない屈辱だった。炭鉱地域は、「土地」という根本的な資産を徐々に失っていったが、期待したような補償を確保することはできなかった。このような事態は、十九世紀の時点でウェストヴァージニア州の当局者によって予測されていた。将来生じるであろう問題は、「巨大な富がそこに住む人びとのものになるか、あるいは山に埋蔵されている宝を懐に入れること以外にはわが州のことなど一顧だにしない者のものになるか」だと指摘されていたのだ。

縮小しつつある州の資産が遠く離れたヘッジファンドや金融業者によって収奪されていくさまは、一世紀にわたる地位や自立する力、支配力の低下に屈辱的なかたちでとどめを刺すものだった。かつて炭鉱労働者は、文字どおり、自分たちへの配分の拡大を求めて闘うことに誇りを抱いていた。一九二一年に起きたブレア・マウンテンの闘いでは、ウェストヴァージニア南部で一万人以上の炭鉱労働者が、機関銃を持ち、複葉機の支援を受けた警察部隊や連邦軍と衝突し、南北戦争以降最大の国内暴動になった。それから一〇年以上後、フランクリン・ローズヴェルトによって団体交渉権の確立に向けた取り組みが進められたが、背景にはこの闘いがあった。一九三〇年代にはUMWAが八〇万の組合員を抱えるまでになり、八時間労働や児童労働の禁止といった条件を獲得していった。一九四六年には、ハリー・トルーマン大統領とUMWA議長のジョン・L・ルイスのあいだで歴史的な合意が結ばれ、炭鉱労働者は退職後も一生涯にわたり医療保険が適用されることになった。

つい一九七〇年代までは、組合員の炭鉱労働者は全米で一七万人いた。「炭鉱業界で失業してしまったとしても、別のところに行けば新しい職が見つかったものです。ミドルクラスの生活をすることができたんですよ」とセシル・ロバーツは語る。「それがいろんな出来事が起きて、あっという間に状況が変わってしまいました。鉄鋼業界で破綻が相次いだ影響で、この国の冶金用の炭鉱の多くが閉山に追い込まれました。そのほとんどはアパラチアだったんです。大気汚染防止法もできましたし、酸性雨関連で法改正もありました。その後に今度は気候変動、という具合です」

それは、「みなさんには誇りを抱く資格があります」というお題目が着実に、そして嘲笑されながら消滅していく過程だった。ウェストヴァージニアの魂がまさにアパラチアの山にあるとすれば、その魂ははるか遠くにいる者の利益のために鉱山ごと運び去られてしまったのだ。そしてついに炭鉱が空っぽになると、「カネ勘定屋」が設備を売り払って代金をどこかに移していった。あまりの情け容赦のなさに、炭鉱労働者は怒りをあらわにしたとロバーツは言う。「結局、一切合切なくなってしまって、労働者はいろんな人間を非難しているのが現状です」

多くの場合、批判の矛先はオバマに向けられた。二期目のオバマ政権時、ウェストヴァージニアにある一六〇〇の地下炭鉱のうち半分以上が閉山した。二〇一六年の大統領選が近づく頃に残っていた炭鉱は六八しかなかった。炭鉱の衰退は、山奥で実際に見られるような小滝を思わせる、政治的な意味での小滝をもたらしていた。自然界の小滝は、炭鉱によって掘り返された怪しげな化学物質を通って流れている。政治の世界では、規制やビジネス、税、責任といった概念をめぐる基盤が掘り返された結果、下流に注ぐ水の性質も変わりつつあり、それが何なのか把握することすら困難になっていた。このアナロジーは、反対方向にも当てはまるものだった。全米で鬱屈した地方からふつふつとわき上がる意識——人種や移民、今の地位が失われかねないことへの恐怖——は政治の食物連鎖を駆け上がり、さまざまな奇形を生み出していたのである。

二〇一三年までに、ウェストヴァージニアでは炭鉱労働者の数は看護師の数を下回るようになっていた。全米レベルで見ると、UMWAの組合員数はピーク時から九七パーセント減少していた。州民は製鉄所や炭鉱で働く代わりに、レストランやコールセンター、高齢者介護、在宅介護といった仕事を求めるようになった。ただし、そのどれもが全米平均を下回る賃金しかもらえなかった。この変化はあまりに突如として生じたものだった。つい一世代前には、炭鉱がある郡は労働者が少し歩けば新しい職にありつけるような場所だった。それが今では、オピオイド汚染と失業に苦しみ、地域でも最貧レベルのコミュニティになってしまっていた。ホベット鉱山の一部があるブーン郡の場合、四年で雇用の五八パーセントがなくなった。そこでは、父や祖父の世代がティーンエージャーと職を争うような事態が発生していた。

土地も身体も、そして経済も、あらゆるものが蝕まれていた。石炭会社は来たかと思えば去っていくの繰り返しだったが、事業が低迷していても、投資家や企業幹部は現代金融の錬金術によって利益を手にすることができた。「うちの組合は、想像などとても及ばない額のカネを持っているような連中と闘うのに、とてつもない費用を投じてきたんです」とロバーツは言う。「弁護士とか会計士、投資家として破産裁判所に行く人間がいつもカネを手にしているわけです。でも勤続四五年の炭鉱労働者だと、順番はその列のいちばん最後になってしまいます」

広い意味では、ウォールストリートとワシントンは、遠く離れた場所にいるアメリカ国民の経験に対し共通のアプローチを実践していたのである。ビジネスと政治の中身――政策や取引がもたらす実質的な効果のこと――よりも、勝利や利益というあからさまな結果のほうが重視された。ハゲタカ企業の関係者は石炭業界を支配しようとした決定について、厳しい状況下にあっても価値を見いだそうとした大局からの戦略的な判断ではなかったとわたしに説明してくれた。そもそも「決定」自体、なきに等しかったという。たまたま目に留まったから、というだけだったのである。「その頃行き詰まっていたのが石炭業界だったから、そこに投資したのです」と彼は言った。

ウェストヴァージニア州の代理人を務めた弁護士、ケヴィン・バレットは、当事者双方の見方を理解していた。というのも、彼は炭鉱労働者を祖父に持ち、ハンティントン近くで育ったが、ニューヨークに出て大企業の弁護士になったという経歴の持ち主だからである。その後、出身州の案件も引き受け、チャールストンとグリニッジに隣接するウェストチェスター郡の快適な家の二拠点で活動するようになった。自分が身を置く二つの世界が互いの経験や思いをほとんど理解していないことについて、彼は衝撃を覚えることがあるという。「山の人たちがこっちに下りてくることはまずないですし、グリニッジやマンハッタンの人間が山のほうに行くこともやはりありません。ウェストヴァージニアの状況をヘッジファンドが実際にどれほど気にかけているかわかりません。しかし気にかけていないとしたら、それは悪意からではなく、単に彼らは自分のレンズ、つまりカネがどう動くかという観点から世界を見ているからなのです。人にどんな影響をもたらすかというのは、彼らの計算には入ってきません」

近年アメリカが直面する多くの苦悩がそうであるように、歴史の記録がもっとも鮮明に刻まれていたのは土地そのものだった。グリニッジでは、ナイトヘッド・キャピタル・マネジメント共同創設者のアラ・コーエンがゴールデン・トライアングルのジョージ王朝様式の邸宅を売却した。フロリダに移住するためだった。売却によって、彼は一七五〇万ドルを手にした。期待していた額は下回ったが、それでもその年のグリニッジでの住宅売却としては最高額だった。一〇〇〇キロ離れた場所では、ホベット鉱山がその後放棄された。環境修復のために必要な数百万ドルの費用を負担しようという企業や投資家はどこにもいなかったのである。アジアの草やロシアの木が生い茂るこの奇妙な高原にウォルマートを造ろうという計画が持ち上がったこともあった。だがその頃には、コーディル家のような顧客になってくれそうな人たちはとっくにいなくなっていた。ウォルマート建設計画が実現することはなかった。

最終的に、ウェストヴァージニア州政府はそれまでと大きく異なる活用方法によって決着を図った。それは、意図せざる象徴性を色濃く帯びたものだった。二〇一七年、旧鉱山を陸軍州兵の訓練場にするとの方針が州政府から発表されたのだ。この奇妙で不毛な土地は、州兵に対し外国でのパラシュート降下や敵対的な環境で生き残るための訓練を施す場所になるというのである。

（下巻に続く）

情報源についての解説

本質的な意味で本書の企画が始まったのは、わたしがアメリカに帰国する少し前の2013年7月のことだった。北京に住んでいたサラベスとわたしは、隣に住むチン・パオチューという名の女性と顔なじみになった。彼女はかつて工場勤めをしていた寡婦だった。チンは中国から出たことは一度もなかったが、夜のニュースはいつもしっかりと見ていた。わたしが帰国することを伝えると、彼女はこちらの腕をつかみ、心配そうにこう声をかけてくれた。「アメリカは豊かな国だけど、銃がたくさんあるのよ」

このときのことは、わたしの中にずっと残り続けていた。具体的な内容がと言うよりは——厳密に言えばチンのイメージは間違いではないのだが——、状況のとらえ方、つまりわたしの国をかくも鮮烈かつシンプルに描写するさまゆえにだった。それはチンに責任があるわけではない。意味合いや歴史とは切り離されたかたちで、雑多な統計や見出しを目にしたにすぎないのだから。わたしはアメリカに帰ると、同胞が語る自身の思いに耳を傾け、遠く離れた人びと——中国ではなく、シカゴ、クラークスバーグ、グリニッジといった自国の場所——の経験に接してきた。わたしはときどき、チン・パオチューに思いを馳せながら、こう考えていた。では、わたしたちは自分たちのことをより適切に説明できているのだろうか？　互いに疎外された状態は、19世紀にモールス信号で伝達されたメッセージを思い起こさせた——ポストマンの言葉を借りれば、「互いについてごく表面的なこと以外には何も知らない人びとで構成されている」世界のことだ。

それからの7年半でわたしは本書の中核となる3つの場所をふたたび訪れ、彼らのことをより深く理解し、ほとんどの場合に軽んじてしまいがちな人びとのつながりを明らかにしようと試みた。なかでも19人にとくに光を当て、2021年4月までのあいだ、彼らの生活の変化に沿いながら繰り返し—— 10回以上というケースもあった——インタビューを行った。数千ページにのぼる裁判資料や公式記録も入手した。『エクスポネント・テレグラム』『グリニッジ・タイム』『シカゴ・トリビューン』をはじめとする、各地の報道機関の専門知識に頼ることなしに、本書の記述を進めることはできなかった。各社のジャーナリストによる活動や、取材過程で彼らと交わした会話から多くを得ることができた。さまざまな研究者や歴史家、アーキビスト、映像制作者、政府所属の研究者からも、直接あるいは各人の著作を通じ助けてもらった。以下は、とくに重要な情報源について解説したものである。

プロローグ

ポッターバレーの自然史は、James R. Welch, “Sprouting Valley: Historical Ethnobotany of the Northern Pomo from Potter Valley, California,” *Society of Ethnobiology*（May 10, 2013）に詳述されている。農場火災はメンドシーノ複合火災の半分を占めているが、その詳細は “Cal Fire Investigation Report: Ranch Incident,” California Department of Forestry and Fire Protection（July 27, 2018）に報告されている。『ニューヨーク・タイムズ』のトマス・フラーは、“He Tried to Plug a Wasp Nest. He Ended Up Sparking California's Biggest Wildfire,” *The New York Times*（June 11, 2019）という記事で、独占取材によるグレン・カイルの発言を報じている。気候変動と火災が積み重なることの影響に関する記述は、Alejandra Borunda, “See How a Warmer World Primed California for Large Fires,” *National Geographic*（November 15, 2018）をもとにした。

わたしがジョン・ガンサーの *Inside U.S.A.*（New York: Harper & Brothers, 1947）（『アメリカの内幕』鹿島研究所出版会訳、鹿島研究所出版会、1965 年）に出会うことができたのは、この本で帰国が実感できるのではと考えた友人、チャーリー・エデルのおかげであり、実際、彼の言うとおりだった。ガンサーの詳しい経歴については、ケン・カスバートソンの *Inside: The Biography of John Gunther*（Los Angeles: Bonus Books, 1992）、それにアーサー・シュレジンジャー・ジュニアのすばらしい回想“A Man from Mars,” *The Atlantic*（April 1997）に助けられた。歴史に関するスティーヴン・ストールの鋭い考察は、彼の著書 *Ramp Hollow: The Ordeal of Appalachia*（New York: Hill and Wang, 2017）で示されている。

ワシントンの人種面および経済面からの状況の描写については、Kilolo Kijakazi et al., “The Color of Wealth in the Nation's Capital,” *Urban Institute*（November 2016）を参考にした。平均寿命の比較は、カリフォルニア大学バークレー校の「アメリカ寿命データベース」のデータと『人民日報』に掲載された中国の公式データに基づいている。

同時多発テロ以降に展開した認識を叙述するにあたっては、幅広い資料を参照した。アメリカ国内でのムスリムの描写に関する歪曲された一連の認識に関する調査としては、“Perils of Perception 2016,” Ipsos（December 13, 2016）および Scott Shane, “Homegrown Extremists Tied to Deadlier Toll Than Jihadists in U.S. Since 9/11,” *The New York Times*（June 24, 2015）がある。オバマの宗教に関するウェストヴァージニア州民を対象とした調査は、ウェストヴァージニアのメディア向けのオリオン・ストラテジーズによるものおよびウェストヴァージニア・ウェズリアン大学によって実施されたものである。モスク襲撃事件は、Omar Ghabra,“A Small Town in West Virginia Responds to Anti-Muslim Sentiment,” Al Jazeera America（March 10, 2014）に記されている。ハゼム・アシュラフのコメントは、ウェストヴァージニア公共放送とトレイ・カイ・プロダクションズが共同制作したポッドキャスト *Us & Them* のエピソードで詳しく取り上げられている。

銃、政治、テロがもたらした影響については Amy P. Cohen, Deborah Azrael, and Matthew Miller, "Rate of Mass Shootings Has Tripled Since 2011, Harvard Research Shows," *Mother Jones*（October 15, 2014）を参考にした。軍人の構成についてはアメリカ国防総省の国防マンパワー・データセンターの 2020 年 12 月 31 日付のデータに基づいている。犯罪の統計については John Gramlich, "What the Data Says（and Doesn't Say）About Crime in the United States," Pew Research Center, Fact Tank（November 20, 2020）; John R. Lott Jr., John E. Whitley, and Rebekah C. Riley, "Concealed Carry Permit Holders Across the United States," Crime Prevention Research Center（July 16, 2015）に基づいている。アムトラックの「避難する、身体を伏せる、行動をとる（Take Flight, Take Cover, Take Action）」というアナウンス動画は、www.youtube.com/watch?v=wot2FwYCkm8 で視聴可能だ。テレビの視聴パターンはさまざまな情報源で追跡可能であり、Pew Research Center, "Cable News Prime-Time Viewership"（March 13, 2006）; Rick Kissell, "Fox News Dominates Cable News Ratings in 2014; MSNBC Tumbles," *Variety*（December 30, 2014）などがある。

2013 年の政府閉鎖については、日々の報道に加え、その政治的影響が David A. Fahrenthold and Katie Zezima, "For Ted Cruz, the 2013 Shutdown Was a Defining Moment," *The Washington Post*（February 16, 2016）で詳しく描かれている。ベイナーのコメントは、*Face the Nation*（2013 年 7 月 21 日放送のテレビ番組）で発言されたものだ。政府の議員構成と国民の認識は、Amy Roberts, "By the Numbers: 113th Congress," CNN（January 5, 2013）; Russ Choma, "Millionaires' Club: For First Time, Most Lawmakers Are Worth $1 Million-Plus," Center for Responsive Politics（January 9, 2014）; "Public Trust in Government: 1958–2019," Pew Research Center（April 11, 2019）; Sam Popkin, *Crackup: The Republican Implosion and the Future of Presidential Politics*（New York: Oxford University Press, May 2021）に基づいている。

1――ゴールデン・トライアングル

チップ・スコウロンは数々のインタビューに応じ、自らの経験を共有してくれた。この場で感謝の意を表する。加えて、公的文書および彼の経験について直接知る関係者へのインタビューも活用した。その他の重要な背景および詳細は、報道に基づいている。

グリニッジの歴史を描き出すにあたっては、グリニッジ歴史協会で図書・史料館長を務めるクリストファー・シールズにお世話になった。彼はわたしが訪問するたびに迎え入れ、多くの必須資料を教えてくれた。ここで記したグリニッジ簡史は、Spencer Percival Mead, *Ye Historie of Ye Town of Greenwich, County of Fairfield and State of Connecticut*（New York: Knickerbocker Press, 1911）; Frederick A. Hubbard, *Other Days in Greenwich, or, Tales and Reminiscences of an Old New England Town*（New York: J. F. Tapley, 1913）に基づいている。近年の歴史を活き活きと描いたものとしては、Missy Wolfe, *Hidden History of Colonial Greenwich*（Charleston, SC: History Press, 2018）がある。

金ぴか時代から公民権運動までのグリニッジの現代史については以下の資料によるところが大きい。Matthew L. Bernard, *Victorian Summer: The Historic Houses of Belle Haven Park, Greenwich, Connecticut*（Novato, CA: ORO Editions, 2018）; Karen Jewell, *A History of the Greenwich Waterfront: Tod's Point, Great Captain Island and the Greenwich Shoreline*（Charleston, SC: History Press, 2011）; Timothy Dumas, *Greentown: Murder and Mystery in Greenwich, America's Wealthiest Community*（New York: Arcade Publishing, 1998）; Andrew Kahrl, *Free the Beaches: The Story of Ned Coll and the Battle for America's Most Exclusive Shoreline*（New Haven: Yale University Press, 2018）; Jane Condon and Bobbi Eggers, *Chardonnay Moms: Jane & Bobbi's Greatest Hits*（Pennsauken, NJ: BookBaby, 2017）. 現地在住ユダヤ人の生活と彼らに対する差別の歴史は、グリニッジ歴史協会の展示（担当学芸員：アン・メイヤーソン）*An American Odyssey: The Jewish Experience in Greenwich* で詳しく紹介されている。

オルタナティブ投資をはじめとする現代金融については、Sebastian Mallaby, *More Money Than God: Hedge Funds and the Making of a New Elite*（New York: Penguin Press, 2010）（セバスチャン・マラビー『ヘッジファンド——投資家たちの野望と興亡（Ⅰ・Ⅱ）』三木俊哉訳、楽工社、2012年）および Ralph Gomory and Richard Sylla, "The American Corporation," *Daedalus: Journal of the American Academy of Arts & Sciences*（Spring 2013）で詳述されている。この世界にスコウロンが足を踏み入れる際に参考にしたのは、Daniel A. Strachman, *Getting Started in Hedge Funds*（Hoboken, NJ: Wiley, 2000）である。富の文化の変遷については、Patricia Beard, *Blue Blood and Mutiny: The Fight for the Soul of Morgan Stanley*（New York: William Morrow, 2007）および Nina Munk, "Greenwich's Outrageous Fortune," *Vanity Fair*（July 17, 2006）をもとにした。ラグジュアリーな消費行動に関する微に入り細を穿つ記述に際しては、*SuperYachtFan* および *Bob's Watches* といったニッチな分野を扱うサイトから情報を得た。

金融危機と不平等に関する見方とデータについては以下の資料に基づいている。Raj Chetty, Nathaniel Hendren, Patrick Kline, and Emmanuel Saez, "Where Is the Land of Opportunity? The Geography of Intergenerational Mobility in the United States," *Quarterly Journal of Economics* 129, no. 4（2014）; Steven Pearlstein, *Can American Capitalism Survive?*（New York: St. Martin's Press, 2018）; Rana Foroohar, *Makers and Takers: The Rise of Finance and the Fall of American Business*（New York: Currency, 2016）、ローレンス・サマーズのスピーチ "40 Years Later—The Relevance of Okun's Equality and Efficiency: The Big Tradeoff," Brookings Institution（Washington, DC, 2015）; Jacob S. Hacker and Paul Pierson, *Winner-Take-All Politics: How Washington Made the Rich Richer—and Turned Its Back on the Middle Class*（New York: Simon & Schuster, 2010）; Michael Sandel, *The Tyranny of Merit: What's Become of the Common Good?*（New York: Farrar, Straus and Giroux, 2020）（マイケル・サンデル『実力も運のうち——能力主義は正義か？』鬼澤忍訳、早川書房、2021年）.

2——遺憾の意

選挙資金については、ジェイムズ・マディソンとアレクサンダー・ハミルトンが *Federalist* No. 52 (*The New York Packet*, 1788) で論じている。公職の選挙に出馬する際の費用については、"Vital Statistics on Congress: The Cost of Winning an Election, 1986–2018," Brookings Institution (February 2021); Bruce W. Hardy, Jeffrey A. Gottfried, Kenneth M. Winneg, and Kathleen Hall Jamieson, "Stephen Colbert's Civics Lesson: How Colbert Super PAC Taught Viewers About Campaign Finance," *Mass Communication and Society* 17, no. 3 (2014) を参照した。イーサン・ローダーは "Want Your Campaign Funding to Be Effective? Diversify," *The Washington Post* (September 27, 2018) で自身の経験を記している。

文化、富、自己認識をめぐるワシントンの変化については、以下の資料に基づいている。Joanne Freeman, *The Field of Blood: Violence in Congress and the Road to Civil War* (New York: Farrar, Straus and Giroux, 2018); David Fontana, "Washington Is Now a Cool City. That's Terrible News for American Democracy," *The Washington Post* (May 7, 2018); Robert Frank, "Washington Welcomes the Wealthiest," *The New York Times* (May 12, 2017); Alec MacGillis, "The Billionaires' Loophole," *The New Yorker* (March 14, 2016); Pete Buttigieg, *Trust: America's Best Chance* (New York: Liveright, 2020).

分断と抵抗に関する研究については、Nicholas Christakis, *Blueprint: The Evolutionary Origins of a Good Society* (New York: Little, Brown, 2019)(ニコラス・クリスタキス『ブループリント——「よい未来」を築くための進化論と人類史(上・下)』鬼澤忍・塩原通緒訳、NewsPicks パブリッシング、2020 年); Katherine A. DeCelles and Michael I. Norton, "Physical and Situational Inequality on Airplanes Predicts Air Rage," *Proceedings of the National Academy of Sciences* (May 2016); Keith Payne, *The Broken Ladder: How Inequality Affects the Way We Think, Live and Die* (New York: Viking, 2017) によっている。

資金提供者の役割と構成は、Sean McElwee, Brian Schaffner, and Jesse Rhodes, "Whose Voice, Whose Choice? The Distorting Influence of the Political Donor Class in Our Big-Money Elections," *Demos* (December 8, 2016) および Joshua L. Kalla and David E. Broockman, "Campaign Contributions Facilitate Access to Congressional Officials: A Randomized Field Experiment," *American Journal of Political Science* 60, no. 3 (July 2016) に基づいている。リークされた民主党のプレゼンテーション資料は、Ryan Grim and Sabrina Siddiqui, "Call Time for Congress Shows How Fundraising Dominates Bleak Work Life," *Huffington Post*, January 8, 2013 で報じられた。W・クレメント・ストーンの経歴については、Dan Balz, "'Sheldon Primary' Is One Reason Americans Distrust the Political System," *The Washington Post* (March 28, 2014) で報じられ、ジェイン・メイヤーの *Dark Money: The Hidden History of the Billionaires Behind the Rise of the Radical Right* (New York: Doubleday, 2016)(『ダーク・マ

ネー——巧妙に洗脳される米国民』伏見威蕃訳、東洋経済新報社、2017年）で引用された。

ミッチ・マコネルの勝利への道を記すにあたっては、彼の回顧録 *The Long Game: A Memoir*（New York: Sentinel, 2016）のほか、Alec MacGillis, *The Cynic: The Political Education of Mitch McConnell*（New York: Simon & Schuster, 2014）; Robert G. Kaiser, "The Closed Mind of Mitch," *The New York Review of Books*（November 2016）; Steve Coll, "Party Crashers," *The New Yorker*（October 28, 2013）にも助けられた。

3——丘の上の宝石

ウェストヴァージニア州ハリソン郡についての書物はきわめて多くあるが、そうしたなかでわたしは幸いにして2人の助言者の協力を得ることができた。一人はクラークスバーグ・ハリソン公共図書館の特別所蔵担当司書のデイヴィッド・ホウチン、もう一人はハリソン郡歴史協会のエグゼクティブ・ディレクターのクリスタル・ワイマーだ。何年にもわたり、2人はこちらが見過ごしていた資料を教えてくれたり、自分たちの調査活動で関係がありそうなお宝資料が見つかったときには連絡をくれたりした。

ウェストヴァージニアの石炭産業をめぐる経済・政治史を掘り起こすにあたり、以下の作品をはじめとするさまざまなノンフィクションおよびフィクションを参照した。Steven Stoll, *Ramp Hollow: The Ordeal of Appalachia*; John Alexander Williams, *Appalachia: A History*（Chapel Hill: University of North Carolina Press, 2002）; Denise Giardina, *Storming Heaven*（New York: W. W. Norton, 1987）; Elizabeth Catte, *What You Are Getting Wrong About Appalachia*（Cleveland: Belt Publishing, 2018）; Gwynn Guilford, "The 100-Year Capitalist Experiment That Keeps Appalachia Poor, Sick, and Stuck on Coal," *Quartz*（December 30, 2017）; Ronald D. Eller, *Uneven Ground: Appalachia Since 1945*（Lexington: University Press of Kentucky, 2008）; John Gaventa, *Power and Powerlessness: Quiescence and Rebellion in an Appalachian Valley*（Champaign: University of Illinois Press, 1982）; Anthony Harkins and Meredith McCarroll, eds., *Appalachian Reckoning: A Region Responds to Hillbilly Elegy*（Morgantown: West Virginia University Press, 2019）.

ウェストヴァージニアの人種をめぐる歴史、デイヴィッド・ケイツ市長の誕生、クー・クラックス・クランによる反発については、ジム・ハント元市長およびNAACP元支部長のジム・グリフィンへのインタビューから情報を得た。この時期に関する貴重な報告として、Maggie Potapchuk, "Steps Toward an Inclusive Community: The Story of Clarksburg, West Virginia," Joint Center for Political and Economic Studies（2001）がある。

数々の歴史書、伝記、建築書、旅行記からも情報を得た。代表的なものは以下のとおりである。Henry Haymond, *History of Harrison County, West Virginia: From the Early Days of Northwestern Virginia to the Present*（Morgantown, WV: Acme Publishing Company, 1910）; William Henry Harbaugh, *Lawyer's Lawyer: The Life of John W. Davis*（New York: Oxford University Press, 1973）; "Clarksburg Downtown Historic

District," U.S. Department of the Interior: National Register of Historic Places; *The West Virginia Encyclopedia*（ウェストヴァージニア人文学評議会が編集を担当している有益な情報源）。ジョン・F・ケネディ大統領図書館・博物館と並び、ウェストヴァージニア公文書館にも1960年の大統領選に関する貴重な展示がある。名誉毀損防止組合では、山岳民兵の台頭と訴追に関する情報が収集されている。加えて、ケン・ワード・ジュニア、エリック・エア、ホッピー・カーチヴァル、デイヴ・ミスティッチらによる報道も参考にした。

クラークスバーグにおけるガラス産業の盛衰に関する歴史書の決定版と言えるのが、Ken Fones-Wolf, *Glass Towns: Industry, Labor, and Political Economy in Appalachia, 1890–1930s*（Champaign: University of Illinois Press, 2007）である。サム・キノネスによる鋭い記事"Physicians Get Addicted Too," *The Atlantic*（May 2019）でも、さらなる詳細が伝えられている。

ウェストヴァージニアの新聞発行史は、ウェストヴァージニア大学の希少本担当司書、スチュワート・プレインが調査を行ってきた。彼は、"Up in Smoke: The Fascinating Story of a West Virginia Newspaper, *The Volcano Lubricator*"（2016）というブログの書き込みで、油田地帯の新聞各紙の競争を描き出している。

地方紙の崩壊と新聞の衰退に対する見方については、マーガレット・サリヴァンによる必読書 *Ghosting the News: Local Journalism and the Crisis of American Democracy*（New York: Columbia Global Reports, 2020)、アメリカ・ペンクラブによる詳細な報告書"Losing the News: The Decimation of Local Journalism and the Search for Solutions"（2019); Pengjie Gao, Chang Lee, and Dermot Murphy, "Financing Dies in Darkness? The Impact of Newspaper Closures on Public Finance," *Journal of Financial Economics* 135, no. 2（February 2020); Penelope Muse Abernathy, "News Deserts and Ghost Newspapers: Will Local News Survive?," UNC Hussman School of Journalism and Media（September 15, 2020）を参照した。

ニュースに関わるテクノロジーと政治の崩壊の交差については、ニール・ポストマンによる先見性に富む業績および彼の著書 *Amusing Ourselves to Death: Public Discourse in the Age of Show Business*（New York: Viking Penguin, 1985)（『愉しみながら死んでいく——思考停止をもたらすテレビの恐怖』今井幹晴訳、三一書房、2015年); Ezra Klein, *Why We're Polarized*（New York: Avid Reader Press, 2020); Daniel J. Hopkins, *The Increasingly United States: How and Why American Political Behavior Nationalized*（Chicago: University of Chicago Press, 2018); Jennifer Mercieca, *Demagogue for President: The Rhetorical Genius of Donald Trump*（College Station: Texas A&M University Press, 2020）に基づいている。クラークスバーグのジャーナリズム界でインターネットの輝きを最初に取り上げた記事の一つに、Bob Stealey, "Bob-n-Along: Since I Couldn't Get Online, I Got a Little Bit Outta' Line," *The Exponent Telegram*（February 3, 1999）がある。

4――泥の街

シカゴ大学の特別コレクション研究センターはアルバート・シェラー関係文書を所蔵しており、そのなかには銃撃事件当時の新聞の切り抜きも含まれている。加えて、わたしは『シカゴ・サンデー・トリビューン』やその他の報道機関のデジタルアーカイブにも照会を行った。銃撃犯の背景や収監、子孫について詳しい情報の調査に取り組むにあたり、「アンセストリー・シスターズ」として知られるエレン・ドリスコルとエリザベス・ナイト姉妹から欠くことのできない協力を得た。2人はイリノイ州の監獄記録、クック郡公文書館、クック郡功績記録官、クック郡巡回事務官をはじめとする関係機関の文書を収集してくれた。

自然および建築面からのシカゴの起源については、William Cronon, *Nature's Metropolis: Chicago and the Great West*（New York: W. W. Norton, 1991); Louis Sullivan, *The Autobiography of an Idea*（Washington, DC: Press of the American Institute of Architects, 1924）（ルイス・サリヴァン『サリヴァン自伝――若き建築家の肖像』竹内大・藤田延幸訳、鹿島出版会、1977年); Frederick Jackson Turner, *The Frontier in American History*（New York: Henry Holt, 1920）（フレデリック・ジャクソン・ターナー『アメリカ史における辺境（フロンティア）』松本政治・嶋忠正訳、北星堂書店、1973年); Robert Herrick, *The Gospel of Freedom*（New York: Macmillan, 1898）によった。市と自然との闘いは、Ron Grossman, "Raising Chicago out of the Mud," *Chicago Tribune*（November 19, 2015）で詳述されている。その他の有用なレファレンス資料は、シカゴ歴史協会が管理する *The Encyclopedia of Chicago* に収録されている。

サウスサイドの人種、階層、地理については多数の文献があるが、わたしは Isabel Wilkerson, *The Warmth of Other Suns: The Epic Story of America's Great Migration*（New York: Random House, 2010）および William Julius Wilson, *When Work Disappears: The World of the New Urban Poor*（New York: Knopf, 1996）（ウィリアム・ジュリアス・ウィルソン『アメリカ大都市の貧困と差別――仕事がなくなるとき』川島正樹・竹本友子訳、明石書店、1999年）を参照した。デイリーの遺産については、Adam Cohen and Elizabeth Taylor, *American Pharaoh: Mayor Richard J. Daley—His Battle for Chicago and the Nation*（New York: Little, Brown, 2000）なしに伝えることは不可能だろう。ハイド・パークとケンウッドに関するきわめて詳細な描写は、Susan O'Connor Davis, *Chicago's Historic Hyde Park*（Chicago: University of Chicago Press, 2013）に基づいている。同書を通じ、Edna Ferber, *The Girls*（Garden City, NY: Doubleday, Page & Company, 1921）および Le Corbusier, *When the Cathedrals Were White*（New York: McGraw-Hill, 1964）（ル・コルビュジエ『伽藍が白かったとき』生田勉・樋口清訳、岩波文庫、2007年）といった過去の文献についても知ることができた。インフラの役割については、Kevin M. Kruse, "What Does a Traffic Jam in Atlanta Have to Do with Segregation? Quite a Lot," *The New York Times*（August 14, 2019）で検討が行われている。現在の状況および雇用の消失については、アラナ・セミュエルズが最近行った卓越した調査 "Chicago's Awful Divide," *The Atlantic*

(March 28, 2018）から多くを得た。シカゴとリッチモンドの比較については、Trevon Logan and John Parman, “The National Rise in Residential Segregation,” National Bureau of Economic Research（February 2015）に依拠した。Ben Joravsky, “Taking *The New Yorker* for a Ride,” *Chicago Reader*（March 11, 2010）からも良い学びを得ることができた。

社会面と地理面の両方における流動性についての理解は、Patrick Sharkey, *Stuck in Place: Urban Neighborhoods and the End of Progress Toward Racial Equality*（Chicago: University of Chicago Press, 2013）に基づいている。その他に参照した資料としては、Ben J. Wattenberg and Richard M. Scammon, “Black Progress and Liberal Rhetoric,” *Commentary*（April 1973）; Julia B. Isaacs, “Economic Mobility of Black and White Families,” Brookings Institution（November 13, 2007）; William H. Frey, “For the First Time on Record, Fewer Than 10% of Americans Moved in a Year,” Brookings Institution（November 22, 2019）などがある。ディアドリ・コルディケおよびレアード・コルディケ、ケイトリン・サモンズ、アースハート財団にはとくに謝意を表したい。

オバマの台頭と失敗に終わった1999年の選挙戦については、Ted Kleine, “Is Bobby Rush in Trouble?,” *Chicago Reader*（March 16, 2000）およびHank De Zutter, “What Makes Obama Run?,” *Chicago Reader*（December 8, 1995）のほか、重要な資料としてDavid Remnick, *The Bridge: The Life and Rise of Barack Obama*（New York: Knopf, 2010）（デイヴィッド・レムニック『懸け橋——オバマとブラック・ポリティクス（上・下）』石井栄司訳、白水社、2014年）およびオバマ自身が*The Audacity of Hope: Thoughts on Reclaiming the American Dream*（New York: Crown, 2006）（バラク・オバマ『合衆国再生——大いなる希望を抱いて』棚橋志行訳、ダイヤモンド社、2007年）で書いている内容に基づいた。

5——みんながやっていることだから（その1）

「合衆国対ジョセフ・F・スコウロン3世」裁判および関連の民事審理に関する公式文書には、事件の展開および取引についての詳細が記されているほか、スコウロンおよび関係者へのインタビューに基づいてさらなる補足を行った。加えて、この事件についてのブルームバーグ、マーケットウォッチ、ロイター、『ウォールストリート・ジャーナル』『ヴァニティ・フェア』の報道に助けられた。このなかには、クリス・ポモルスキによる長大な記事“A Hedge Fund Ex-Con Finds It's Hard Coming Home to Greenwich,” *Vanity Fair*（July 2, 2019）も含まれる。

マリアーニ様式の邸宅をはじめとする建築ラッシュは、Nick Paumgarten, “A Greenwich of the Mind,” *The New Yorker*（August 26, 2008）で鮮やかに描かれている。アズネスはヘッジファンド全盛期に育児をしたときの経験を、タイラー・コーエンとの壇上インタビューで語っている。このインタビューはポッドキャストで放送されたほか、“Cliff Asness on Marvel vs. DC,” *Conversations with Tyler*, November 18, 2015でトランスクリプトを読むことができる。コーガンをめぐる論争は、Michael

Idov, “Xanadu, CT,” *New York*（May 22, 2009）で検討が行われている。

株主資本主義に関する記述は、Milton Friedman, “A Friedman Doctrine—The Social Responsibility of Business Is to Increase Its Profits,” *The New York Times*（September 13, 1970）; Michael C. Jensen and William H. Meckling, “Theory of the Firm: Managerial Behavior, Agency Costs and Ownership Structure,” *Journal of Financial Economics* 3, no. 4（October 1, 1976）; Nicholas Lemann, *Transaction Man: The Rise of the Deal and the Decline of the American Dream*（New York: Farrar, Straus and Giroux, 2019）に基づいている。

パートナーシップと自社株買いの変更については、John Carney, “Why Wall Street Abandoned Partnerships,” CNBC（November 3, 2010）; William Lazonick and Ken Jacobson, “End Stock Buybacks, Save the Economy,” *The New York Times*（August 23, 2018）; William Lazonick, “Stock Buybacks: From Retain-and Reinvest to Downsize-and-Distribute,” Brookings Institution（2015）; “Prepared Remarks of Federal Trade Commissioner Rohit Chopra,” Forum on Small Business Financing（May 8, 2019）; Rana Foroohar, “American Capitalism's Great Crisis,” *Time*（May 12, 2016）で詳述されている。チャールズ・ウィルソンの議会証言は、ハーティトラスト・デジタルライブラリーで視聴可能だ。

ユージン・ソルテスはインタビューと追加取材に応じてくれた。彼の著書 *Why They Do It: Inside the Mind of the White-Collar Criminal*（New York: Public Affairs, 2016）からも引用している。ジョージ・バーナード・ショーの観察は、Sidney Webb and Beatrice Webb, *English Prisons Under Local Government*（London: Longmans, Green, 1922）の序文（vii–lxxiii）による。隣人にして逃亡者というマーティン・フランケルの活劇は、Michael Allen and Mitchell Pacelle, “Martin Frankel May Have Fled with $10 Million of Diamonds,” *The Wall Street Journal*（July 8, 1999）や Alison Leigh Cowan, “Onetime Fugitive Gets 17 Years for Looting Insurers,” *The New York Times*（December 11, 2004）などで報じられていた。サザランドの貢献は、アメリカ社会学の学会誌に掲載された記事 “Edwin H. Sutherland”（June 16, 2009）で取り上げられている。大失敗に終わったマドフの一件で出資者が果たした役割は金融メディアで報じられている。バークが味わった苦難は、David Glovin, “Bourke to Report to Prison 15 Years After Oil Deal Soured,” Bloomberg（May 6, 2013）で描かれている。「ローグズヒル・ロード」という呼び名を言い始めたのは、不動産専門ブロガーのクリストファー・ファウンテンである。

金融不正の副次的影響と意味については、David Rafferty, “Raffery: Greenwich, Gateway to White-Collar Crime,” *Greenwich Time*（August 9, 2013）; John Bogle, “There Were Once Things One Just Didn't Do,” *The New York Times*（March 15, 2012）; Andrew Ross Sorkin, “On Wall St., a Culture of Greed Won't Let Go,” *The New York Times*（July 15, 2013）; Greg Smith, “Why I Am Leaving Goldman Sachs,” *The New York Times*（March 14, 2012）; “Goldman Sachs Agrees to Pay More Than $5 Billion in Connection with Its Sale of Residential Mortgage Backed Securities,” Depart-

ment of Justice（April 11, 2016）で解明されている。

6——みんながやっていることだから（その2）

リース・クラークは5年にわたるわたしとの交流のなかで、数え切れないほどの機会でこちらが投げかけた質問に忍耐強く答えてくれた。彼はアラバマでの祖父母の経験のほか、学校やギャングスター・ディサイプルズ、裁判所や監獄、そして父親との関係にまつわる記憶をたどってくれた。裁判資料と家系に関する情報の収集に際しては、アンセストリー・シスターズから貴重な協力を得た。

シカゴにおけるギャングの進化と活動について把握するにあたり、アンドリュー・パパクリストスにインタビューすることができたことに加え、ギャングスター・ディサイプルズについてのものをはじめ、彼の著作に目を通した。加えて、George W. Knox, Gregg W. Etter, and Carter F. Smith, *Gangs and Organized Crime*（New York: Routledge, 2018）にもよっている。G-ヴィルとキッラ・ワードの集団に関する具体的な内容は、Jeremy Gorner, "Gang Factions Lead to Spike in City Violence," *Chicago Tribune*（October 3, 2012）および "Man Arrested in 2013 Killing Tied to Gang War That Left Tyshawn Lee Dead," *Chicago Tribune*（April 6, 2016）で報じられている。アルフレイダ・コブは、人生の中できわめてつらい時期に過去を振り返ってくれた。特定の地域で銃撃事件が集中していることの分析については、"Crime in Chicago: What Does the Research Tell Us? IPR Experts Offer Insights and Potential Solutions to City's Violent Crime"（May 28, 2018）として公刊されている、ノースウェスタン大学の学者による研究の取りまとめを入手することができた。

低所得層地域の健康格差に関する詳細は、Jeremy Deaton and Gloria Oladipo, "Mapping the Disparities That Bred an Unequal Pandemic," Bloomberg CityLab（September 30, 2020）および Robert J. Sampson, *Great American City: Chicago and the Enduring Neighborhood Effect*（Chicago: University of Chicago Press, 2012）に基づいている。ベン・スティヴァーマンは "Harvard's Chetty Finds Economic Carnage in Wealthiest ZIP Codes," Bloomberg（September 24, 2020）でラジ・チェティの研究を要約している。

シカゴにおける学校と人種隔離の歴史については、以下の複数の文献に依拠した。Natalie Y. Moore, *The South Side: A Portrait of Chicago and American Segregation*（New York: St. Martin's Press, 2016）; Steve Bogira, "School Desegregation: Is the Solution to the Public-Schools Mess as Simple as Black and White?," *Chicago Reader*（January 28, 1988）; Mary Mitchell, "Déjà vu Sunday for Mount Greenwood Seven," *Chicago Sun-Times*（July 15, 2008）; Isabel Wilkerson, "The Tallest Fence: Feelings on Race in a White Neighborhood," *The New York Times*（June 21, 1992）; Christine Schmidt, "Life, and a Death, in Mount Greenwood," *South Side Weekly*（November 16, 2016）; "Schools in Chicago Are Called the Worst by Education Chief," Associated Press（November 8, 1987）; letter to the editor from the Fenger High School Local School Council, *Chicago Sun-Times*（September 20, 1991）; Maribeth Vander Weele,

"Classroom Chaos Seen as Possibly the Worst Ever," *Chicago Sun-Times* (October 1, 1991).

7——みなさまがた

リース・クラークとウィリアム・ウォジトコウスキに関する監獄の記録には、彼らの移送状況が記録されている。クラークもインタビューで自身の経験について詳しく説明してくれた。

収監と組織的なレイシズムに関する見方とデータについては、Devah Pager, "The Mark of a Criminal Record," *American Journal of Sociology*, 108(5):937-975, 2003; James Forman Jr., *Locking Up Our Own: Crime and Punishment in Black America* (New York: Farrar, Straus and Giroux, 2017); Elizabeth Hinton, *From the War on Poverty to the War on Crime* (Cambridge, MA: Harvard University Press, 2017); Toluse Olorunnipa and Griff Witte, "Born with Two Strikes," *The Washington Post* (October 8, 2020) によっている。

シカゴにおける住宅をめぐる差別、略奪的融資、サブプライム・ローンについては、Connie Bruck, "Angelo's Ashes," *The New Yorker* (June 22, 2009); Whet Moser, "The *Chicago Reporter* and Lisa Madigan Nail Bank of America on Racial Bias in Countrywide Lending," *Chicago Magazine* (December 22, 2011); Shawn Tully, "Meet the 23,000% Stock," *Fortune* (September 15, 2003); Ta- Nehisi Coates, "The Case for Reparations," *The Atlantic* (June 2014) から情報を得た。

住宅ローンブームの時期にグリニッジ在勤あるいは在住だった者の役割やライフスタイルについての詳細は、Bethany McLean and Joe Nocera, *All The Devils Are Here: The Hidden History of the Financial Crisis* (New York: Portfolio, 2010); Gretchen Morgenson, "Mr. Vranos Has a Deal for You," *The New York Times* (July 22, 2007); Susanne Craig, "Lawmakers Lay Into Lehman CEO," *The Wall Street Journal* (October 7, 2008); "Ex-Citi CEO Defends 'Dancing' Quote to U.S. Panel," Reuters (April 9, 2010); Hilary Lewis, "Booted Citi CEO Prince Can't Sell Greenwich Mansion," *Business Insider* (June 19, 2008) に基づいている。

ティーパーティー運動のルーツに関する記述は、シーダ・スコチポルの導きと彼女がヴァネッサ・ウィリアムソンと共同で執筆した *The Tea Party and the Remaking of Republican Conservatism* (New York: Oxford University Press, 2012)、ジェイン・メイヤーの専門知識と著書『ダーク・マネー』から恩恵を受けた。また、Popkin, *Crack-up*; David Remnick, "Day of the Dittohead," *The Washington Post* (February 20, 1994); Joan C. Williams, *White Working Class: Overcoming Class Cluelessness in America* (Boston: Harvard Business Review Press, 2017)（ジョーン・C・ウィリアムズ『アメリカを動かす「ホワイト・ワーキング・クラス」という人々——世界に吹き荒れるポピュリズムを支える"真・中間層"の実体』山田美明・井上大剛訳、集英社、2017 年); Suzanne Mettler, *The Submerged State* (Chicago: University of Chicago Press, 2011) からも重要な中身について知ることができた。

オバマ政権期に見られた人種差別的な陰謀論と右翼民兵の台頭は、Philip Klinkner, "The Causes and Consequences of 'Birtherism,'" the 2014 Annual Meeting of the Western Political Science Association; Ta-Nehisi Coates, "My President Was Black," *The Atlantic* (January/February 2017); Ron Nixon, "Homeland Security Looked Past Antigovernment Movement, Ex-Analyst Says," *The New York Times* (January 8, 2016); "Militia Movement Rhetoric Elevated to National Level," Southern Poverty Law Center (October 3, 2019) で検証されている。

個人と集団——カウボーイと幌馬車隊と言い換えられる——の間を行き来してきた歴史とその詳細については、ロバート・D・パットナムとシェイリン・ロムニー・ギャレットによる共著 *The Upswing: How America Came Together a Century Ago and How We Can Do It Again* (New York: Simon & Schuster, 2020)(『上昇（アップスウィング）——アメリカは再び〈団結〉できるのか』柴内康文訳、創元社、2023 年）に教えられた。2 人はインタビューに応じ、同書刊行後に生じた出来事についての見方を共有してくれた。

ルンツの会議での発言は、ヤフーニュースでクリス・ムーディが報じている。歴史家のジェニファー・バーンズは、"Ayn Rand's Long Journey to the Heart of American Politics," *The New Republic* (August 14, 2012) で論じたランドの人生と影響についてさらに詳しく解説してくれた。2012 年に共和党で起きた論争については、ポプキンが *Crackup* で言及している。アッカーマンは戦争の政治的文脈について、"Why Bringing Back the Draft Could Stop America's Forever Wars," *Time* (October 10, 2019) で振り返っている。「ウォールストリートを占拠せよ」運動の起源については、Ruth Milkman, Stephanie Luce, and Penny Lewis, "Occupy After Occupy," *Jacobin* (June 2014) から恩恵を受けた。戦闘中の犠牲者の出身地別内訳は、Michael M. Phillips, "Brothers in Arms: The Tragedy in Small-Town America," *Wall Street Journal* (September 22, 2017) で分析された国防総省のデータに基づいている。

8——ヤク漬け

フレッド・スウィガー、フレディー・スウィガー・ジュニア、クリストファー・ハート、トッド・アモス、シドニー・ミュラーの人生に関する叙述は、主に裁判資料、証人による公式証言、退役軍人省記録の抜粋、インタビューに基づいている。きわめて困難な状況について語ってくれた、ミニー・スウィガー、ハーマン・ルッベ、リンダ・リグス、タイラー・ダースト、ジャニス・チャンスをはじめとする関係者の家族や友人には感謝している。加えて、サム・ハロルド、ブライアン・ジャーヴィス、ジョン・ミラーの支援およびシドニー・ミュラーの協力にも感謝している。

サンギンでの犠牲者および事態の推移に関する描写は、Dawood Azami, "Why Sangin's Fall to the Taliban Matters," BBC World Service (March 23, 2017); Taimoor Shah and Rod Nordland, "Taliban Take an Afghan District, Sangin, That Many Marines Died to Keep," *New York Times* (March 23, 2017); "Into the Breach: How Sangin Will Enter the Annals of Marine History," *Military Times* (May 13, 2014) に基づいている。

同時多発テロ以降の社会の姿勢と文化の変化に関する詳細は、Roberto González, Hugh Gusterson, and Gustaaf Houtman, *Militarization: A Reader*（Durham, NC: Duke University Press, 2019）; Ted Galen Carpenter, "The Creeping Militarization of American Culture," a commentary for the Cato Institute; Al Gore, *The Assault on Reason*（New York: Penguin Press, 2007）（アル・ゴア『理性の奪還——もうひとつの「不都合な真実」』竹林卓訳、ランダムハウス講談社、2008年）; Phil Klay, *Missionaries*（New York: Penguin Press, 2020）; Jason De León, "The Border Wall Is a Metaphor," *New American Story Project*（no date）に基づいている。

9——購買力

ジェイン・メイヤーは、リー・ハンレー、ロバート・マーサー、パトリック・カデルが連携してトランプ擁立に取り組んでいった様子を、"Trump's Money Man," *The New Yorker*（March 27, 2017）で鮮やかに明らかにした。アリー・ハンレー、J・ウィリアム・ミッデンドーフ2世、ロジャー・ストーンらは、グリニッジにおける共和党政治の変化について自らの経験を語ってくれた。ミッデンドーフは、彼の政治キャリアについて記した *A Glorious Disaster: Barry Goldwater's Presidential Campaign and the Origins of the Conservative Movement*（New York: Basic Books, 2006）および *Potomac Fever: A Memoir of Politics and Public Service*（Annapolis: Naval Institute Press, 2011）で自身の経験を詳述している。ガルブレイスによる保守運動の描写は、"Wealth and Poverty," National Policy Committee on Pockets of Poverty（December 13, 1963）というスピーチに含まれている。ローウェル・ウェイカーのコメントは1991年にイェール大学で行ったスピーチで言及されたものであり、ジョン・F・ケネディ大統領図書館・博物館にも記録が残っている。

政治における企業の積極的行動が持つ役割の高まりと影響については、リック・パールスタインの洞察に加え、彼が著書 *Reaganland: America's Right Turn 1976–1980*（New York: Simon & Schuster, 2020）を草稿段階で共有してくれたことに感謝している。具体的な献金者および彼らの慈善活動の詳細については、選挙運動法務センターのブレンダン・フィッシャーの洞察に助けられた。また、Kim Phillips-Fein, *Invisible Hands: The Making of the Conservative Movement from the New Deal to Reagan*（New York: W. W. Norton, 2009）も参照した。

資産管理、税制、株式政策の歴史については、ダートマス大学教授のブルック・ハリントンの専門知識と著書 *Capital Without Borders: Wealth Managers and the One Percent*（Cambridge, MA: Harvard University Press, 2016）（『ウェルス・マネジャー 富裕層の金庫番——世界トップ1％の資産防衛』庭田よう子訳、みすず書房、2018年）から学ばせてもらった。スティーヴン・パールスタインの *Can American Capitalism Survive?*、メイヤーの *Dark Money*、ハッカーおよびピアソンの *Winner-Take-All Politics* に再度当たることもした。トマス・フォーリーの税と資産に関する詳細は、Ken Dixon, "Foley Paid $673 in Taxes in 2013," *Greenwich Time*（October 17, 2014）で報じられている。

プレスコット・ブッシュとブッシュ王朝に所属する者の詳細については、Mickey Herskowitz, *Duty, Honor, Country: The Life and Legacy of Prescott Bush*（Nashville: Rutledge Hill Press, 2003）; Jon Meacham, *Destiny and Power: The American Odyssey of George Herbert Walker Bush*（New York: Random House, 2015）; Jacob Weisberg, *The Bush Tragedy*（New York: Random House, 2008）から多くを得た。リー・アトウォーターの遺産は、映画 *Boogie Man: The Lee Atwater Story*（2008）および Beth Schwartzapfel and Bill Keller, "Willie Horton Revisited," The Marshall Project（May 13, 2015）で検討が行われている。

ブラック・マナフォート・アンド・ストーンの文化、成長、影響力については、Franklin Foer "Paul Manafort, American Hustler," *The Atlantic*（March 2018）および Manuel Roig-Franzia, "The Swamp Builders," *Washington Post*（November 29, 2018）に記されている。

スティーヴ・バノンとパット・カデルは、2017 年にデイヴィッド・ホロウィッツ・フリーダム・センターで開かれた「復活の週末」でそろい踏みした際にハンレーとともに取り組んだ活動について語ってくれた。この会合は、11 月 16 ～ 19 日にフロリダ州パームビーチのブレーカーズ・ホテルで行われた。

10――タマなし野郎

ウェストヴァージニアでの山頂採掘をめぐるビジネス、政治、実践の記録について、かつて『チャールストン・ガゼット・メール』に所属し、現在は『マウンテン・ステート・スポットライト』のケン・ワード・ジュニアほど多大な時間を割いた者はいない。数年にわたる歳月の中で、インタビューの機会を得るとともに彼の記事を参照することができ、うれしく思っている。山頂採掘の影響は、多くの重要な学術論文や一般向け出版物のテーマになっている。主なものとして、M. A. Palmer et al., "Mountaintop Mining Consequences," *Science* 327, no. 5962（2010）; Melissa M. Ahern et al., "The Association Between Mountaintop Mining and Birth Defects Among Live Births in Central Appalachia, 1996–2003," *Environmental Research* 111, no. 6（August 2011）; Shirley L. Stewart Burns, *Bringing Down the Mountains: The Impact of Mountaintop Removal Surface Coal Mining on Southern West Virginia Communities, 1970–2004*（Morgantown: West Virginia University Press, 2007）; John McQuaid, "Mining the Mountains," *Smithsonian Magazine*（January 2009）; Steven A. Simon et al., "Ecological Zones in the Southern Appalachians: First Approximation," United States Department of Agriculture Forest Service（December 2005）がある。

石炭産出地域に対するウォールストリートの関心は、Patrick Rucker, "How Big Coal Summoned Wall Street and Faced a Whirlwind," Reuters（August 5, 2016）および Mike Elk, "In the Coal Fields, a Novel Way to Get Rid of Pensions Is Born," *In These Times*（December 31, 2012）で描写されている。アレック・マクギリスは、年金と医療サービス廃止に向けた動きについて、何度か記事にしている。以下を参照のこと。"The Incredible Disappearing Health Benefits," *The New Republic*（February

19, 2013); "Bankruptcy Lawyers Strip Cash from Coal Miners' Health Insurance," ProPublica (October 1, 2015); "Dealmakers Drop a Plan to Divert Millions from the Health Insurance of Retired Coal Miners," ProPublica (October 8, 2015). ディストレスト投資の文化については、A. Scott Carson, "Vulture Investors, Predators of the 90s: An Ethical Examination," *Journal of Business Ethics* 17, no. 5 (April 1998) および Tiffany Kary et al., "Hated by Many, Distressed Debt Brawler Isn't About to Back Down," Bloomberg (June 4, 2018) で検討が行われている。コーエン邸の売却は、Michelle Celarier, "The Reckoning on Round Hill Road," *Institutional Investor* (June 5, 2017) で報じられたことによって注目を集めた。パトリオット・コールをめぐる混乱は、『セントルイス・ビジネス・ジャーナル』『ウォールストリート・ジャーナル』、プロパブリカ、『チャールストン・ガゼット・メール』で報じられた。

経済的苦悩、地位の低下、階層による差別がもたらす意味については、Jonathan Cobb and Richard Senett, *The Hidden Injuries of Class* (New York: W. W. Norton, 1993); Williams, *White Working Class*; Sarah Smarsh, "Poor Teeth," *Aeon* (October 23, 2014); Colleen Flaherty, "(More) Bias in Science Hiring," *Inside Higher Ed* (June 6, 2019); Lauren A. Rivera and András Tilcsik, "Class Advantage, Commitment Penalty: The Gendered Effect of Social Class Signals in an Elite Labor Market," *American Sociological Review* (October 12, 2016) で検討が行われている。

著者
エヴァン・オズノス
Evan Osnos
1976年、英国ロンドン生まれ。ハーヴァード大学卒業。
『シカゴ・トリビューン』の記者・特派員として
9.11同時多発テロやイラク戦争を取材したのち北京支局長。
この間、2008年にピュリツァー賞(調査報道部門)を受賞したシリーズに貢献。
2008〜13年、雑誌『ニューヨーカー』の中国特派員を務めた。
現在はワシントンDCを拠点に『ニューヨーカー』のスタッフライターとして
優れたレポートを発信し続けるかたわら、
ブルッキングス研究所のシニアフェローも務めている。
邦訳書に、全米図書賞を受賞した『ネオ・チャイナ』(白水社)のほか、
『バイデンの光と影』(扶桑社)がある。

訳者
笠井亮平
かさい・りょうへい
1976年、愛知県生まれ。岐阜女子大学南アジア研究センター特別客員准教授。
中央大学総合政策学部卒業後、青山学院大学大学院国際政治経済学研究科で修士号取得。
在中国、在インド、在パキスタンの日本大使館で外務省専門調査員として勤務。
著書に『「RRR」で知るインド近現代史』『第三の大国 インドの思考』
『インパールの戦い』(以上、文春新書)、『インドの食卓』(ハヤカワ新書)、
『モディが変えるインド』『インド独立の志士「朝子」』(以上、白水社)、
共著に『軍事大国化するインド』(亜紀書房)、
『台頭するインド・中国』(千倉書房)、
訳書に『インド外交の流儀』『日本でわたしも考えた』『アメリカ副大統領』
『シークレット・ウォーズ(上下)』『ネオ・チャイナ』『ビリオネア・インド』(以上、白水社)、
監訳書に『日本軍が銃をおいた日』(早川書房)などがある。

ワイルドランド
アメリカを分断する「怒り」の源流（上）

二〇二四年二月一〇日 印刷
二〇二四年三月五日 発行

著者 エヴァン・オズノス
訳者© 笠井亮平
装幀 日下充典
組版 閏月社
発行者 岩堀雅己
印刷所 株式会社三陽社
発行所 株式会社白水社

東京都千代田区神田小川町三の二四
電話 営業部〇三（三二九一）七八一一
編集部〇三（三二九一）七八二一
振替 〇〇一九〇-五-三三二二八
郵便番号 一〇一-〇〇五二
www.hakusuisha.co.jp

乱丁・落丁本は、送料小社負担にてお取り替えいたします。

誠製本株式会社

ISBN978-4-560-09272-9

Printed in Japan